Pyramiden

Henning Mankell

Pyramiden

O

ORDFRONT FÖRLAG

Stockholm 2001

Sprickan är tidigare publicerad i Hemmets Veckotidning 1997
under titeln *Mannen med huvan.*
Mannen på stranden är publicerad i ICA-Kuriren 1995.
Fotografens död är publicerad i ICA-Kuriren 1996.

Henning Mankell: Pyramiden
Ordfront förlag, Box 17506, 11891 Stockholm
www.ordfront.se forlaget@ordfront.se

© Henning Mankell 1996
Satt med Monotype Sabon (Postscript)
Omslag: Göran Skarbrandt
Omslagsfoto: IMS/Paul Steel
Typografi och produktion: Christer Hellmark
Ny utgåva, fjärde tryckningen
Tryck: STC, Avesta 2003

ISBN 91-7324-779-0

Till Rolf Lassgård
med stor värme, tacksamhet
och inte så lite beundran.
Han har berättat mycket för mig
om Wallander som jag själv
inte visste om.

Innehåll

Förord

Först när jag hade skrivit den åttonde och sista delen av sviten om Kurt Wallander insåg jag vilken undertitel jag hela tiden sökt efter men aldrig hittat. När allt, eller åtminstone det mesta, var över förstod jag att undertiteln naturligtvis borde vara »Romaner om den svenska oron«.

Men det kom jag alltså fram till för sent. Trots att böckerna hela tiden hade varierat detta enda tema: »Vad händer med den svenska rättsstaten under 1990-talet? Hur ska demokratin kunna överleva om inte rättsstatens fundament längre är intakt? Har den svenska demokratin ett pris som en dag anses vara för högt och inte längre värt att betala?«

Just de här frågorna har de allra flesta brev jag fått också handlat om. Många läsare har haft kloka tankar att dela med sig av. Nog tycker jag mig ha fått bekräftat att Wallander på sitt vis fungerat som språkrör för många människors känsla av växande otrygghet, ilska och sunda insikter om förhållandet mellan rättsstaten och demokratin. Tjocka brev, eller tunna vykort från egendomliga ställen i världen jag aldrig hört talas om, telefonsamtal som nått mig på sällsamma klockslag, upphetsade röster som talat via e-post.

Frånsett rättsstaten och demokratin har jag också fått några andra frågor. Några av dem har handlat om de inkonsekvenser som många läsare med glädje upptäcker. I nästan alla fall läsare har upptäckt »felaktigheter« har de haft rätt. (Och låt mig med en gång slå fast att nya inkonsekvenser kommer att kunna upptäckas även i denna volym. Låt mig då bara säga att det som står i den här volymen är det som gäller! Ingen skugga ska falla på

9

någon redaktör. Jag hade inte kunnat ha någon bättre än Eva
Stenberg.)

Men de flesta breven har ställt frågan: Vad hände med Wallander innan romanserien börjar? Allt, för att nu slå fast ett exakt datum, före den 8 januari 1990? Den tidiga vintermorgon då
Wallander blir väckt i sin säng av ett telefonsamtal; inledningen
till *Mördare utan ansikte*. Jag har stor förståelse för att folk undrar om hur det hela egentligen började. När Wallander träder in
på arenan är han 42 år, på det 43:e. Men han har då varit polis
länge, han har varit gift och är skild, har barn, och en gång har
han brutit upp från Malmö och sökt sig till Ystad.

Läsare har undrat. Och jag har naturligtvis själv undrat. Under de här nio åren har jag emellanåt rensat upp i lådor, grävt i
dammiga pappershögar, eller letat bland disketternas ettor och
nollor.

För några år sedan, just när jag var färdig med den femte boken, *Villospår*, insåg jag att jag i huvudet hade börjat skriva berättelser som utspelade sig innan romanserien började. Återigen, detta magiska datum, den 8 januari 1990.

Nu har jag samlat dessa berättelser. Några har varit publicerade tidigare i tidningspressen. Dem har jag gått över med ganska
lätt hand. En del kronologiska fel och döda ord har opererats
bort. Två av berättelserna har aldrig tidigare varit publicerade.

Men inte låter jag nu trycka dessa texter för att jag rensat
mina lådor. Jag ger ut den här volymen eftersom de utgör ett utropstecken efter den punkt jag satte förra året. Liksom kräftan
kan det ibland vara bra att gå baklänges. Till en utgångspunkt.
Tiden innan den 8 januari 1990.

Ingen bild blir någonsin fullständig. Men de här bitarna tycker jag alltså ska vara med.

Resten är och förblir tystnad.

Henning Mankell
JANUARI 1999

Hugget

I början var allting bara en dimma.
Eller kanske som ett tjockflytande hav där allting var vitt och tyst. Dödens landskap. Det var också det första Kurt Wallander tänkte när han långsamt började stiga upp mot ytan igen. Att han redan var död. Han hade blivit 21 år, inte mer. En ung polisman, knappt fullvuxen. Och sedan hade en främmande man kommit rusande mot honom med en kniv och han hade aldrig hunnit kasta sig åt sidan.

Efteråt fanns bara den vita dimman. Och tystnaden.

Långsamt vaknade han, långsamt återvände han till livet. Bilderna som virvlade omkring innanför pannbenet var oklara. Han försökte fånga dem i flykten, som man fångar fjärilar. Men bilderna vek undan och bara med yttersta möda lyckades han rekonstruera vad som egentligen hade hänt...

Wallander var ledig. Det var den 3 juni 1969 och han hade just följt Mona ner till en av Danmarksbåtarna, inte en av de nya, flygbåtarna, utan en av de gamla trotjänarna, där man fortfarande hade tid för en ordentlig måltid under överfarten till Köpenhamn. Hon skulle träffa en väninna, de skulle kanske gå på Tivoli, men mest i klädaffärer. Wallander hade velat följa med eftersom han hade ledigt. Men hon hade sagt nej. Resan var bara för henne och hennes väninna. Inga karlar fick medfölja.

Nu såg han båten försvinna ut genom hamninloppet. Mona skulle komma tillbaka på kvällen och då hade han lovat att möta henne. Höll det vackra vädret i sig skulle de ta en promenad. Och sedan gå hem till hans lägenhet ute i Rosengård.

13

Wallander märkte att han blev upphetsad redan av själva tanken. Han rättade till byxorna och sneddade sedan över gatan och gick in i stationshuset. Där köpte han ett paket cigaretter, som alltid John Silver, och tände en redan innan han lämnade stationen.

Wallander hade inga planer för dagen. Det var en tisdag och han var ledig. Han hade haft mycket övertid, inte minst eftersom det varit stora och återkommande Vietnamdemonstrationer både i Lund och Malmö. I Malmö hade det uppstått konfrontationer. Wallander hade tyckt illa om hela situationen. Vad han hade för åsikter om demonstranternas krav på att USA måste lämna Vietnam visste han inte riktigt. Dagen innan hade han försökt tala med Mona om det, men hon hade inte haft någon annan åsikt än att »demonstranterna bråkade«. När Wallander trots allt insisterade och själv hävdade att det knappast kunde vara rätt att världens största krigsmakt skulle bomba ett fattigt jordbrukarland i Asien sönder och samman eller »tillbaka till stenåldern« som han hade läst i en tidning att någon amerikansk högre militär hade sagt, så hade hon huggit tillbaka och sagt att någon kommunist tänkte hon minsann inte gifta sig med.

Wallander hade kommit av sig. Någon fortsättning på diskussionen hade det aldrig blivit. Och det var Mona han skulle gifta sig med, det var han övertygad om. Flickan med det ljusbruna håret, den spetsiga näsan och den smala hakan. Som kanske inte var den vackraste flicka han mött i sitt liv. Men som ändå var den han ville ha.

De hade träffats året innan. Wallander hade före dess i över ett år varit tillsammans med en flicka som hette Helena och arbetade på ett shipping-kontor i staden. Plötsligt en dag hade hon bara meddelat att det hela var över, att hon hade hittat en annan. Wallander hade först blivit mållös. Därefter hade han suttit en hel helg i sin lägenhet och grinat. Han hade varit utom sig av svartsjuka och hade, sedan han lyckats torka tårarna, åkt ner till Centralstationens pub och druckit alldeles för mycket. Så hade han åkt hem igen och fortsatt att grina. När han nu någon gång passerade ingången till puben, rös han till. Där skulle han aldrig sätta sin fot mer.

Sedan hade det följt några tunga månader då Wallander försökte få Helena att ändra sig, att komma tillbaka. Men hon hade blankt avvisat honom och till slut blivit så irriterad på hans enträgenhet att hon hotat att anmäla honom för polisen. Då hade Wallander slagit till reträtt. Och märkligt nog var det som om allt därmed hade gått över. Helena kunde ha sin nye karl i fred. Det hade skett en fredag.

Samma kväll reste han över Sundet och på återresan från Köpenhamn hamnade han bredvid en flicka som satt och stickade och som hette Mona.

Wallander promenerade genom staden försjunken i tankar. Undrade vad Mona och hennes väninna gjorde just nu. Sedan tänkte han på det som hänt veckan innan. Demonstrationerna som urartat. Eller om det nu var hans egna befäl som inte klarat att bedöma situationen korrekt. Wallander hade tillhört en improviserad insatsstyrka som skulle hålla sig i reserv i bakgrunden. Det var först när det var full kalabalik som den hade kallats in. Vilket i sin tur bara gjorde att situationen blev ännu mer kaotisk.

Den ende som Wallander egentligen hade försökt diskutera politik med var hans egen far. Han var 60 år gammal och hade just bestämt sig för att flytta ut till Österlen. Fadern var en lynnig person som Wallander aldrig visste var han hade. Inte minst sedan fadern en gång blivit så upprörd att han nästan sa upp bekantskapen med sin son. Det hade skett när Wallander några år tidigare kom hem och meddelade att han skulle bli polis. Fadern satt i sin ateljé som luktade oljefärg och kaffe. Han hade slängt en målarpensel på Wallander och bett honom försvinna och aldrig komma tillbaka igen. Någon polis i familjen tänkte han inte tolerera. Det hade utbrutit ett våldsamt gräl. Men Wallander hade stått på sig, det var polis han skulle bli, och det kunde inga kastade målarpenslar i världen ändra på. Plötsligt hade grälet tagit slut, fadern hade slutit sig i fientlig tystnad och åter satt sig framför sitt staffli. Sedan började han envist forma en tjäder med hjälp av en mall. Han valde alltid samma motiv, ett skogslandskap, som varierades genom att han ibland målade dit en tjäder.

Wallander rynkade pannan när han tänkte på fadern. Någon riktig försoning hade aldrig kommit till stånd. Men nu talade de trots allt med varandra igen. Wallander hade ofta undrat över hur hans mor, som dött medan han utbildade sig till polis, hade stått ut med sin man. Hans syster Kristina hade varit klok nog att flytta hemifrån så fort hon någonsin kunnat och bodde nu i Stockholm.

Klockan hade blivit tio. Bara ett svagt vinddrag fläktade genom Malmös gator. Wallander gick in på ett café som låg intill NK. Han beställde kaffe och smörgås, bläddrade i Arbetet och Sydsvenskan. I båda tidningarna fanns insändare från människor som antingen berömde eller klandrade polisens agerande i samband med demonstrationerna. Wallander bläddrade snabbt förbi. Han orkade inte läsa. Snart hoppades han slippa tjänstgöra som demonstrationsmotare längre. Det var kriminalpolis han skulle bli. Det hade han varit inställd på redan från början och aldrig gjort någon hemlighet av. Om bara några månader skulle han börja arbeta på en av de avdelningar som sysslade med utredningar av våldsbrott och även allvarligare sedlighetsbrott.

Plötsligt var det någon som stod framför honom. Wallander hade kaffekoppen i handen. Han såg upp. Det var en flicka i sjuttonårsåldern med långt hår. Hon var mycket blek och stirrade ursinnigt på honom. Sedan böjde hon sig framåt så att håret föll över ansiktet och pekade på sin nacke.

– Här, sa hon. Här slog du mig.

Wallander ställde ner koppen. Han förstod ingenting.

Hon hade rätat på nacken igen.

– Jag förstår nog inte riktigt vad du menar, sa Wallander.

– Du är polis, va?

– Ja.

– Och du var med och slogs under demonstrationen?

Nu förstod Wallander sammanhanget. Hon hade känt igen honom, trots att han inte bar uniform.

– Jag slog inte nån, svarade han.

– Det spelar väl ingen roll vem som höll i batongen? Du var där. Alltså var du med och slog på oss.

– Ni överträdde demonstrationsföreskrifterna, svarade Wallander och hörde hur hopplösa orden lät i hans mun.

– Jag tycker så jävla illa om poliser, sa hon. Jag hade tänkt dricka kaffe här. Men nu går jag till ett annat ställe.

Sedan var hon borta. Servitrisen bakom disken betraktade Wallander strängt. Som om han hade berövat henne en gäst.

Wallander betalade och gick. Smörgåsen blev liggande halväten. Mötet med flickan hade gjort honom ordentligt upprörd. Plötsligt var det som om alla på gatan stirrade. Som om han trots allt hade uniform på sig. Inte mörkblå byxor, ljus skjorta och grön jacka.

Jag måste bort från gatorna, tänkte han. In på ett kontor, in på spaningsgruppernas möten, direkt till brottsplatserna. Inga fler demonstrationer för mig. Då sjukskriver jag mig.

Han började gå fortare. Övervägde om han skulle ta bussen ut till Rosengård. Men bestämde sig för att han behövde motion. Just nu ville han dessutom helst av allt vara osynlig, inte stöta ihop med någon han kände.

Men naturligtvis gick han rakt på sin far utanför Folkparken. Han kom kånkande på en av sina tavlor, inslagen i brunt papper. Wallander som hade gått och stirrat ner i gatan upptäckte honom så sent att han inte hann göra sig osynlig. Fadern hade en egendomlig toppluva på huvudet och tjock överrock, därunder någon sorts träningsoverall och gymnastikskor utan strumpor.

Wallander stönade invärtes. Han ser ut som en luffare, tänkte han. Varför kan han inte åtminstone klä sig ordentligt?

Fadern ställde ner tavlan och pustade ut.

– Varför har du inte uniform? frågade han, utan att hälsa. Är du inte polis längre?

– Jag är ledig i dag.

– Jag trodde poliser alltid var i tjänst. För att rädda oss från allt ont.

Wallander lyckades kontrollera sin ilska.

– Varför har du vinterrock? frågade han i stället. Det är tjugo grader varmt.

– Det är möjligt, svarade fadern. Men jag håller mig frisk och kry genom att svettas mycket. Det borde du också göra.

– Man kan bara inte gå med vinterrock på sommaren.

– Då får du väl bli sjuk.

– Jag är ju aldrig sjuk?

– Inte än. Men det kommer.

– Har du sett hur du ser ut?

– Jag brukar inte ägna min tid åt att se på mig själv i spegeln.

– Du kan väl inte ha vintermössa i juni?

– Försök ta av den om du törs. Då kommer jag att anmäla dig för misshandel. Jag antar för övrigt att du var med och slog på demonstranterna.

Inte han också, tänkte Wallander. Det är inte möjligt. Han har ju aldrig intresserat sig för politiska frågor. Även om jag försökt diskutera med honom ibland.

Men Wallander tog fel.

– Varje anständig människa måste ta avstånd från det där kriget, sa fadern bestämt.

– Varje människa måste också göra sitt arbete, svarade Wallander med tillkämpat lugn.

– Du vet vad jag sa till dig. Du skulle aldrig ha blivit polis. Men du lyssnade inte. Se nu vad du ställer till med. Slår oskyldiga småbarn i huvudet med käppar.

– Jag har inte slagit en jävla människa i mitt liv, svarade Wallander plötsligt tvärilsken. Dessutom har vi inte käppar utan batonger. Vart ska du ta vägen med den där tavlan?

– Jag ska byta den mot en luftfuktare.

– Vad ska du med en luftfuktare till?

– Den ska jag byta mot en ny madrass. Den jag har nu är för dålig. Jag får ont i ryggen.

Wallander visste att fadern ofta var inblandad i sällsamma transaktioner, som ofta kunde ha många led innan den vara som han behövde äntligen landade i hans händer.

– Vill du att jag ska hjälpa dig? frågade Wallander.

– Jag behöver ingen polisbevakning. Däremot kunde du gott komma över nån kväll och spela lite kort.

– Jag kommer, svarade Wallander. När jag har tid.

Kortspel, tänkte han. Det är den sista livlina vi har mellan oss. Fadern lyfte upp tavlan.

– Varför får jag aldrig några barnbarn? frågade han sedan.

Men han väntade inte på något svar utan gick därifrån.

Wallander såg efter honom. Tänkte att det skulle bli skönt att fadern nu flyttade ut på Österlen. Så att han inte längre riskerade att springa på honom av en händelse.

Wallander bodde i ett gammalt hus i Rosengård. Hela området levde under ständigt rivningshot. Men han trivdes där, även om Mona talat om för honom att om de gifte sig fick de söka sig till ett annat område. Wallanders lägenhet bestod av ett rum, kök och ett trångt badrum. Det var hans första egna lägenhet. Möblerna hade han köpt på auktioner och i olika prylbodar. På väggarna hängde affischer, med blommor eller paradisöar som motiv. Eftersom fadern emellanåt kom på besök hade han också känt sig tvungen att hänga upp ett av hans landskap på väggen över soffan. Han hade valt ett utan tjäder.

Men det viktigaste i rummet var grammofonen. Wallander hade inte många skivor. Och de som fanns innehöll nästan bara operamusik. Vid de tillfällen när han haft några av sina poliskollegor hemma hade de alltid frågat honom hur han kunde lyssna på sådan musik. Därför hade han också skaffat några andra skivor att ha i beredskap och som kunde spelas när han fick besök. Av någon för honom obekant anledning tycktes många poliser vara förtjusta i Roy Orbison.

Strax efter ett hade han ätit lunch, druckit kaffe och städat undan det värsta. Under tiden hade han lyssnat på en skiva med Jussi Björling. Det var hans första skiva, den var raspig bortom allt förnuft, men han hade ofta tänkt att den var det första han skulle rädda om det plötsligt utbröt en brand i huset.

Han hade just satt på skivan för andra gången när det bultade i taket. Wallander skruvade ner volymen. Huset var mycket lyhört. Ovanför bodde en pensionerad kvinna som en gång haft blomsteraffär. Hon hette Linnea Almqvist. När hon tyckte han spelade för högt bultade hon. Och han skruvade lydigt ner. Fönstret stod öppet, gardinen som Mona hängt upp fläktade, och han lade sig på sängen. Han kände sig både trött och lat. Han hade rätt att ta igen sig. Han började bläddra igenom ett nummer av Lektyr. Den gömde han nogsamt när Mona skulle komma på besök. Men snart hade han somnat med tidningen på golvet.

Han vaknade med ett ryck av ett brak. Varifrån det kommit kunde han inte avgöra. Han reste sig och gick ut i köket för att se om någonting hade ramlat i golvet. Där var allting som det skulle. Sedan gick han tillbaka in i rummet och tittade ut genom fönstret. Gården mellan husen var övergiven. En blå overall hängde ensam på ett klädstreck och fladdrade stilla i brisen. Wallander återvände till sängen igen. Han hade ryckts upp ur en dröm. Flickan från caféet hade varit med. Men drömmen hade varit otydlig och kaotisk.

Han reste sig och såg på klockan. Kvart i fyra. Han hade sovit i mer än två timmar. Han satte sig vid köksbordet och skrev en lista på det han skulle handla. Mona hade lovat att köpa med något att dricka från Köpenhamn. Han stoppade papperet i fickan, tog jackan och stängde dörren bakom sig.

Sedan blev han stående i halvmörkret. Dörren till grannens lägenhet stod på glänt. Det förvånade Wallander eftersom man-

nen som bodde där var mycket skygg och hade låtit installera ett
extra lås så sent som i maj. Wallander övervägde om han skulle
låta saken bero men bestämde sig för att knacka. Mannen som
bodde ensam i lägenheten var en pensionerad sjöman som hette
Artur Hålén. Han bodde i huset redan när Wallander flyttade
dit. De brukade hälsa och förde emellanåt något kort, intet-
sägande samtal när de råkade mötas i trappan, men ingenting
mer. Wallander hade aldrig sett eller hört Hålén ta emot besök.
På morgnarna lyssnade han på radio, på kvällarna slog han på
teven. Men klockan tio var det alltid tyst. Wallander hade några
gånger funderat på hur mycket Hålén kunde uppfatta av Wal-
landers dambesök, särskilt nattens upphetsade ljud. Men han
hade naturligtvis aldrig frågat.

Wallander knackade ytterligare en gång. Inget svar. Sedan
öppnade han dörren och ropade. Det var tyst. Tveksamt steg
han in i tamburen. Det luktade instängt, en unken gammelmans-
doft. Wallander ropade igen.

Han måste ha glömt att låsa när han gick ut, tänkte Wallan-
der. Trots allt är han nog uppåt sjuttio år gammal. Han kanske
har blivit glömsk.

Wallander kastade en blick in i köket. En hopknycklad tips-
kupong låg på vaxduken intill en kaffekopp. Sedan drog han
undan draperiet som ledde in till rummet. Han hajade till. Hålén
låg på golvet. Den vita skjortan var nersölad av blod. Intill ena
handen låg en revolver.

Braket, tänkte Wallander. Det var ett skott jag hörde.

Han märkte att han började må illa. Döda människor hade
han sett många gånger tidigare. Människor som drunknat och
sådana som hängt sig. Människor som bränts ihjäl eller krossats
till oigenkännlighet i trafikolyckor. Men fortfarande hade han
inte vant sig.

Han såg sig runt i rummet. Håléns lägenhet var en spegelvänd
kopia av hans egen. Möblemanget gav intryck av torftighet. Inte
en blomma, inte en prydnadssak. Sängen var obäddad.

Wallander betraktade kroppen ytterligare ett ögonblick. Hålén måste ha skjutit sig i bröstet. Och han var död. Det behövde Wallander inte ta pulsen på honom för att kunna avgöra.

Han återvände hastigt till sin egen lägenhet och ringde till polisen. Sa vem han var, en kollega, och berättade om det som hade hänt. Sedan gick han ut på gatan och väntade på att utryckningsfordonen skulle komma.

Polis och ambulans anlände nästan samtidigt. Wallander nickade mot dem som steg ur bilarna. Han kände allihop.

– Vad har du hittat här? frågade en av radiopoliserna. Han hette Sven Svensson, var från Landskrona och kallades aldrig annat än Taggen efter det att han vid en jakt på en inbrottstjuv hade ramlat in i en häck med törnen och fått ett antal taggar i underlivet.

– Min granne, svarade Wallander. Han har skjutit sig.

– Hemberg är på väg, sa Taggen. Kriminalen måste ju gå igenom det hela.

Wallander nickade. Han visste. Dödsfall i hemmet, hur naturliga de än verkade, måste alltid undersökas av polisen.

Hemberg var en man med ett visst rykte. Inte enbart positivt. Han hade lätt för att brusa upp och bli elak mot sina medarbetare. Men samtidigt var han en sådan virtuos inom sitt yrke att ingen egentligen vågade säga emot honom. Wallander märkte att han blivit nervös. Hade han gjort något fel? Hemberg skulle slå ner på det ögonblickligen. Och det var med kriminalkommissarie Hemberg Wallander skulle börja arbeta så fort han lyckades få förflyttning.

Wallander stod kvar på gatan och väntade. En mörk Volvo stannade till vid trottoaren och Hemberg steg ur. Han var ensam. Det tog några sekunder innan han kände igen Wallander.

– Vad fan gör du här? frågade Hemberg.

– Jag bor här, svarade Wallander. Det är min granne som skjutit sig. Det var jag som larmade.

Hemberg höjde intresserat på ögonbrynen.

– Såg du honom?

– Hur då såg?

– Såg du honom skjuta sig?

– Naturligtvis inte.

– Hur kan du då veta att det var självmord?

– Vapnet ligger bredvid kroppen.

– Än sen då?

Wallander visste inte vad han skulle svara.

– Du måste lära dig att ställa riktiga frågor, sa Hemberg. Om du ska börja arbeta som kriminalpolis. Jag har tillräckligt många redan nu som inte tänker som dom ska. Jag vill inte ha en till.

Sedan slog han om och blev vänligare.

– Om du säger att det är självmord så är det säkert så. Var är det?

Wallander pekade mot porten. De gick in.

Wallander följde sedan uppmärksamt Hembergs arbete. Såg hur han satt på huk intill kroppen och resonerade om kulans ingångshål tillsammans med den läkare som kommit. Betraktade vapnets läge, kroppens läge, handens läge. Därefter gick han runt i lägenheten, undersökte lådorna i byrån, garderober och kläder.

Efter en knapp timme var han klar. Han gjorde tecken åt Wallander att följa med ut i köket.

– Nog är det självmord alltid, sa Hemberg medan han tankspritt slätade ut och studerade den tipskupong som låg på bordet.

– Jag hörde ett brak, sa Wallander. Det måste ha varit skottet.

– Du hörde ingenting annat?

Wallander tänkte att det var bäst att säga som det var.

– Jag sov middag, svarade han. Braket väckte mig.

– Och efteråt? Inga springande steg i trappan?

– Nej.

– Kände du honom?

Wallander berättade det lilla han visste.

– Han hade inga anhöriga?

– Inte som jag känner till.

– Vi får reda ut hur det är med den saken.

Hemberg satt tyst några ögonblick.

– Det finns inga familjebilder, fortsatte han sedan. Varken på byrån där inne eller på väggarna. Ingenting i lådorna. Bara två gamla sjömansböcker. Det enda av intresse jag kunde hitta var en färggrann skalbagge som var instoppad i en burk. Större än en ekoxe. Vet du vad en ekoxe är?

Det visste inte Wallander.

– Den största svenska skalbaggen, sa Hemberg. Men den är snart utrotad.

Han lade ifrån sig tipskupongen.

– Det finns inte heller nåt avskedsbrev, fortsatte han. En gammal man har fått nog av allting och tar adjö från det hela med ett brak. Enligt läkaren har han siktat bra. Mitt i hjärtat.

En polisman kom in i köket med en plånbok och gav den till Hemberg, som öppnade den och plockade fram ett id-kort, utställt av posten.

– Artur Hålén, sa Hemberg. Född 1898. Han hade många tatueringar. Som sig bör för en sjöman av den gamla stammen. Vet du vad han gjorde till sjöss?

– Jag tror han var maskinist.

– I en av sjömansböckerna är han antecknad som maskinist. I en tidigare som matros. Han har alltså arbetat med olika saker ombord. Nån gång har han varit förtjust i en flicka som hette Lucia. Det namnet stod tatuerat både på höger axel och på bröstet. Om man ville kunde man tänka att han symboliskt skjutit sig rakt igenom detta vackra namn.

Hemberg stoppade ner id-kortet och plånboken i en väska.

– Rättsläkaren får naturligtvis ha sista ordet, sa han. Och vi ska rutinundersöka både vapnet och kulan. Men nog är det självmord alltid.

Hemberg kastade åter en blick på tipskupongen.

– Artur Hålén visste inte mycket om engelsk fotboll, sa han. Hade han vunnit på den här kupongen hade han blivit ensam om vinsten.

Hemberg reste sig. Samtidigt fördes kroppen bort. Den övertäckta båren lirkades försiktigt ut genom den trånga tamburen.

– Det händer allt oftare, sa Hemberg tankfullt. Gamla människor som tar adjö för egen hand. Men inte särskilt ofta med ett skott. Och särskilt inte från en revolver.

Han betraktade plötsligt Wallander uppmärksamt.

– Men det hade du naturligtvis redan tänkt på?

Wallander blev överraskad.

– Vad då?

– Att det är märkligt att han hade en revolver. Vi har gått igenom byrån. Men nån licens finns inte.

– Han har väl köpt den nån gång under sin tid på sjön.

Hemberg ryckte på axlarna.

– Säkert.

Wallander följde Hemberg ner på gatan.

– Eftersom du är granne tänkte jag du kunde ha hand om nyckeln, sa han. När dom andra är klara lämnar dom den till dig. Se till att ingen obehörig går in förrän vi är helt säkra på att det var självmord.

Wallander gick tillbaka in i huset. I trappan mötte han Linnea Almqvist som var på väg ut med en soppåse.

– Vad är det för förskräckligt spring här i trappan? frågade hon strängt.

– Vi har tyvärr haft ett dödsfall, sa Wallander artigt. Hålén är död.

Kvinna blev synbarligen skakad av nyheten.

– Han var nog väldigt ensam, sa hon sakta. Jag försökte bjuda honom på kaffe ett par gånger. Han ursäktade sig med att han inte hade tid. Men tid var väl det enda han hade?

– Jag kände honom knappt, sa Wallander.

– Var det hjärtat?

Wallander nickade.

– Ja, svarade han. Det var nog hjärtat.

– Vi får i alla fall hoppas att det inte flyttar in några bråkiga ungdomar, sa hon och gick.

Wallander återvände in i Håléns lägenhet. Det var lättare nu när kroppen hade flyttats undan. En kriminaltekniker höll på att packa ihop sin väska. Blodfläcken hade mörknat på linoleummattan. Taggen stod och petade naglarna.

– Hemberg sa att jag skulle ta hand om nycklarna, sa Wallander.

Taggen pekade på en nyckelknippa som låg på byrån.

– Undrar vem som äger huset, sa Taggen. Jag har en flickvän som letar efter ett ställe att bo.

– Det är väldigt lyhört, sa Wallander. Bara så du vet.

– Har du inte hört talas om dom nya exotiska vattensängarna? sa Taggen. Dom knarrar inte.

Klockan hade hunnit bli kvart över sex innan Wallander kunde låsa dörren till Håléns lägenhet. Fortfarande var det flera timmar tills han skulle möta Mona. Han gick in till sig och kokade kaffe. Det hade börjat blåsa. Han stängde fönstret och satte sig i köket. Ingen mat hade han hunnit handla och nu var affären stängd. Någon kvällsöppen butik fanns inte i närheten. Han tänkte att han skulle bli tvungen att bjuda ut Mona på middag. Plånboken låg på bordet. Han såg efter att han hade tillräckligt med pengar. Mona tyckte om att gå på restaurang, men Wallander tyckte det var att kasta ut pengar i onödan.

Kaffepannan pep. Han hällde upp i koppen och lade i tre sockerbitar. Väntade på att det skulle svalna.

Någonting oroade honom.

Varifrån det kom visste han inte.

Men plötsligt var känslan mycket stark.

Han visste inte vad det var. Annat än att det hade med Hålén att göra. I tankarna gick han igenom det som hade hänt. Braket som väckt honom, dörren som hade stått på glänt, den döda kroppen på golvet inne i rummet. En man hade begått självmord, en man som råkat vara hans granne.

Ändå var det någonting som inte stämde. Wallander gick in i rummet och lade sig på sängen. Lyssnade i minnet efter braket. Hade han hört någonting annat? Innan eller efter? Hade några ljud trängt in i drömmarna? Han sökte men hittade ingenting. Ändå var han säker. Det var något han hade förbisett. Han fortsatte att leta bland tankarna. Men där var bara tystnad. Han reste sig från sängen och gick tillbaka ut i köket igen. Kaffet hade svalnat nu.

Jag inbillar mig saker, tänkte han. Jag såg det själv, Hemberg såg det, alla såg det. En ensam gammal man som hade fått nog.

Ändå var det som om han hade sett något utan att begripa vad han såg.

Samtidigt insåg han att det naturligtvis fanns något lockande i tanken. Att han kunde ha gjort en observation som undgått Hemberg. Det skulle öka hans chanser att snabbt avancera till kriminalpolis.

Han såg på klockan. Fortfarande hade han tid innan han måste iväg och möta Mona vid Danmarksfärjan. Han ställde koppen i diskhon, tog nyckelknippan och gick in i Håléns lägenhet. När han kom in i rummet var allt som när han upptäckte den döda kroppen, förutom att den nu var borta. Men rummet var detsamma. Wallander såg sig långsamt omkring. Hur gör man? tänkte han. Hur upptäcker man det man ser utan att se?

Någonting var det, det var han övertygad om.

Men han såg det inte.

Han gick ut i köket och satte sig på den stol där Hemberg suttit. Tipskupongen låg framför honom. Wallander visste inte särskilt mycket om engelsk fotboll. I själva verket visste han nästan ingenting om fotboll överhuvudtaget. Spelade han någon enstaka gång, så köpte han en penninglott. Ingenting annat.

Kupongen gällde för den kommande lördagen, kunde han se. Hålén hade till och med skrivit in sitt namn och sin adress.

Wallander återvände in i rummet och ställde sig vid fönstret för att betrakta det från en annan vinkel. Hans blick stannade vid sängen. Hålén hade varit påklädd när han tog livet av sig. Men sängen var obäddad. Trots att det i övrigt rådde pedantisk ordning. Varför bäddade han inte sängen? tänkte Wallander. Inte kan det ha varit så att han sovit påklädd, vaknat och sedan skjutit sig utan att bädda? Och varför ligger en ifylld tipskupong på köksbordet?

Det stämde inte. Men det behövde heller inte betyda någonting. Hålén kunde ha bestämt sig mycket fort för att göra slut på det hela. Han hade kanske insett det meningslösa i att bädda sängen en sista gång.

Wallander satte sig i rummets enda fåtölj. Den var nersutten och sliten. Jag inbillar mig saker, tänkte han igen. Rättsläkaren kommer att slå fast att det var självmord, den tekniska undersökningen kommer att bekräfta att vapnet och kulan hörde ihop, och att skottet avlossats av Håléns egen hand.

Wallander bestämde sig för att lämna lägenheten. Nu måste han tvätta sig och byta kläder innan han gav sig av för att möta Mona. Men någonting höll honom kvar. Han gick fram till byrån och började öppna lådorna. Genast hittade han de två sjömansböckerna. Artur Hålén hade varit en stilig man i sin ungdom. Ljust hår, ett stort och brett leende. Wallander hade svårt att tänka sig att det han såg föreställde samme man som tyst och stilla framlevt sina sista dagar i Rosengård. Minst av allt tyckte han det var en bild av någon som en dag skulle komma att ta livet av sig. Men han visste hur fel han tänkte. Självmördare kunde aldrig karaktäriseras utifrån givna mallar.

Han hittade den färggranna skalbaggen och tog med den fram till fönstret. På undersidan av asken tyckte han sig kunna tyda att det stod tryckt »Brasil«. En souvenir som Hålén köpt någon gång under en resa. Wallander fortsatte att gå igenom lådorna.

Nycklar, mynt från olika länder, inget som fångade hans uppmärksamhet. Halvvägs in under det slitna och trasiga hyllpapper som den nedersta lådan var fodrad med låg ett brunt kuvert. När Wallander öppnade det såg han att det innehöll ett gammalt fotografi. Ett bröllopspar. På baksidan stod namnet på en fotoateljé och ett datum. 15 maj 1894. Ateljén fanns i Härnösand. Dessutom stod där skrivet: *Manda och jag den dag vi gifte oss.* Föräldrarna, tänkte Wallander. Fyra år senare föddes sonen.

När han var färdig med byrån gick han över till bokhyllan. Till hans förvåning fanns där flera böcker på tyska. De var tummade och grundligt lästa. Dessutom stod där några av Vilhelm Mobergs böcker, en spansk kokbok och några tidskrifter för människor som intresserade sig för modellflygsbyggen. Wallander skakade undrande på huvudet. Bilden av Hålén var betydligt mer sammansatt än han kunnat ana. Han lämnade bokhyllan och tittade under sängen. Ingenting. Sedan fortsatte han med garderoben. Kläderna var prydligt upphängda, tre par skor välborstade. Det är bara den obäddade sängen, tänkte Wallander igen. Den stör bilden.

Han skulle just stänga garderoben när det ringde på dörren. Wallander hajade till. Väntade. Det ringde igen. Wallander fick en känsla av att han befann sig på förbjudet område. Han väntade ännu ett ögonblick. Men när det ringde för tredje gången gick han och öppnade.

Det stod en man i grå rock utanför dörren. Han såg undrande på Wallander.

– Har jag gått fel? frågade han. Jag söker herr Hålén.

Wallander försökte anslå en formell ton som kunde vara lämplig.

– Får jag fråga vem ni är? sa han onödigt bryskt.

Mannen rynkade pannan.

– Vem är ni själv? frågade han.

– Jag är polis, sa Wallander. Kriminalassistent Kurt Wallander. Vill ni nu vara så vänlig och svara på min fråga om vem ni är och vad ni vill?

– Jag säljer ett uppslagsverk, sa mannen spakt. Jag var här i förra veckan och presenterade böckerna. Artur Hålén bad mig komma tillbaka idag. Kontraktet och första inbetalningen har han redan skickat in. Jag skulle lämna det första bandet och sen den presentbok som varje ny köpare får som välkomsterbjudande.

Han tog fram två böcker ur en portfölj som för att försäkra Wallander om att han talade sanning.

Wallander hade lyssnat med växande förundran. Känslan av att något inte var som det skulle hade plötsligt förstärkts. Han steg åt sidan och nickade åt mannen med böckerna att komma in.

– Har det hänt nåt? frågade denne.

Wallander lotsade in honom i köket utan att svara och tecknade åt honom att sitta ner vid bordet.

Sedan insåg Wallander att han nu för första gången skulle framföra ett dödsbud. Något som han alltid bävat inför. Men han tänkte också att det inte var en anhörig han hade framför sig utan bara en bokförsäljare.

– Artur Hålén är död, sa han.

Mannen på andra sidan bordet tycktes inte förstå.

– Men jag talade ju med honom tidigare i dag?

– Jag tyckte ni sa att ni hade träffats förra veckan?

– Jag ringde idag på förmiddagen och undrade om det passade att jag kom förbi i kväll.

– Vad sa han då?

– Att det gick bra. Varför skulle jag annars ha kommit? Jag är inte en människa som tränger mig på. Människor har så konstiga föreställningar om bokförsäljare som knackar dörr.

Wallander trodde knappast att mannen ljög.

– Låt oss ta det hela från början, sa Wallander.

– Vad är det som har hänt? avbröt mannen.

– Artur Hålén är död, svarade Wallander. Tills vidare är det allt jag kan säga.

– Men om polisen är inblandad måste det ha hänt nånting? Har han blivit påkörd?

– Tills vidare är det allt jag kan säga, upprepade Wallander och undrade varför han gjorde situationen så onödigt dramatisk.

Sedan bad han mannen berätta hela historien.

– Jag heter Emil Holmberg, började mannen. Jag är egentligen högstadielärare i biologi. Men jag försöker sälja uppslagsverk för att få ihop till en resa till Borneo.

– Borneo?

– Jag är intresserad av tropiska växter.

Wallander nickade åt honom att fortsätta.

– Jag gick runt här i kvarteret förra veckan och ringde på dörrarna. Artur Hålén visade sig intresserad och bad mig komma in. Vi satt här i köket. Jag berättade om uppslagsverket, om vad det kostade och visade honom ett provexemplar. Efter ungefär en halvtimme skrev han under kontraktet. Sen ringde jag i dag och han sa att det passade att jag kom i kväll.

– Vilken dag var ni här i förra veckan?

– Tisdagen. Mellan klockan fyra och halv sex, ungefär.

Wallander erinrade sig att han vid det tillfället varit i tjänst. Men han såg ingen anledning att berätta att han själv bodde i huset. Särskilt som han hade påstått att han var kriminalpolis.

– Det var bara Hålén som var intresserad, fortsatte Holmberg. En dam på övervåningen började gräla för att jag gick omkring och störde folk. Sånt händer men inte särskilt ofta. Här intill var det ingen som svarade minns jag.

– Ni sa att Hålén hade gjort sin första inbetalning?

Mannen öppnade sin portfölj där han förvarade böckerna och visade Wallander ett kvitto. Det var daterat på fredagen i veckan innan.

Wallander försökte tänka efter.

– Hur länge skulle han betala på det här uppslagsverket?

– I två år. Tills alla tjugo delarna var slutbetalda.

Det här stämmer inte, tänkte Wallander. Ingenting stämmer. En man som tänker begå självmord skriver knappast på ett köpekontrakt som ska gälla två år framåt.

– Vad var ert intryck av Hålén? frågade Wallander.

– Jag förstår nog inte riktigt hur ni menar?

– Hur var han? Lugn? Glad? Verkade han bekymrad?

– Han sa inte så mycket. Men han var uppriktigt intresserad av uppslagsverket. Det är jag säker på.

Wallander hade för tillfället inget mer att fråga om. I köksfönstret låg en blyertspenna. Han letade i fickan efter ett papper. Det enda han hittade var inköpslistan. Han vände upp baksidan och bad Holmberg skriva ner sitt telefonnummer.

– Vi kommer troligtvis inte att höra av oss igen, sa han. Men jag vill ändå ha ert telefonnummer.

– Hålén verkade fullt frisk, sa Holmberg. Vad är det egentligen som har hänt? Och vad händer nu med kontraktet?

– Såvida han inte har några släktingar som tar över beställningen kommer ni knappast att få betalt. Jag kan försäkra er att Artur Hålén är död.

– Och ni kan inte säga vad som har hänt?

– Tyvärr inte.

– Det låter otäckt.

Wallander reste sig som tecken på att samtalet var över.

Holmberg blev stående med sin portfölj.

– Jag kanske kan intressera kriminalkonstapeln för ett uppslagsverk?

– Kriminalassistent, svarade Wallander. Och nåt uppslagsverk behöver jag inte. I alla fall inte just nu.

Wallander följde med Holmberg ut på gatan. Först när denne hade försvunnit runt hörnet på sin cykel gick Wallander in igen och återvände till Håléns lägenhet. Satte sig vid köksbordet och gick i tankarna på nytt igenom det Holmberg hade sagt. Den enda rimliga förklaring han kunde komma fram till var att Hålén mycket plötsligt bestämt sig för att ta livet av sig. Om han nu inte varit så galen att han ville spela en oskyldig bokförsäljare ett elakt spratt.

Någonstans på avstånd ringde en telefon. Alldeles för sent insåg han att det var hans egen. Han sprang in i lägenheten. Det var Mona.

– Jag trodde du skulle möta mig, sa hon argt.

Wallander såg på sitt armbandsur och svor tyst. Han skulle ha varit nere vid båtarna för minst en kvart sedan.

– Jag blev upptagen av en brottsutredning, sa han ursäktande.

– Du är ju ledig i dag?

– Tyvärr så behövde dom mig.

– Finns det verkligen inga andra poliser än du? Ska det vara så här?

– Det var säkert ett undantag.

– Har du handlat mat?

– Det hann jag inte.

Han hörde hur besviken hon var.

– Jag hämtar dig nu, sa han. Jag försöker få tag på en taxi. Sen går vi ut och äter.

– Hur ska jag kunna vara säker på det? Du kanske måste rycka ut igen?

– Jag kommer så fort jag kan. Jag lovar.

– Jag sitter på en bänk härutanför. Men jag väntar bara i tjugo minuter. Sen går jag hem.

Wallander lade på och ringde till Taxi. Det var upptaget. Det dröjde nästan tio minuter innan han lyckades göra sin beställning. Mellan försöken att komma fram till växeln hade han hunnit låsa hos Hålén och byta skjorta.

Han kom till Danmarksfärjornas terminal efter 33 minuter. Då hade Mona gått hem. Hon bodde på Södra Förstadsgatan. Wallander gick upp till Gustav Adolfs Torg och ringde från en telefonautomat. Han fick inget svar. Fem minuter senare försökte han igen. Då hade hon kommit hem.

– Säger jag tjugo minuter så menar jag det, sa hon.

– Jag fick inte tag på nån taxi. Det var bara upptaget i den där förbannade växeln.

– Jag är ändå trött, sa hon. Vi ses en annan kväll i stället.

Wallander försökte övertala henne, men hon hade bestämt sig. Samtalet mynnade ut i ett gräl. Sedan lade hon på. Wallander dängde luren i klykan. Några förbipasserande patrullerande polismän betraktade honom ogillande. De tycktes inte känna igen honom.

Wallander gick till en korvkiosk som låg vid torget. Sedan satte han sig på en bänk och åt och betraktade frånvarande några måsar som slogs om en brödbit.

Det hände inte ofta att han och Mona grälade men varje gång gjorde det honom orolig. Innerst inne visste han att det skulle gå över till dagen efter. Då skulle hon vara som vanligt igen. Men förnuftet rådde inte på oron. Den fanns där ändå.

När Wallander kommit hem satte han sig vid köksbordet och försökte koncentrera sig på att göra en sammanställning över det som hade hänt i grannlägenheten. Men han tyckte inte han kom någon vart. Dessutom kände han sig osäker. Hur genomförde man egentligen en utredning och analys av en brottsplats? Han insåg att han saknade alltför många grundläggande kunskaper trots tiden på Polishögskolan. Efter en halvtimme slängde han ilsket pennan ifrån sig. Allt var inbillning. Hålén hade skjutit sig själv. Tipskupongen och bokförsäljaren ändrade ingenting på detta faktum. Det han hellre borde göra var att beklaga att han inte hade haft mer kontakt med Hålén. Kanske var det ensamheten som till sist blev honom outhärdlig?

Wallander vankade fram och tillbaka i lägenheten, rastlöst, oroligt. Mona hade varit besviken. Och han hade varit orsaken.

Från gatan hörde han en bil som for förbi. Musik strömmade ut ur det öppna bilfönstret. »The House of the Rising Sun«. Den hade varit mäkta populär några år tidigare. Men vad hette bandet? Kinks? Wallander mindes inte. Sedan tänkte han att han så här dags brukade höra det svaga ljudet från Håléns teve tränga igenom väggen. Nu var det tyst.

Wallander satte sig i soffan och lade upp fötterna på bordet. Tänkte på sin far. Vinterrocken och toppluvan, de strumplösa fötterna. Hade det inte varit så sent kunde han ha åkt ut och spelat kort med honom. Men han märkte att han började bli trött, trots att klockan inte ens hade hunnit bli elva. Han satte på teven. Som vanligt var det ett debattprogram. Det tog en stund innan han förstod att de medverkande diskuterade för- och nackdelar med den nya värld som så småningom skulle komma. Datorernas värld. Han stängde av. Blev sittande ännu en stund innan han gäspande klädde av sig och gick till sängs.

Snart hade han somnat.

Vad som väckte honom kunde han efteråt aldrig reda ut. Men plötsligt var han klarvaken, lyssnande ut i den dunkla sommarnatten. Någonting hade väckt honom, det var han säker på. Kanske en bil med trasigt avgasrör som farit förbi på gatan? Gardinen rörde sig långsamt vid fönstret som stod på glänt. Han slöt ögonen igen.

Sedan hörde han det, alldeles intill sitt huvud.

Någon fanns inne i Håléns lägenhet. Han höll andan och fortsatte att lyssna. Det klingade till, som om någon hade flyttat på något föremål. Strax efter hördes som ett hasande. Någon flyttade en möbel. Wallander såg på klockan som stod på nattduksbordet. Kvart i tre. Han tryckte örat mot väggen. Han hade börjat tro att det var inbillning när han hörde ett ljud igen. Det var absolut någon som rörde sig där inne.

Han satte sig upp i sängen och undrade vad han skulle göra. Ringa efter sina kollegor? Om Hålén inte hade några släktingar hade väl ingen någon orsak att befinna sig i lägenheten. Men de visste inte säkert hur Håléns familjesituation var. Och han kunde ju ha lämnat ett par reservnycklar till någon de inte kände till.

Wallander steg upp ur sängen och drog på sig byxorna och skjortan. Sedan gick han barfota ut i trappen. Dörren till Håléns lägenhet var stängd. Han hade nycklarna i handen. Plötsligt blev han osäker på vad han skulle göra. Det enda rimliga var att ringa på dörren. Trots allt hade han fått nycklarna av Hemberg och hade därmed en sorts ansvar. Han tryckte på ringklockan. Väntade. Nu hade det blivit alldeles tyst inne i lägenheten. Han ringde igen. Fortfarande ingen reaktion. I samma ögonblick insåg han att en person som befann sig inne i lägenheten mycket lätt kunde ta sig ut via ett fönster. Det var bara knappt två meter ner till marken. Han svor till och sprang ut på gatan. Hålén hade en hörnlägenhet. Wallander skyndade sig runt hörnet. Gatan var tom. Men ett av Håléns fönster stod på vid gavel.

Wallander gick tillbaka in i huset igen och låste upp Håléns ytterdörr. Innan han klev in ropade han men fick inget svar. Han tände lampan i tamburen och gick in i rummet. Lådorna i byrån var utdragna. Wallander såg sig omkring. Den som hade varit i lägenheten hade letat efter någonting. Han gick fram till fönstret och försökte se om det brutits upp. Men han hittade inga märken. Det betydde att han kunde dra två slutsatser. Den okända person som hade kommit till Håléns lägenhet hade haft tillgång till nycklar. Och han eller hon hade inte velat bli ertappad.

Wallander tände ljuset i rummet och började se efter om något som funnits där tidigare på dagen nu fattades. Men han var osäker på sitt minne. Det som varit iögonfallande fanns kvar. Skalbaggen från Brasilien, de två sjömansböckerna och det gamla fotografiet. Men fotografiet var uttaget ur kuvertet och låg på golvet. Wallander satte sig på huk och såg på kuvertet. Någon hade tagit ut fotografiet. Den enda förklaring Wallander kunde finna var att någon sökt efter något annat som kanske hade kunnat finnas i ett kuvert.

Han reste sig upp och fortsatte att se sig runt. Sängkläderna var urrivna ur sängen, garderoben öppen. En av Håléns två kostymer hade hamnat på golvet.

Någon har letat, tänkte Wallander. Frågan är efter vad. Och om han eller hon hade hittat det innan jag ringde på dörren.

Han gick ut i köket. Köksskåpen var öppna. En kastrull hade ramlat ner på golvet. Kanske var det det som hade väckt honom? Egentligen, tänkte han, är svaret givet. Om den person som var här hade hittat det han sökte efter skulle han ha gett sig av. Och då knappast genom fönstret. Alltså finns det han sökte kvar här. Om det nu alls har funnits här.

Wallander återvände in i rummet och betraktade det intorkade blodet på golvet.

Vad hände? frågade han sig. Var det verkligen självmord?

Han fortsatte att söka igenom lägenheten. Men när klockan blivit tio minuter över fyra gav han upp, återvände till sin lägenhet och lade sig i sängen igen. Först skruvade han fram väckningen på sin klocka till sju. Han skulle tala med Hemberg det första han gjorde på morgonen.

Dagen efter vräkte regnet ner över Malmö när Wallander sprang till busshållplatsen. Han hade sovit oroligt och vaknat långt innan väckarklockan ringde. Tanken på att han kanske kunde imponera på Hemberg med sin vaksamhet hade gjort att han legat och fantiserat om att han en dag skulle bli en brottsutredare som gick utöver det vanliga. Den tanken gjorde också att han bestämde sig för att säga ifrån på skarpen till Mona. Man kunde inte förvänta sig att en polisman alltid skulle passa tiden.

Klockan var fyra minuter i sju när han kom till polishuset. Han hade hört att Hemberg ofta kom mycket tidigt till arbetet, och efter en fråga i receptionen visade det sig vara riktigt. Hemberg hade anlänt redan vid sextiden. Wallander gick upp till den avdelning där kriminalpolisen härskade. Fortfarande var de flesta kontorsrummen tomma. Han gick raka vägen till Hembergs dörr och knackade. När han hörde Hembergs röst öppnade han och steg in. Hemberg satt i sin egen besöksstol och klippte naglarna. När han upptäckte att det var Wallander rynkade han pannan.

– Hade vi avtalat att träffas nu? Det kan jag inte minnas?

– Nej. Men jag har nåt att rapportera.

Hemberg lade ifrån sig nagelsaxen bland sina pennor och satte sig bakom skrivbordet.

– Om det tar mer än fem minuter kan du sätta dig, sa han.

Wallander förblev stående. Sedan berättade han vad som hade hänt. Han började med bokförsäljaren och fortsatte med nattens händelser. Om Hemberg lyssnade med intresse eller inte kunde han inte avgöra. Hans ansikte avslöjade ingenting.

– Det var det, slutade Wallander. Jag tänkte jag borde rapportera det här så fort som möjligt.

Hemberg nickade åt Wallander att sätta sig. Sedan drog han till sig ett kollegieblock, valde ut en penna och noterade bokförsäljare Holmbergs namn och telefonnummer. Wallander lade kollegieblocket på minnet. Hemberg använde sig alltså inte av lösa papper eller förtryckta rapportmallar.

– Det nattliga besöket verkar egendomligt, sa han sedan. Men i grunden ändrar det ingenting. Hålén begick självmord. Det är jag övertygad om. När obduktionen och vapenundersökningen är klara så lär vi få det bekräftat.

– Frågan är vem det var som kom dit i natt.

Hemberg ryckte på axlarna.

– Du har själv gett ett tänkbart svar. Nån som haft nycklar. Som letat efter nånting han eller hon inte vill mista. Rykten sprider sig fort. Folk såg polisbilarna och ambulansen. Att Hålén var död kände många till efter ett par timmar.

– Ändå är det underligt att den där personen hoppade ut genom fönstret.

Hemberg log.

– Han kanske trodde du var en inbrottstjuv, sa han.

– Som ringde på dörren?

– Ett vanligt sätt att undersöka om nån är hemma.

– Klockan tre på natten?

Hemberg slängde ifrån sig pennan och lutade sig bakåt i stolen.

– Du verkar inte övertygad, sa han, utan att dölja att Wallander hade börjat irritera honom.

Wallander insåg genast att han hade gått för långt och började retirera.

– Naturligtvis är jag det, sa han. Självmord, ingenting annat.

– Bra, sa Hemberg. Då säger vi så. Det var bra att du rapporterade. Jag ska skicka över några gubbar att gå igenom oredan. Sen väntar vi bara på läkarna och teknikerna. Efter det kan vi sätta in Hålén i en pärm och glömma honom.

Hemberg lade handen på telefonluren som tecken på att samtalet var över och Wallander lämnade rummet. Han kände sig som en idiot. En idiot som skenat. Vad var det egentligen han hade inbillat sig? Att han kommit ett mord på spåren? Han gick ner till sitt eget rum och bestämde sig för att Hemberg hade rätt. En gång för alla glömma alla tankar på Hålén. Och vara en flitig ordningspolis ett tag till.

Samma kväll kom Mona till Rosengård. De åt middag och Wallander sa ingenting av det han hade bestämt sig för. I stället bad han om ursäkt för att han kommit sent. Mona godtog det hela och stannade sedan över natten. De låg länge vakna och pratade om juli då de skulle ha semester tillsammans i två veckor. Fortfarande hade de inte bestämt vad de skulle göra. Mona arbetade på en damfrisering och tjänade inte särskilt mycket. Hennes dröm var att någon gång i framtiden kunna öppna eget. Wallander hade heller ingen hög lön. Noga räknat 1 896 kronor i månaden. De hade ingen bil och de skulle bli tvungna att planera noga för att få pengarna att räcka.

Wallander hade föreslagit att de skulle resa norrut och gå i fjällen. Han hade aldrig varit längre än till Stockholm. Men Mona ville åka någonstans där det gick att bada. De hade undersökt om deras gemensamma sparpengar skulle räcka till en resa till Mallorca. Men det skulle bli för dyrt. I stället föreslog Mona att de skulle resa till Skagen i Danmark. Hon hade varit där några gånger med sina föräldrar som barn och aldrig glömt det. Hon hade dessutom tagit reda på att där fanns flera billiga pensionat som ännu inte var fullbokade. Innan de somnade hade de lyckats bli överens. De skulle resa till Skagen. Redan dagen efter skulle Mona reservera rum medan Wallander undersökte tågtiderna från Köpenhamn.

Kvällen därpå, den 5 juni, besökte Mona sina föräldrar som bodde i Staffanstorp. Wallander spelade poker några timmar med sin far. För en gångs skull var denne på gott humör och började inte kritisera Wallander för hans yrkesval. När han dessutom lyckades spela av sin son nästan femtio kronor blev han på så gott humör att han plockade fram en flaska konjak.

– Nån gång ska jag åka till Italien, sa han sedan de skålat. Och dessutom vill jag en gång i mitt liv se pyramiderna i Egypten.

– Varför det?

Fadern betraktade honom länge.

– Det var en utomordentligt dum fråga, sa han. Naturligtvis ska man se Rom innan man dör. Och pyramiderna. Det tillhör vanligt folkvett.

– Hur många svenskar tror du egentligen har råd att åka till Egypten?

Fadern låtsades inte höra hans invändning.

– Men jag ska inte dö, tillfogade han i stället. Däremot ska jag flytta till Löderup.

– Hur går det med husköpet?

– Det är redan klart.

Wallander såg förvånat på honom.

– Vad menar du med klart?

– Att jag redan har köpt och betalt huset. Svindala 12:24 är beteckningen.

– Men jag har ju inte ens sett det än?

– Det är inte du som ska bo där. Det är jag.

– Har du själv varit där?

– Jag har sett det på bild. Det räcker. Jag gör inga resor i onödan. Det inkräktar på mitt arbete.

Wallander stönade invärtes. Han var övertygad om att fadern

hade blivit lurad vid husköpet. Lika lurad som han så ofta blivit när han sålt sina tavlor till de tvivelaktiga figurer i stora amerikanska bilar som under alla år varit hans köpare.

– Det var ju en nyhet, sa Wallander. Får man fråga när du har tänkt flytta?

– Det kommer en lastbil på fredag.

– Ska du flytta redan den här veckan?

– Du hör vad jag säger. Nästa gång spelar vi kort mitt ute i den skånska leran.

Wallander slog ut med armarna.

– När ska du packa? Här är ju en fruktansvärd röra?

– Jag utgick ifrån att du inte hade tid. Därför har jag bett din syster komma ner och hjälpa mig.

– Om jag inte hade kommit i kväll hade jag alltså hittat ett tomt hus när jag kom på besök nästa gång?

– Ja, det hade du.

Wallander räckte fram sitt glas för att få mer konjak. Fadern fyllde det snålt till hälften.

– Jag vet ju inte ens var det ligger. Löderup? Är det hitom eller bortom Ystad?

– Det är hitom Simrishamn.

– Kan du inte svara på min fråga?

– Det har jag redan gjort.

Fadern reste sig och ställde undan konjaksflaskan. Sedan pekade han på kortleken.

– Ska vi ta en vända till?

– Jag har inga pengar kvar. Men jag ska försöka komma hit på kvällarna och hjälpa dig att packa. Vad betalade du för huset?

– Det har jag redan glömt.

– Det kan du väl inte ha gjort? Har du så mycket pengar?

– Nej. Men pengar intresserar mig inte.

Wallander insåg att han inte skulle få något tydligare svar än så. Klockan hade blivit halv elva. Han behövde komma hem och sova. Samtidigt hade han svårt att slita sig. Det var här han hade vuxit upp. När han föddes hade de bott i Klagshamn. Men därifrån hade han inga egentliga minnen.

– Vem ska bo här nu? frågade han.

– Jag har hört att det ska rivas.

– Du verkar inte bry dig särskilt mycket om det? Hur länge har du bott här egentligen?

– I 19 år. Mer än nog.

– Man kan i alla fall inte beskylla dig för sentimentalitet. Är du klar över att det här faktiskt är mitt barndomshem?

– Ett hus är ett hus, svarade fadern. Nu har jag fått nog av staden. Jag vill ut på landet. Där kommer jag att få vara ifred och måla och planera mina resor till Egypten och Italien.

Wallander gick hela vägen tillbaka till Rosengård. Det var molnigt. Han märkte att han oroades av tanken på att fadern skulle flytta och att hans barndomshem kanske skulle rivas.

Jag är sentimental, tänkte han. Kanske är det därför jag tycker om opera? Frågan är bara om man kan bli en bra polis om man har anlag för sentimentalitet?

Dagen efter ringde Wallander och undersökte tågtider inför deras semesterresa. Mona hade reserverat rum på ett pensionat som verkade trivsamt. Wallander ägnade resten av dagen åt att patrullera i Malmö centrum. Hela tiden tyckte han sig se den flicka som skällt ut honom några dagar tidigare på caféet. Han längtade till den dag han kunde ta av sig uniformen. Överallt riktades ögon mot honom som gav uttryck för motvilja eller förakt, främst från personer i hans egen ålder. Han patrullerade tillsammans med en överviktig och trög polisman som hette Svanlund. Denne talade hela tiden om att han skulle gå i pension året efter och flytta till sin fädernegård utanför Hudiksvall. Wallander lyssnade förstrött och mumlade då och då någon intetsägande kommentar. Frånsett att de avvisade några berusade personer från en lekplats hände ingenting annat än att Wallander fick ont i fötterna. Det var första gången, trots att han patrullerat så många dagar av sitt hittillsvarande polisliv. Han undrade om det berodde på hans allt starkare längtan att bli kriminalpolis. När han kommit hem tog han diskbaljan och fyllde den. En känsla av välbefinnande bredde ut sig i hela kroppen när han stoppade ner fötterna i det varma vattnet.

Han slöt ögonen och började tänka på den hägrande semesterresan. Mona och han skulle få tid att ostört planera sin framtid. Och snart hoppades han äntligen kunna hänga undan uniformen och flytta upp till den våning där Hemberg satt.

Han slumrade till i stolen. Fönstret stod på glänt. Någon eldade tydligen skräp. Han kunde känna en svag röklukt. Eller kanske det var torra grenar. Det knastrade svagt.

Han ryckte till och slog upp ögonen. Vem höll egentligen på att elda skräp på bakgården? Och här fanns inga villaträdgårdar i närheten.

Sedan upptäckte han röken.

Den kom sipprande in från tamburen. När han sprang ut till ytterdörren välte han baljan med vatten. Trapphuset var fullt av rök. Ändå behövde han inte tvivla på var det brann.

Det rasade en eldsvåda i Håléns lägenhet.

2.

Efteråt tänkte Wallander att han för en gångs skull verkligen hade lyckats agera helt enligt regelboken. Han hade sprungit in i sin lägenhet och larmat brandkåren. Sedan hade han återvänt ut i trapphallen och rusat uppför trappan och dunkat på Linnea Almqvists dörr och sett till att hon kommit ut på gatan. Hon hade först protesterat men Wallander hade resolut tagit henne i armen. När de kommit ut genom porten upptäckte Wallander att han hade ett stort sår på ena knäet. Han hade snubblat över baljan när han återvänt in i lägenheten för att ringa till brandkåren och slagit knäet i en bordskant. Först nu upptäckte han att det blödde.

Släckningen hade gått fort eftersom branden inte hunnit få ordentligt fäste innan Wallander känt lukten av rök och slagit larm. När han närmat sig räddningsledaren för att få veta om man redan nu kunde säga vad som orsakat branden hade han blivit avvisad. Ilsket hade han då gått in i sin lägenhet och hämtat sin polisbricka. Räddningsledaren hette Faråker och var en man i 60-årsåldern med rödbrusigt ansikte och mäktig stämma.

– Det kunde du ju ha sagt att du var polis, sa han.

– Jag bor här i huset. Det var jag som larmade.

Wallander berättade vad som hade hänt med Hålén.

– Det dör alldeles för mycket människor, sa Faråker bestämt.

Wallander visste inte riktigt hur han skulle tolka den överraskande kommentaren.

– Men det betyder att lägenheten var tom, upprepade Wallander.

– Det tycks ha börjat i tamburen, sa Faråker. Fan vet om branden inte var anlagd.

Wallander såg undrande på honom.

– Hur kan du veta det redan nu?

– Man lär sig ett och annat med åren, sa Faråker samtidigt som han delade ut några instruktioner.

– Det kommer du också att göra, fortsatte han och började stoppa en gammal pipa.

– Om branden var anlagd måste väl kriminalpolisen kallas in? sa Wallander.

– Dom är redan på väg.

Wallander började hjälpa några kollegor som motade undan nyfikna.

– Andra branden i dag, sa en av polismännen som hette Wennström. I morse hade vi ett brädupplag ut mot Limhamn.

Wallander undrade hastigt om det möjligtvis var hans far som bestämt sig för att elda upp huset när han ändå skulle flytta. Men han fullföljde aldrig tanken.

Samtidigt stannade en bil vid trottoaren. Wallander upptäckte till sin förvåning att det var Hemberg som kommit. Han vinkade till sig Wallander.

– Jag hörde anropet, sa han. Egentligen var Lundin på väg. Men jag tänkte att jag skulle ta över eftersom jag kände igen adressen.

– Räddningsledaren misstänker att det är anlagt.

Hemberg grimaserade.

– Folk tror så förbannat mycket, sa han. Jag har känt Faråker i nästan femton år. Det spelar ingen roll om det tar eld i en skorsten eller i en bilmotor. För honom är alla bränder anlagda. Kom med här så kanske du lär dig nånting.

Wallander följde efter Hemberg.

– Vad säger du om det här? frågade Hemberg.

– Anlagt.

Faråker var mycket bestämd. Wallander anade att det existerade en grundmurad och ömsesidig motvilja mellan de två männen.

– Mannen som bodde där är död. Vem skulle anlägga brand därinne?

– Det är din sak att reda ut. Jag bara säger att det är anlagt.

– Kan vi gå in?

Faråker ropade till sig en av brandmännen som gav klartecken. Branden var släckt och den värsta röken utvädrad. De gick in. Tamburen var svartbränd intill ytterdörren. Men elden hade aldrig nått längre än till det draperi som skilde tamburen från lägenhetens enda rum. Faråker pekade på brevinkastet.

– Det har börjat här, sa han. Pyrt, och sen tagit sig. Här finns varken elledningar eller nåt annat som kan ha fattat eld av sig själv.

Hemberg satte sig på huk vid dörren. Sedan sniffade han.

– Det är möjligt att du för en gångs skull har rätt, sa han och reste sig. Det luktar nånting. Fotogen, kanske.

– Hade det varit bensin skulle branden ha sett annorlunda ut.

– Nån har alltså stoppat in nåt genom brevinkastet?

– Så har det nog gått till.

Faråker petade med foten i resterna av tamburmattan.

– Knappast papper, sa han. Troligare en tygbit. Eller trassel.

Hemberg skakade uppgivet på huvudet.

– Det är väl själva fan också att nån ska anlägga bränder hos folk som redan är döda.

– Din sak, sa Faråker. Inte min.

– Vi får säga åt teknikerna att titta på det här.

För ett ögonblick verkade Hemberg brydd. Sedan såg han på Wallander.

– Bjuder du på kaffe?

De gick in i Wallanders lägenhet. Hemberg betraktade den omkullvälta baljan och vattenpölen på golvet.

– Försökte du släcka branden själv?

– Jag tog ett fotbad.

Hemberg såg intresserat på honom.

– Fotbad?

– Jag får ont i fötterna ibland.

– Då har du fel sorts skor, sa Hemberg. Jag patrullerade i över tio år men fick aldrig ont i fötterna.

Hemberg satte sig vid köksbordet medan Wallander gjorde i ordning kaffe.

– Hörde du nånting? frågade Hemberg. Nån som kom eller gick i trappan?

– Nej.

Wallander tyckte det kändes genant att medge att han sovit även denna gång.

– Om nån hade rört sig där, hade du hört det då?

– Det brukar slå i porten, svarade Wallander undvikande. Förmodligen hade jag hört om nån kom. Om personen inte själv höll emot när porten slog igen.

Wallander ställde fram ett paket Mariekex. Det var det enda han hade att bjuda på till kaffet.

– Nånting konstigt är det, sa Hemberg. Först tar Hålén livet av sig. Sen är det nån som tar sig in i lägenheten under natten. Och nu anlägger nån en brand.

– Det kanske inte var självmord?

– Jag har talat med rättsläkaren idag, sa Hemberg. Allt tyder på att det var ett perfekt självmord. Hålén måste ha varit stadig på handen. Han siktade rätt. Rakt i hjärtat. Ingen tvekan. Rättsläkaren är inte alldeles klar än. Men nån annan dödsorsak än självmord ska vi inte leta efter. Det finns inte. Frågan är snarare vad den där personen letade efter. Och varför nån försöker bränna upp lägenheten. Rimligen är det samma person.

Hemberg nickade åt Wallander att han ville ha mer kaffe.

– Har du nån åsikt? frågade Hemberg plötsligt. Visa mig nu om du kan tänka.

Wallander var alldeles oförberedd på att Hemberg skulle fråga efter hans åsikt.

– Den som var där häromnatten letade efter nånting, började han. Men förmodligen hittade han ingenting.

– Därför att du kom och störde? Därför att han annars redan skulle ha gett sig iväg?

– Ja.

– Vad letade han efter?

– Det vet jag inte.

– Och nu i kväll försöker nån sätta eld på lägenheten. Låt oss anta att det är samma person. Vad betyder det?

Wallander tänkte efter.

– Ta tid på dig, sa Hemberg. Om man ska bli en bra brottsutredare måste man lära sig att tänka metodiskt, och det är ofta detsamma som att tänka långsamt.

– Kanske han ville att ingen annan heller skulle hitta det han hade letat efter?

– Kanske, sa Hemberg. Varför »kanske«?

– Det kan ju finnas nån annan förklaring.

– Som till exempel vad då?

Wallander letade febrilt efter ett alternativ utan att hitta något.

– Jag vet inte, svarade han. Jag hittar ingen annan förklaring. I alla fall inte just nu.

Hemberg tog ett kex.

– Inte jag heller, sa han. Vilket betyder att förklaringen kanske fortfarande finns där inne i lägenheten. Utan att vi har lyckats hitta den. Hade det stannat vid det nattliga besöket så hade den här utredningen avslutats så fort vapenundersökningen och rättsläkaren sagt sitt. Men med den här branden får vi nog ta en vända till där inne.

– Hade Hålén verkligen inga släktingar? frågade Wallander.

Hemberg sköt undan koppen och reste sig.

– Kom upp till mig i morgon så ska jag visa dig rapporten.

Wallander var tveksam.

– Jag vet inte när jag ska få tid till det. Vi ska göra ett tillslag mot Malmös parker i morgon. Knark.

– Jag ska tala med din chef, sa Hemberg. Det ordnar sig.

Strax efter åtta dagen efter, den 7 juni, läste Wallander igenom allt material som Hemberg hade samlat ihop om Hålén. Det var ytterst magert. Han hade ingen förmögenhet men heller inga skulder. Han tycktes helt och hållet ha levt på sin pension. Den enda släkting som noterats var en syster som avlidit 1967 i Katrineholm. Föräldrarna hade avlidit tidigare.

Wallander läste rapporten på Hembergs rum medan denne satt i något möte. Strax efter halv nio kom han tillbaka.

– Hittade du nånting? frågade han.

– Hur kan en människa vara så ensam?

– Det kan man undra, svarade Hemberg. Men det ger oss inga svar. Nu åker vi över till lägenheten.

Under förmiddagen gjorde kriminalteknikerna en noggrann genomgång av hela Håléns lägenhet. Den man som ledde arbetet var liten och mager och sa nästan ingenting. Han hette Sjunnesson och var en legend bland svenska kriminaltekniker.

– Finns det nånting så hittar han det, sa Hemberg. Stanna här och lär dig.

Hemberg fick plötsligt ett meddelande och försvann.

– Det var en karl som hade hängt sig i ett garage uppe vid Jägersro, sa han när han kom tillbaka.

Så försvann han på nytt. När han kom tillbaka var han nyklippt.

När klockan blev tre satte Sjunnesson stopp.

– Här finns ingenting, sa han. Inga dolda pengar, inget knark. Här är rent.

– Då var det nån som trodde att det fanns nåt, sa Hemberg. Och trodde fel. Nu packar vi ihop det här ärendet.

Wallander följde med Hemberg ut på gatan.

– Man ska veta när det är dags att sluta, sa Hemberg. Det är kanske det viktigaste av allt.

Wallander gick in till sig och ringde till Mona. De avtalade att träffas på kvällen och göra en biltur. Hon hade fått låna en bil av en väninna. Klockan sju skulle hon hämta Wallander i Rosengård.

– Vi far till Helsingborg, föreslog hon.

– Varför det?

– Därför att jag aldrig har varit där.

– Inte jag heller, sa Wallander. Klockan sju är jag klar. Och då åker vi till Helsingborg.

Men Wallander kom aldrig iväg till Helsingborg den kvällen. Strax före sex ringde telefonen. Det var Hemberg.

– Kom hit, sa han. Jag sitter på mitt rum.

– Egentligen har jag andra planer, sa Wallander.

Hemberg avbröt honom.

– Jag trodde du var intresserad av vad som hänt med din granne. Kom hit ska jag visa dig. Det tar inte lång stund.

Wallanders nyfikenhet var väckt. Han ringde hem till Mona men fick inget svar.

Jag hinner tillbaka, tänkte han. Egentligen har jag inte råd att åka taxi. Men det kan inte hjälpas. Han rev av en bit papper från en påse och skrev att han skulle vara tillbaka till klockan sju. Sedan ringde han efter en bil. Den här gången fick han genast svar i växeln. Han fäste lappen med ett häftstift på ytterdörren och for till polishuset. Hemberg satt på sitt rum med fötterna på bordet.

Han nickade åt Wallander att sätta sig.

– Vi hade fel, sa han. Det fanns ett alternativ som vi inte tänkte på. Sjunnesson gjorde inget misstag. Han sa som det var. I Håléns lägenhet fanns ingenting. Och det var rätt. Men det hade funnits nåt där.

Wallander förstod inte vad Hemberg menade.

– Jag erkänner att jag också blev lurad, sa Hemberg. Men det som fanns i lägenheten hade Hålén tagit med sig.

– Men han var ju död?

Hemberg nickade.

– Rättsläkaren ringde, sa han. Obduktionen var klar. Och han hade hittat nåt mycket intressant i Håléns mage.

Hemberg tog ner fötterna. Sedan tog han fram en liten hopvikt tygbit ur en av lådorna och vecklade försiktigt upp den framför Wallander.

Det låg stenar där. Ädelstenar. Vilken typ kunde Wallander inte avgöra.

– Jag hade en juvelerare här just innan du kom, sa Hemberg. Han gjorde en hastig undersökning. Det är diamanter. Förmodligen från sydafrikanska gruvor. Han sa att dom var värda en mindre förmögenhet. Och dom hade Hålén alltså svalt.

– Hade han dom i magen?

Hemberg nickade.

– Inte undra på att vi inte hittade dom.

– Men varför svalde han dom? Och när gjorde han det?

– Den sista frågan är kanske viktigast. Rättsläkaren menade att han hade svalt dom bara ett par timmar innan han sköt sig. Innan tarmarna och magsäcken upphörde att fungera. Vad tycker du det kan tyda på?

– Att han var rädd.

– Riktigt.

Hemberg sköt undan duken med diamanter och lade upp fötterna på bordet igen. Wallander märkte att han luktade fotsvett.

– Sammanfatta nu för mig, sa Hemberg.

– Jag vet inte om jag kan.

– Försök!

– Hålén svalde diamanterna för att han var rädd för att nån skulle stjäla dom. Och sen sköt han sig. Den person som var där på natten letade efter dom. Men branden kan jag inte förklara.

– Kan man inte se det på ett annat sätt, föreslog Hemberg. Om du gör en liten ändring av Håléns motiv. Var hamnar du då?

Wallander förstod plötsligt vartåt Hemberg syftade.

– Han kanske inte var rädd, sa Wallander. Han kanske bara hade bestämt sig för att aldrig skiljas från sina diamanter.

Hemberg nickade.

– En slutsats till kan man dra. Att nån visste om att Hålén hade dom här diamanterna.

– Och att Hålén visste att nån visste.

Hemberg nickade gillande.

– Du tar dig, sa han. Även om det går väldigt långsamt.

– Ändå förklarar det inte branden.

– Man måste alltid fråga sig vad som är viktigast, sa Hemberg. Var finns centrum? Var är själva kärnan? Branden kan vara en avledningsmanöver. Eller en handling av nån som blivit arg.

– Vem då?

Hemberg ryckte på axlarna.

– Det får vi knappast reda på. Hålén är död. Hur han har fått tag i diamanterna vet vi inte. Om jag går till åklagaren med det här skrattar han ut mig.

– Vad händer med diamanterna?

– Dom tillfaller Allmänna arvsfonden. Och vi kan stämpla av våra papper och skicka rapporten om Håléns död så långt ner i källaren som bara är möjligt.

– Betyder det att branden inte kommer att undersökas?

– Inte alltför grundligt, misstänker jag, sa Hemberg. Det finns det ju heller ingen anledning till.

Hemberg hade rest sig och gått fram till ett skåp som stod vid ena väggen. Han låste upp med en nyckel som han hade i fickan. Sedan nickade han åt Wallander att komma dit. Han pekade på några pärmar som låg för sig, med ett band omkring.

– Det här är mina ständiga följeslagare, sa Hemberg. Tre mordfall som fortfarande varken är uppklarade eller preskriberade. Det är inte jag som har hand om dom. Vi går igenom utredningarna en gång per år. Eller om det kommer fram nya uppgifter. Det här är inga original. Utan kopior. Det händer att jag tittar på dom. Det händer också att jag drömmer om dom. Dom flesta poliser har det inte på det viset. Dom gör sitt jobb och när dom går hem glömmer dom allt dom håller på med. Men sen finns det en annan typ. Såna som jag. Som aldrig helt kan släppa det som fortfarande inte är löst. Jag brukar till och med ta med dom här pärmarna när jag far på semester. Tre mordfall. En nittonårig flicka. 1963. Ann-Louise Franzén. Hon hittades strypt bakom några buskar vid Norra utfarten. Leonard Johansson, också 1963. Bara 17 år gammal. Honom hade någon krossat huvudet på med en sten. Vi hittade honom på stranden söder om stan.

– Honom minns jag, sa Wallander. Misstänkte man inte att det var ett bråk om en flicka som urartade?

– Det var ett bråk om en flicka, sa Hemberg. Vi förhörde rivalen i flera år. Men vi kom inte åt honom. Och jag tror inte heller att det var han.

Hemberg pekade på den understa mappen.

– En flicka till. Lena Moscho. 20 år. 1959. Samma år jag kom hit till Malmö. Hon hade fått händerna avhuggna och blivit nergrävd längs vägen ut mot Svedala. Det var en hund som nosade upp henne. Hon hade blivit våldtagen. Hon bodde med sina föräldrar vid Jägersro. Redbar flicka, som höll på att utbilda sig till läkare, av alla yrken. Det var i april. Hon skulle gå och köpa en tidning men kom aldrig tillbaka. Det tog oss fem månader att hitta henne.

Hemberg skakade på huvudet.

– Du får se vilken typ du kommer att tillhöra, sa han och stängde skåpet. Dom som glömmer eller dom som inte gör det.

– Jag vet ju inte ens om jag duger, sa Wallander.

– Du vill i alla fall, svarade Hemberg. Och det är en bra början.

Hemberg hade börjat sätta på sig sin kavaj. Wallander såg på hans armbandsur att klockan var fem minuter i sju.

– Jag måste gå, sa han.

– Jag kan köra dig hem, sa Hemberg. Om du lugnar dig.

– Jag har lite bråttom, sa Wallander.

Hemberg ryckte på axlarna.

– Nu vet du, sa han. Nu vet du vad Hålén hade i sin mage.

Wallander hade tur och lyckades fånga upp en ledig taxi utanför polishuset. När han kom till Rosengård var klockan nio minuter över sju. Han hoppades att Mona hade blivit försenad. Men när han läste på den lapp han satt upp på ytterdörren insåg han att det var fel.

Är det så här vi ska ha det? hade hon skrivit.

Wallander tog ner lappen. Häftstiftet trillade ner i trappan. Han brydde sig inte om att leta reda på det. I bästa fall skulle det fastna i Linnea Almqvists sko.

Är det så här vi ska ha det? Wallander förstod mer än väl Monas otålighet. Hon hade inte samma förväntningar på sitt yrkesliv som han. Drömmen om den egna damfriseringen skulle inte gå i uppfyllelse på länge än.

När han kommit in i lägenheten och satt sig i soffan kände han sig skuldmedveten. Han borde ägna mer tid åt Mona. Inte bara förvänta sig att hon skulle visa tålamod varje gång han kom för sent. Att försöka ringa henne skulle vara meningslöst. Just nu satt hon i den lånade bilen på väg till Helsingborg.

Plötsligt fanns en oro inom honom att allt egentligen var fel. Hade han verkligen tänkt igenom vad det skulle betyda att leva tillsammans med Mona? Skaffa barn med henne?

Han slog bort tankarna. Vi ska tala med varandra på Skagen, tänkte han. Då kommer vi att ha tid. På en sandstrand kan man inte komma för sent.

Han såg på klockan. Halv åtta. Han slog på teven. Som vanligt hade det störtat ett flygplan någonstans. Eller kanske det var ett tåg som spårat ur? Han gick ut i köket och lyssnade bara förstrött på nyheterna. Letade förgäves efter en öl. Men där fanns bara en halvdrucken sockerdricka i kylskåpet. Lusten efter något starkt var plötsligt mycket påtaglig. Tanken på att ge sig in till stan ännu en gång och sätta sig på någon bar lockade honom. Men han slog bort den eftersom han hade knappt med pengar. Trots att det ännu bara var i början av månaden.

I stället värmde han kaffe som fanns i bryggaren och tänkte på Hemberg. Hemberg med sina olösta fall i ett skåp. Skulle han bli likadan? Eller skulle han kunna vänja sig vid att koppla bort arbetet när han gick hem? För Monas skull blir jag tvungen, tänkte han. I annat fall kommer hon att bli galen.

Nyckelknippan skavde mot stolen. Han tog upp den och lade den frånvarande på bordet. Sedan var det något som dök upp i hans huvud. Något som hade med Hålén att göra.

Extralåset. Det som han installerat för kort tid sedan. Hur skulle man tolka det? Det kunde tyda på rädsla. Och varför hade dörren stått på glänt när Wallander hittat honom?

Det var för mycket som inte stämde. Trots att Hemberg slagit fast att det var självmord gnagde tvivlet inom Wallander.

Han blev alltmer säker på att det dolde sig någonting bakom Håléns självmord som de inte ens hade snuddat vid. Självmord eller inte, så fanns det något mer.

Wallander letade reda på ett block i en kökslåda och satte sig för att skriva ner de punkter som han fortfarande hängde upp sig på. Det var extralåset. Tipskupongen. Varför hade dörren stått på glänt? Vem hade varit där på natten och letat efter ädelstenarna? Varför branden?

Sedan försökte han påminna sig vad som hade stått i sjömansböckerna. Rio de Janeiro, kom han ihåg. Men var det namnet på en båt eller staden? Göteborg hade han sett, och Bergen. Sedan påminde han sig att det stått Saint Luis. Var låg det? Han reste sig och gick in i rummet. Längst in i garderoben hittade han sin gamla kartbok från skolan. Men plötsligt blev han osäker på stavningen. Var det Saint Louis eller Saint Luis? Var det USA eller Brasilien? När han bläddrade i kartbokens register stötte han plötsligt på São Luis och blev genast säker på att det var rätt.

Han gick igenom sin lista på nytt. Ser jag någonting som jag ändå inte upptäcker? tänkte han. Ett samband, en förklaring, eller det som Hemberg talar om, ett centrum?

Han hittade ingenting.

Kaffet hade kallnat. Otåligt gick han tillbaka in till soffan. Nu var det återigen ett debattprogram på tv. Den här gången satt ett

antal människor med långt hår och resonerade om den nya eng-
elska popmusiken. Han stängde av och satte på grammofonen i
stället. Genast började Linnea Almqvist att dunka i golvet. Mest
av allt hade han lust att skruva upp volymen för fullt. I stället
stängde han av.

Samtidigt ringde telefonen. Det var Mona.

– Jag är i Helsingborg, sa hon. Jag står i en telefonkiosk nere
vid färjeläget.

– Jag är ledsen att jag kom för sent hem, sa Wallander.

– Du blev naturligtvis inkallad i tjänst?

– Dom ringde faktiskt efter mig. Från kriminalen. Fast jag inte
jobbar där än kallade dom på mig.

Han hoppades att hon skulle bli lite imponerad men hörde att
hon inte trodde honom. Tystnaden vandrade mellan dem.

– Kan du inte komma hit? sa han.

– Jag tror det är bäst att vi tar en paus, sa Mona. Åtminstone
nån vecka.

Wallander märkte att han blev alldeles kall. Var Mona på väg
ifrån honom?

– Jag tror det är bäst, sa hon igen.

– Jag trodde vi skulle åka på semester tillsammans?

– Det ska vi också. Om du inte har ändrat dig.

– Naturligtvis har jag inte ändrat mig.

– Du behöver inte höja rösten. Du kan ringa mig om en vecka.
Men inte innan.

Han försökte hålla henne kvar. Men hon hade redan lagt på
luren.

Resten av kvällen blev Wallander sittande med en växande pa-
nik inom sig. Det fanns ingenting han fruktade så mycket som
att bli övergiven. Det var bara med yttersta ansträngning han
lyckades låta bli att ringa till Mona när klockan redan hade pas-
serat midnatt. Han lade sig bara för att genast stiga upp igen.
Den ljusa sommarhimlen var plötsligt hotfull. Han stekte några
ägg som han sedan inte åt upp.

Först när klockan närmade sig fem lyckades han slumra till. Men nästan genast rycktes han upp ur sängen igen.

En tanke hade slagit honom.

Tipskupongen.

Hålén måste ha lämnat in sina kuponger någonstans. Förmodligen på samma ställe varje vecka. Eftersom han för det mesta höll sig i kvarteret måste det vara hos en av de tobakshandlare som låg alldeles i närheten.

Riktigt vad det skulle ge att hitta rätta affären visste han inte. Med största sannolikhet ingenting alls.

Ändå bestämde han sig för att följa upp sin tanke. Det hade åtminstone det goda med sig att han höll paniken inför Mona på hanterbart avstånd.

Han föll i en orolig slummer några timmar.

Dagen efter var det söndag. Wallander tillbringade den med att inte göra någonting alls.

På måndagen, den 9 juni, gjorde han något han aldrig gjort tidigare. Han ringde och sjukanmälde sig. Som orsak angav han maginfluensa. Mona hade varit sjuk veckan innan. Till sin förvåning kände han inte alls av något dåligt samvete.

Det var mulet men uppehållsväder när han lämnade huset strax efter nio på morgonen. Det blåste och hade blivit kyligare. Sommaren hade fortfarande inte kommit på allvar.

Det fanns två tobakshandlare i närheten som tog emot tips. Den ena låg på en tvärgata alldeles intill. När Wallander steg in genom dörren tänkte han att han borde haft ett fotografi av Hålén med sig. Mannen bakom disken var ungrare. Trots att han bott i Sverige sedan 1956 pratade han svenska mycket dåligt. Men han kände igen Wallander som brukade köpa cigaretter hos honom. Det gjorde han också nu, två paket.

– Du tar emot tips? sa Wallander.

– Jag trodde du bara köpte penninglotter?

– Brukade Artur Hålén lämna in sina tipskuponger hos dig?

– Vem?

– Mannen som dog i branden häromdagen.

– Har det varit brandsvåda?

Wallander förklarade. Men mannen bakom disken skakade på huvudet när Wallander beskrev Hålén.

– Han kom inte hit. Han måste ha gått nån annan.

Wallander betalade och tackade. Det hade börjat duggregna. Han skyndade på stegen. Hela tiden tänkte han på Mona. Inte heller nästa tobakshandel hade haft med Hålén att göra. Wallander ställde sig under en utskjutande balkong och undrade vad han egentligen höll på med. Hemberg skulle inte tro att jag var riktigt klok, tänkte han.

Sedan gick han vidare. Till nästa tobaksaffär var det nästan en kilometer. Wallander ångrade att han inte tagit sin regnjacka. När han kom fram till affären som låg intill en liten livsmedels-butik fick han vänta på sin tur. Expediten var en flicka i Wallan-ders egen ålder. Hon var vacker. Wallander släppte henne inte med blicken medan hon letade efter ett gammalt nummer av en specialtidskrift om motorcyklar som kunden före honom ville ha. Wallander hade mycket svårt att inte omedelbart bli föräls-kad i en vacker kvinna som kom i hans väg. Då, och först då, kunde tanken på och oron inför Mona för ett ögonblick helt tvingas till underkastelse. Trots att han redan hade köpt två pa-ket cigaretter köpte han ett till. Samtidigt försökte han bestäm-ma sig för om expediten var en kvinna som skulle visa ogillande om han sa att han var polis. Eller om hon tillhörde den majoritet av befolkningen som trots allt fortfarande ansåg att de flesta po-lismän både var nödvändiga och sysselsatta med något anstän-digt. Han chansade på det senare.

– Jag har några frågor också, sa han sedan han betalat sina cigaretter. Jag är kriminalassistent och heter Kurt Wallander.

– Oj då, svarade expediten. Hennes dialekt var annorlunda.

– Du är inte från stan? sa han.

– Var det det du skulle fråga om?

– Nej.

– Jag kommer från Lenhovda.

Det visste inte Wallander var det låg. Han gissade på Blekinge. Men det sa han inte utan gick över till frågan om Hålén och tips-kupongerna. Hon hade hört om branden. Wallander beskrev Håléns utseende. Hon tänkte efter.

– Kanske, sa hon. Pratade han långsamt? Tyst, liksom.

Wallander tänkte efter lite och nickade. Det kunde stämma på Håléns sätt att uttrycka sig.

– Jag tror han tippade ett ganska litet system, sa Wallander. 32 rader eller så.

Hon tänkte efter igen. Sedan nickade hon.

– Jo, sa hon. Han kom hit. En gång i veckan. Varannan gång 32 rader, varannan gång 64.

– Kommer du ihåg vad han brukade ha på sig?

– Blå jacka, svarade hon genast.

Wallander mindes att Hålén nästan varje gång han mött honom hade haft en blå jacka med blixtlås.

Expeditens minne var det inget fel på. Inte heller på hennes nyfikenhet.

– Hade han gjort nånting?

– Inte som vi vet.

– Jag hörde att det var självmord.

– Det var det också. Men branden var anlagd.

Det borde jag inte ha sagt, tänkte Wallander. Det vet vi inte med säkerhet än.

– Han hade alltid jämna pengar, sa hon. Varför frågar du om det var här han lämnade in sina tipskuponger?

– Ren rutin, svarade Wallander. Kan du påminna dig nånting annat om honom?

Hennes svar överraskade honom.

– Han brukade låna telefonen, sa hon.

Telefonen stod på en liten hylla, intill det bord där olika spel-kuponger fanns att hämta.

– Hände det ofta?

– Det hände varje gång. Först lämnade han in tipset och betalade. Sen ringde han och kom tillbaka hit till disken och betalade samtalet.

Hon bet sig i läppen.

– Det var en sak som var underlig med dom där samtalen. Jag minns att jag tänkte på det nån gång.

– Vad då?

– Han väntade alltid tills det kommit in nån annan kund innan han slog numret och började prata. Han ringde aldrig när det bara var han och jag här inne.

– Han ville alltså inte att du skulle höra vad han sa?

Hon ryckte på axlarna.

– Han ville väl bara vara ostörd. Vill man inte det när man ringer?

– Du hörde aldrig vad han sa?

– Höra kan man väl även om man betjänar en kund.

Hennes nyfikenhet är till stor nytta, tänkte Wallander.

– Vad sa han då?

– Inte mycket, svarade hon. Samtalen var alltid väldigt korta. Nåt klockslag, tror jag. Inte så mycket mer.

– Klockslag?

– Jag fick en känsla av att han bestämde tid med nån. Han tittade ofta på klockan under samtalet.

Wallander tänkte efter.

– Brukade han komma hit nån bestämd veckodag?

– Alltid onsdag eftermiddag. Mellan två och tre, tror jag. Eller kanske lite senare.

– Köpte han nånting?

– Nej.

– Hur kommer det sig att du minns det här så bestämt? Du måste ju ha en oerhörd massa kunder?

– Jag vet inte, sa hon. Men jag tror man minns mycket mer än vad man egentligen inser. Bara nån frågar så kommer det upp.

Wallander betraktade hennes händer. Hon hade inga ringar.
Han funderade hastigt på om han skulle försöka bjuda ut henne
men slog sedan förskräckt undan tanken.

Det var som om Mona hade hört vad han hade tänkt.

– Minns du nåt mer? frågade han.

– Nej, sa hon. Men jag är säker på att han pratade med en
kvinna.

Wallander blev förvånad.

– Hur kan du vara säker på det?

– Sånt hör man, sa hon bestämt.

– Du menar alltså att Hålén ringde och bestämde tid med en
kvinna?

– Vad skulle det vara för konstigt med det? Han var visserli-
gen gammal, men det kan man väl göra i alla fall?

Wallander nickade. Hon hade naturligtvis rätt. Och om hon
hade rätt hade han dessutom fått veta något viktigt. Det hade
trots allt funnits en kvinna i Håléns liv.

– Bra, sa han. Minns du nåt mer?

Innan hon svarade kom en kund in i butiken. Wallander vän-
tade. Två småflickor valde omständligt ut innehåll till två go-
dispåsar som de sedan betalade med ett oändligt antal fem-
öringar.

– Den där kvinnan kanske hade ett namn som började på A, sa
hon. Han talade alltid väldigt tyst. Det sa jag innan. Men kanske
hon hette Anna. Eller ett dubbelnamn. Nånting på A.

– Det är du säker på?

– Nej, sa hon. Men jag tror det var så.

Wallander hade bara en fråga till.

– Han kom alltid ensam?

– Alltid.

– Du har varit till stor hjälp, sa han.

– Kan man få veta varför du frågar om allt det här?

– Tyvärr inte, svarade Wallander. Vi ställer frågor. Men svarar
inte alltid på varför.

– Man kanske skulle bli polis, sa hon. Jag har i alla fall inte tänkt stå i den här affären hela livet.

Wallander lutade sig över disken och skrev ner sitt telefonnummer på ett litet anteckningsblock som låg intill kassaapparaten.

– Ring nån gång, sa han. Så kan vi träffas. Och jag kan berätta om hur det är att vara polis. Jag bor förresten alldeles här i närheten.

– Wallander, sa hon. Var det så?

– Kurt Wallander.

– Jag heter Maria. Men inbilla dig ingenting. Jag har redan en pojkvän.

– Jag brukar inte inbilla mig saker, sa Wallander och log. Sedan gick han.

En pojkvän kan alltid besegras, tänkte han när han kommit ut på gatan. Och tvärstannade. Vad skulle hända om hon verkligen hörde av sig? Om hon ringde när Mona var hemma hos honom? Han undrade vad han hade gjort. Samtidigt kunde han inte undgå att känna en viss tillfredsställelse.

Mona kunde gott ha det. Att han lämnade ut sitt telefonnummer till någon som hette Maria och var mycket vacker.

Som om Wallander drabbats av den blott tänkta syndens bestraffning började regnet i samma ögonblick vräka ner. Han var genomblöt när han kom hem. Han lade de våta cigarettpaketen på köksbordet och klädde sedan av sig naken. Nu skulle Maria varit här och torkat mig, tänkte han. Så kan Mona stå där och klippa hår och ha sin jävla paus.

Han satte på sig sin morgonrock och skrev upp det Maria hade sagt i sitt anteckningsblock. Hålén hade alltså ringt till en kvinna varje onsdag. En kvinna som hade ett namn som började på bokstaven A. Med största sannolikhet var det hennes förnamn. Frågan var nu bara vad det betydde annat än att myten om den ensamme gamle mannen hade slagits sönder.

Wallander satte sig vid köksbordet och läste igenom det han hade skrivit dagen innan. Plötsligt slogs han av en tanke. Någonstans borde det finnas ett sjömansregister. Något som kunde berätta om Håléns många år som sjöman. Vilka båtar hade han varit ombord på?

Jag känner en person som kan hjälpa mig, tänkte Wallander. Helena. Hon arbetar på ett shipping-kontor. Åtminstone borde hon kunna tala om för mig var jag ska leta. Om hon nu inte bestämmer sig för att slänga på luren när jag ringer.

Klockan hade ännu inte blivit elva. Genom köksfönstret kunde Wallander se att skyfallet redan var över. Helena brukade inte gå på lunch förrän halv ett. Han skulle med andra ord hinna få fatt på henne innan hon tog sin lunchrast.

Han klädde på sig och tog bussen ner till Centralstationen. Det shipping-kontor där Helena arbetade låg i hamnområdet. Han gick in genom porten. Receptionisten nickade igenkännande åt honom.

– Är Helena inne? frågade han.

– Hon sitter i telefon. Men du kan gå upp. Du vet ju var hon har sitt kontor.

Inte utan bävan gick Wallander upp till andra våningen. Helena kunde ju bli arg. Men han försökte lugna sig med att hon i första hand skulle bli förvånad. Det kunde ge honom den tid han behövde för att säga att han kom i ett rent yrkesärende. Det var inte före detta pojkvännen Kurt Wallander som kom, det var polismannen med samma namn, den blivande kriminalpolisen.

Helena Aronsson, assistent, stod det på dörren. Wallander drog ett djupt andetag och knackade. Han hörde hennes röst och öppnade. Hon hade avslutat sitt telefonsamtal och satt vid sin skrivmaskin. Han hade haft rätt. Hon blev verkligen förvånad, men hon såg inte arg ut.

– Du, sa hon. Vad gör du här?

– Jag kommer i ett polisärende, sa Wallander. Jag tror du skulle kunna hjälpa mig.

Hon hade rest sig och såg redan avvisande på honom.

– Jag menar det, försäkrade Wallander. Ingenting privat, ingenting alls.

Fortfarande var hon på sin vakt.

– Vad skulle jag kunna hjälpa dig med?

– Kan jag sätta mig?

– Bara om det inte tar för lång tid.

Samma maktspråk som Hemberg, tänkte Wallander. Man ska stå och känna sig underlägsen, medan de med makt blir sittande. Men han slog sig ner och undrade samtidigt hur han hade kunnat vara så förälskad i kvinnan på andra sidan skrivbordet. Nu kunde han egentligen inte minnas henne som annat än stel och ofta just avvisande.

– Jag har det bra, sa hon. Så behöver du inte fråga om det.

– Det har jag också.

– Vad är det du vill?

Wallander suckade inombords över hennes sträva tonfall men berättade vad som hade hänt.

– Du håller ju på med skeppsfart, slutade han. Du borde veta hur jag ska kunna ta reda på vad Hålén egentligen höll på med till sjöss. Vilka rederier han arbetade för, vilka båtar.

– Jag sysslar med frakter, sa Helena. Vi hyr in fartyg eller lastplatser åt Kockums och Volvo. Ingenting annat.

– Det måste finnas nån som vet.

– Kan inte polisen ta reda på det här på annat sätt?

Wallander hade väntat sig den frågan. Därför hade han också förberett ett svar.

– Den här utredningen sköts lite vid sidan av, svarade han. Av skäl som jag inte kan avslöja.

Han märkte att hon bara delvis trodde honom. Samtidigt verkade hon road.

– Jag kan ju fråga nån av mina kollegor, sa hon. Här finns en gammal sjökapten. Men vad får jag i gengäld? Om jag hjälper dig?

– Vad vill du ha? sa han i stället så vänligt han förmådde.

Hon skakade på huvudet.

– Ingenting.

Wallander reste sig.

– Jag har samma telefonnummer som tidigare, sa han.

– Mitt är ändrat, svarade Helena. Och det får du inte.

När Wallander kommit ut på gatan märkte han att han hade blivit svettig. Mötet med Helena hade varit mer påfrestande än han velat erkänna. Han blev stående och undrade vad han skulle göra. Hade han haft mer pengar kunde han ha åkt över till Köpenhamn. Samtidigt fick han inte glömma att han var sjukskriven. Någon kunde ringa honom. Han borde inte vara borta hemifrån alltför länge. Dessutom hade han allt svårare att motivera att han ägnade så mycket tid åt sin döda granne. Han gick in på ett café som låg mitt emot Danmarksbåtarna och åt dagens rätt. Men innan han beställde räknade han igenom hur mycket pengar han hade. Dagen efter skulle han bli tvungen att gå till banken. Där hade han fortfarande tusen kronor. Det skulle räcka månaden ut. Han åt kalops och drack vatten.

När klockan var ett stod han ute på gatan igen. Nya oväder höll på att dra in från sydväst. Han bestämde sig för att åka hem. Men när han såg en buss som gick ut till faderns förort, tog han den i stället. Om inte annat så kunde han ju ägna några timmar åt att hjälpa sin far att packa.

Det rådde ett obeskrivligt kaos i huset. Fadern satt med en trasig halmhatt på huvudet och läste en gammal tidning. Han såg förvånat på Wallander.

– Har du slutat? frågade han.

– Slutat med vad då?

– Har du tagit ditt förnuft till fånga och slutat som polis?

– Jag är ledig i dag, svarade Wallander. Och det tjänar ingenting till att du tar upp det där ämnet igen. Vi kommer aldrig att kunna bli överens.

– Jag har hittat en tidning från 1949, sa han. Det står mycket intressant i den.

– Du har väl inte tid att läsa tidningar som är tjugo år gamla.

– Jag hann aldrig läsa den då, sa fadern. Bland annat eftersom jag hade en tvåårig son i huset som skrek hela dagarna. Därför läser jag den nu.

– Jag hade tänkt hjälpa dig att packa.

Fadern pekade på ett bord där det stod porslin.

– Det där ska packas i lådor, sa han. Men det ska göras ordentligt. Ingenting får gå sönder. Hittar jag en trasig tallrik får du ersätta den.

Fadern återvände till sin tidning. Wallander hängde av sig jackan och började packa in porslin. Tallrikar som han kunde minnas från sin uppväxt. Där fanns en kopp med en flisa utslagen som han alldeles speciellt kom ihåg. I bakgrunden vände fadern blad.

– Hur känns det? frågade Wallander.

– Känns vad då?

– Att flytta.

– Bra. Skönt med omväxling.

– Och du har fortfarande inte sett huset?

– Nej. Men det blir säkert bra.

Min far är antingen galen eller också håller han på att bli senil, tänkte Wallander. Och det är ingenting jag kan göra åt det.

– Jag trodde Kristina skulle komma, sa han.

– Hon är ute och handlar.

– Jag vill ju gärna träffa henne. Hur mår hon?

– Bra. Dessutom har hon träffat en utmärkt karl.

– Har hon honom med sig?

– Nej. Men han verkar på alla sätt vara bra. Han ser nog till att jag får barnbarn snart.

– Vad heter han? Vad gör han? Måste man dra ur dig allting?

– Han heter Jens och är dialysforskare.

– Vad för nånting?

– Njurar. Om du har hört om det. Han är forskare. Dessutom älskar han att skjuta småvilt. Låter som en utmärkt karl.

I samma ögonblick tappade Wallander en tallrik i golvet. Den sprack i två delar. Fadern tog inte ögonen från tidningen.

– Det blir dyrt, sa han bara.

Då fick Wallander nog. Han tog sin jacka och gick utan att säga ett ord. Jag kommer aldrig att åka ut till Österlen, tänkte han. Aldrig att jag sätter min fot i hans hem någon mer gång. Jag förstår inte hur jag har kunnat stå ut med den gubben i alla år. Men nu får det vara nog.

Utan att märka det hade han börjat tala högt för sig själv på gatan. En cyklist som hukade i motvinden såg förvånat på honom.

Wallander for hem. Dörren till Håléns lägenhet var öppen. Han steg in. En ensam kriminaltekniker höll på med att samla upp rester av aska.

– Jag trodde ni var färdiga? sa Wallander förvånat.

– Sjunnesson är noggrann, svarade teknikern.

Samtalet fick ingen fortsättning. Wallander gick tillbaka ut i trappuppgången och började låsa upp sin dörr. Samtidigt kom Linnea Almqvist in genom porten.

– Förfärligt, sa hon. Stackars karl. Så ensam som han var.

– Tydligen hade han nån dambekant, sa Wallander.

– Det kan jag då aldrig tänka mig, svarade Linnea Almqvist. Det skulle jag ha lagt märke till.

– Det tror jag säkert, sa Wallander. Men han behöver ju inte ha träffat henne här.

– Man ska inte tala illa om de döda, svarade hon och började ta sig uppför trappan.

Wallander undrade hur det kunde tolkas som baktalande av en död när man nämnde att det trots allt kanske funnits en kvinna i ett i övrigt ensamt liv.

När Wallander kom in till sig kunde han inte tränga undan tankarna på Mona längre. Han tänkte att han borde ringa henne. Eller kanske hon själv hörde av sig under kvällen? För att bli av med oron började Wallander att samla ihop och kasta gamla tidningar. Sedan gav han sig på badrummet. Han behövde inte hålla på länge förrän han insåg att det fanns betydligt mer gammal ingrodd smuts än han föreställt sig. I över tre timmar höll han på innan han tyckte att han kunde nöja sig. Klockan hade blivit fem. Han satte på potatis och började hacka lök.

Samtidigt ringde telefonen. Han tänkte genast att det var Mona och kände att hjärtat började slå fortare.

Men det var en annan kvinnoröst som mötte honom. Hon sa sitt namn, Maria, men det tog några sekunder innan han förstod att det var expediten i tobaksaffären.

– Jag hoppas jag inte stör, sa hon. Jag tappade lappen du gav mig. Du står inte i telefonkatalogen. Jag kunde ha ringt nummerupplysningen. Men jag ringde polisen i stället.

Wallander hajade till.

– Vad sa du då?

– Att jag sökte en polisman som hette Kurt Wallander. Och att jag hade viktiga upplysningar. Först ville dom inte lämna ut ditt privatnummer. Men jag gav mig inte.

– Du frågade alltså efter kriminalassistent Wallander?

– Jag frågade efter Kurt Wallander. Vad spelar det för roll?

– Ingen alls, svarade Wallander och kände sig lättad. Skvaller löpte fort runt på polishuset. Det kunde ha medfört besvär och dessutom blivit en onödig rolig historia av att Wallander gick runt och utgav sig för att vara kriminalassistent. Så ville han inte inleda sin karriär som kriminalpolis.

– Jag frågade om jag störde, upprepade hon.

– Inte alls.

– Jag har tänkt, sa hon. På Hålén och hans tipskuponger. Han vann förresten aldrig.

– Hur vet du det?

– Jag brukade roa mig med att se hur han tippade. Inte bara han. Och han hade väldigt lite reda på sig när det gällde engelsk fotboll.

Precis vad Hemberg sa, tänkte Wallander. Det torde det i alla fall inte längre råda något tvivel om.

– Men sen tänkte jag på telefonsamtalen, fortsatte hon. Och då kom jag på att han faktiskt några gånger också hade ringt till nån annan än den där kvinnan.

Wallander skärpte uppmärksamheten.

– Vart då?

– Till Taxi.

– Hur vet du det?

– Jag hörde ju att han beställde en bil. Han uppgav adressen till porten intill tobaksaffären.

Wallander tänkte efter.

– Hur ofta beställde han taxi?

– Tre eller fyra gånger. Alltid efter det att han först ringt det andra numret.

– Du hörde händelsevis inte vart han skulle åka?

– Det sa han inte.

– Ditt minne är inte dåligt, sa Wallander erkännande. Men du minns inte när han ringde dom där telefonsamtalen?

– Det måste ju ha varit på onsdagar.

– När hände det senast?

Svaret kom snabbt och bestämt.

– Förra veckan.

– Är du säker på det?

– Det är klart jag är säker. Han ringde efter en taxi förra onsdagen. Den 28 maj om du vill veta.

– Bra, sa Wallander. Mycket bra.

– Kan det vara till nån hjälp?

– Alldeles säkert.

– Och du tänker fortfarande inte tala om för mig vad det är som har hänt?

– Jag kan inte, svarade Wallander. Även om jag hade velat.

– Du kanske kan berätta sen?

Det lovade Wallander att göra. Sedan avslutade han samtalet och tänkte på det hon hade sagt. Vad innebar det? Hålén hade en kvinna någonstans. Efter att ha ringt henne beställde han en taxi.

Wallander kände på potatisen. Den var ännu inte färdig. Sedan påminde han sig att han faktiskt hade en god vän som körde taxi i Malmö. De hade varit skolkamrater redan från första klass och hållit kontakten under åren. Han hette Lars Andersson och Wallander mindes att han hade hans telefonnummer uppskrivet på insidan av telefonkatalogen.

Han letade reda på numret och ringde upp. En kvinna svarade, Anderssons fru, Elin. Wallander hade träffat henne några gånger.

– Jag söker Lars, sa han.

– Han kör, svarade hon. Men han har dagpass. Han kommer nog om nån timme.

Wallander bad henne att säga åt maken att ringa.

– Hur mår barnen? frågade hon.

– Jag har inga barn, svarade Wallander förvånat.

– Då är det nånting jag har missförstått, svarade hon. Jag tyckte Lars sa att du hade två söner.

– Tyvärr inte, svarade Wallander. Jag är inte ens gift.

– Barn kan man väl få ändå, svarade hon.

Wallander återvände till potatisen och löken. Sedan fick han ihop en måltid av de rester som samlats i kylskåpet. Fortfarande hade Mona inte ringt. Återigen hade det börjat regna. Någonstans ifrån kunde han höra dragspelsmusik. Han undrade vad han egentligen höll på med. Hans granne Hålén hade begått självmord. Innan dess hade han svalt sina ädelstenar. Någon hade försökt få tag på dem och sedan i ilska tänt eld på lägenheten. Dårar fanns det gott om, liksom giriga människor. Men det var inget brott att begå självmord. Inte heller att vara girig.

Klockan blev halv sju. Fortfarande hade Lars Andersson inte ringt. Wallander bestämde sig för att vänta till sju. Sedan skulle han försöka igen.

Fem minuter i sju kom samtalet från Andersson.

– Körningarna ökar när det blir regn. Jag hörde att du hade ringt?

– Jag håller på med en utredning, sa Wallander. Och jag tänkte att du kanske kunde hjälpa mig. Det gäller att spåra en chaufför som hade en körning förra onsdagen. Vid tretiden. Från en adress här i Rosengård. En man vid namn Hålén.

– Vad är det som har hänt?

– Ingenting jag kan svara på just nu, sa Wallander och märkte hur obehaget växte för var gång han använde sig av ett undvikande svar.

– Det kan jag nog ordna, svarade Andersson. Malmöväxeln har bra ordning. Kan du ge mig detaljerna? Och vart ska jag ringa sen? Till polishuset?

– Bäst att du ringer till mig. Det är jag som håller i det hela.

– Hemifrån?

– Just nu gör jag det.

– Jag ska se vad jag kan åstadkomma.

– Hur lång tid tror du det tar?

– Med lite tur går det fort.

– Jag är hemma, sa Wallander.

Han gav Andersson alla detaljer han hade. När samtalet var över drack han kaffe. Mona hade fortfarande inte ringt. Sedan tänkte han på sin syster. På vilken förklaring hans far skulle ge till att Wallander så hastigt hade lämnat huset. Om han överhuvudtaget brydde sig om att nämna att hans son varit där. Kristina tog ofta faderns parti. Wallander misstänkte att det egentligen berodde på feghet, att hon var rädd för fadern och hans lynniga humör.

Sedan såg han på nyheterna. Bilindustrin gick bra. I Sverige rådde högkonjunktur. Därefter kom bilder från en hundutställning. Han skruvade ner ljudet. Regnet fortsatte. Någonstans på avstånd tyckte han sig också höra åskan. Eller kanske det var ett Metropolitanplan som gick in för landning på Bulltofta.

Klockan hade blivit tio minuter över nio när Andersson ringde igen.

– Det var som jag trodde, sa han. Ordning och reda råder i Malmötaxis växel.

Wallander hade dragit till sig sitt block och en penna.

– Körningen gick till Arlöv, sa han. Det finns inget namn antecknat. Chauffören hette Norberg. Man kan naturligtvis jaga rätt på honom och fråga om han minns den där kundens utseende.

– Det är ingen risk att det kan ha varit en annan körning?

– Ingen beställde bil till den adressen under onsdagen.

– Och körningen gick till Arlöv?

– Närmare bestämt Smedsgatan 9. Det ligger precis intill sockerbruket. Ett gammalt radhusområde.

– Alltså inget hyreshus, sa Wallander. Då bor där bara en familj. Eller en person.

– Man skulle i alla fall kunna tro det.

Wallander noterade.

– Det här har du gjort bra, sa han sedan.

– Jag kanske har ännu mer att bjuda på, svarade Andersson. Även om du aldrig frågade om det. Men det finns en körning tillbaka till stan från Smedsgatan också. Närmare bestämt torsdag morgon klockan fyra. Chauffören hette Orre. Men honom får du inte tag på. Han semestrar på Mallorca just nu.

Har taxichaufförer råd med det? tänkte Wallander hastigt. Är det för att de kör in svarta pengar? Men han sa naturligtvis ingenting om sin misstanke till Andersson.

– Det kan vara viktigt.

– Har du fortfarande ingen bil?

– Inte än.

– Tänker du åka dit?

– Ja.

– Du kan förstås använda polisens bilar?

– Naturligtvis.

– Annars kunde ju jag köra dig. Jag har inget speciellt för mig. Det var länge sen vi pratades vid.

Wallander bestämde sig för att genast tacka ja och Lars Andersson lovade att hämta honom en halvtimme senare. Under tiden ringde Wallander nummerupplysningen och frågade om det fanns någon abonnent på Smedsgatan 9 i Arlöv. Han fick svaret att det visserligen fanns en abonnent, men att numret var hemligt.

Regnet hade blivit kraftigare. Wallander satte på sig gummistövlar och regnjacka. Han stod i köksfönstret och såg när Andersson bromsade in. Bilen hade ingen skylt på taket. Det var hans privatbil.

Ett vansinnigt företag i ett vansinnigt väder, tänkte Wallander när han låste ytterdörren. Men hellre det än att trampa runt här och vänta på att Mona ska ringa. Och skulle hon göra det så kan hon gott ha det. Att jag inte svarar.

Lars Andersson började genast tala gamla skolminnen. Det mesta hade Wallander inget som helst minne av. Ofta tyckte han att Andersson var tröttande genom att ständigt återvända till skoltiden, som om den representerade den hittills bästa tiden av hans liv. För Wallander hade skolan varit en grå vardag, där bara geografi och historia hade livat upp honom något. Men han tyckte ändå om mannen som satt vid ratten. Hans föräldrar hade haft bageri ute i Limhamn. I perioder hade pojkarna varit ihop mycket. Och Lars Andersson hade varit någon Wallander alltid hade kunnat lita på. En människa som tagit vänskapen på allvar.

De lämnade Malmö bakom sig och var snart i Arlöv.

– Får du ofta körningar hit? frågade Wallander.

– Det händer. Mest på helger. Folk som varit inne och supit i Malmö eller Köpenhamn och ska hem.

– Har du råkat illa ut nån gång?

Lars Andersson kastade en blick på honom.

– Hur menar du?

– Rån? Hot? Vad vet jag.

– Aldrig. En smitare har jag haft. Men honom sprang jag ikapp.

De befann sig nu inne i Arlövs samhälle. Lars Andersson körde rakt på adressen.

– Här är det, sa han och pekade ut genom den våta bilrutan. Smedsgatan 9.

Wallander vevade ner och kisade ut i regnet. Nummer 9 var det yttersta i en länga på sex hus. Det lyste i ett fönster. Alltså var någon hemma.

– Ska du inte gå in? frågade Lars Andersson förvånat.

– Det gäller bevakning, svarade Wallander undvikande. Om du kör fram lite längre så ska jag stiga ur och ta mig en titt.

– Vill du att jag ska följa med?

– Det behövs inte.

Wallander steg ur bilen och drog upp regnjackans kapuschong över huvudet. Vad gör jag nu? tänkte han. Ringer på och frågar om det möjligtvis var här som herr Hålén var på besök förra onsdagen, mellan klockan tre på eftermiddagen och fyra på morgonen? Kanske det är en otrohetshistoria? Vad säger jag då om det är mannen som öppnar?

Wallander kände sig fånig. Det är meningslöst och barnsligt och bortkastat, tänkte han. Det enda jag lyckats bevisa är att det faktiskt finns en adress som heter Smedsgatan 9 i Arlöv.

Ändå kunde han inte låta bli att gå över gatan. Det satt en brevlåda intill grinden. Wallander försökte tyda det namn som stod där. Han hade cigaretter och en ask tändstickor i jackfickan. Med visst besvär fick han eld på en av stickorna och hann uppfatta namnet innan elden släcktes av regnet.

»Alexandra Batista«, hade han läst. Så långt hade alltså Maria i tobaksaffären uppfattat rätt, att det var förnamnet som började på A. Hålén hade ringt till en kvinna som hette Alexandra. Frågan var nu bara om kvinnan bodde där ensam eller om hon var omgiven av en familj. Han såg in över staketet för att se om där fanns några barncyklar eller annat som tydde på att huset var bebott av en familj. Men han såg ingenting.

Han gick runt huset. På andra sidan fanns ett obebyggt markområde. Några gamla rostiga tunnor stod uppställda bakom ett nerfallet staket. Det var allt. Huset var mörkt på baksidan. Det

74

var bara i köksfönstret mot gatan det lyste. Med en stigande känsla av att vara inblandad i en absolut förkastlig och meningslös verksamhet bestämde sig Wallander för att ändå fullfölja sin undersökning. Han tog ett kliv över det låga staketet och sprang över gräsmattan fram till huset. Om någon har sett mig kommer de att ringa efter polisen, tänkte han. Och jag kommer att bli fast. Sedan ryker min vidare polisiära karriär all världens väg.

Han bestämde sig för att ge upp. Han kunde ta reda på telefonnumret till familjen Batista dagen efter. Var det en kvinna som svarade kunde han ställa några frågor. Var det en man kunde han lägga på luren.

Regnet hade avtagit. Wallander torkade av ansiktet. Han skulle just gå tillbaka samma väg han kommit när han upptäckte att dörren till altanen stod öppen. De kanske har katt, tänkte han. Som ska ha fri passage under natten.

Samtidigt fick han en känsla av att det var någonting som inte stämde. Vad det var kunde han inte avgöra. Men känslan kunde han inte slå bort. Försiktigt gick han bort till dörren och lyssnade. Regnet hade nästan helt dött bort nu. På avstånd hördes ljudet från en lastbil tona bort och försvinna. Inifrån huset hördes ingenting. Wallander lämnade altandörren och gick till framsidan av huset igen.

Fortfarande lyste det i fönstret, som stod på glänt. Han ställde sig intill husväggen och försökte lyssna. Allt var fortfarande lika tyst. Sedan hävde han sig försiktigt på tå och kikade in genom fönstret.

Han hajade till. Det satt en kvinna på en stol därinne och stirrade på honom. Han sprang ut på gatan. När som helst skulle någon stå på trappan och ropa på hjälp. Eller så skulle det komma polisbilar. Han skyndade sig till bilen där Andersson väntade och hoppade in i framsätet.

– Har det hänt nåt?

– Bara kör, sa Wallander.

– Vart?

– Bort härifrån. Tillbaka till Malmö.

– Var det nån hemma?

– Fråga inte. Starta motorn och kör. Ingenting annat.

Lars Andersson gjorde som Wallander sa. De kom ut på huvudvägen mot Malmö. Wallander tänkte på kvinnan som stirrat på honom.

Känslan var där igen. Det var någonting som inte stämde.

– Sväng in på nästa parkeringsplats, sa han.

Lars Andersson fortsatte att göra som han blev tillsagd. De stannade. Wallander satt tyst.

– Du tycker inte jag borde få veta vad det är som händer? frågade Andersson försiktigt.

Wallander svarade inte. Det var något med den där kvinnans ansikte. Något han inte kunde komma på.

– Kör tillbaka, sa han sedan.

– Till Arlöv?

Wallander kunde höra att Andersson hade börjat tröttna.

– Jag ska förklara sen, fortsatte Wallander. Kör tillbaka till samma adress. Om du har taxameter kan du slå på den.

– Jag tar väl för fan inte betalt av mina vänner, sa Andersson ilsket.

De körde tillbaka till Arlöv under tystnad. Regnet hade nu upphört. Wallander steg ur bilen. Inga polisbilar, inga reaktioner. Ingenting alls. Bara detta ensamma ljus i köksfönstret.

Wallander öppnade försiktigt grinden. Han gick tillbaka till fönstret. Innan han återigen hävde sig upp på tå drog han några djupa andetag.

Om det var som han trodde skulle det vara mycket obehagligt.

Han hävde sig upp på tå och grep tag i fönsterblecket. Kvinnan satt kvar på stolen och såg rakt på honom med oförändrat ansiktsuttryck.

Wallander gick runt huset och öppnade altandörren. I ljuset från gatan kunde han skymta en bordslampa. Den tände han. Sedan tog han av sig stövlarna och gick ut i köket.

Kvinnan satt där på stolen. Men hon såg inte på Wallander. Hon stirrade mot fönstret.

Runt hennes hals var en cykelkedja åtdragen med hjälp av ett hammarskaft.

Wallander kände att hjärtat slog hårt i bröstet.

Sedan letade han reda på telefonen som stod ute i tamburen och ringde till polishuset i Malmö.

Klockan hade blivit kvart i elva.

Wallander bad att få tala med Hemberg. Han fick besked om att denne lämnat polishuset vid sextiden.

Wallander bad om hans hemnummer och ringde direkt.

Hemberg svarade. Det hördes att han sovit och blivit väckt.

Wallander sa som det var.

Det satt en död kvinna på en stol i ett radhus i Arlöv.

3.

Hemberg kom till Arlöv strax efter midnatt. Då hade den tekniska undersökningen redan påbörjats. Wallander hade skickat hem Andersson med sin bil utan att ge någon närmare förklaring till vad som hänt. Sedan hade han stått vid grinden och väntat när den första polisbilen anlände. Han hade talat med en kriminalassistent som hette Stefansson och som var i hans egen ålder.

– Kände du henne? frågade han.

– Nej, svarade Wallander.

– Vad gör du här då?

– Det ska jag förklara för Hemberg, sa Wallander.

Stefansson såg misstroget på honom. Men han ställde inte några ytterligare frågor.

Hemberg började med att gå in i köket. Länge stod han i dörren och betraktade den döda kvinnan. Wallander såg hur han lät blicken vandra runt i rummet. Efter att ha stått så en längre stund vände han sig till Stefansson som tycktes ha stor respekt för Hemberg.

– Vet vi vem hon är? frågade Hemberg

De gick in i vardagsrummet. Stefansson hade öppnat en handväska och spritt ut några identitetshandlingar på bordet.

– Alexandra Batista-Lundström, svarade han. Svensk medborgare. Men född i Brasilien 1922. Tydligen kom hon hit strax efter kriget. Om jag har förstått pappren rätt var hon gift med en svensk som hette Lundström. Men det finns skilsmässohandlingar här från 1957. Fast då var hon redan svensk medborgare. Det svenska efternamnet har hon släppt sen. Hon har en postsparbanksbok i namnet Batista. Inget Lundström.

– Hade hon barn?

Stefansson skakade på huvudet.

– I alla fall verkar ingen annan ha bott här. Vi har talat med en av grannarna. Hon tycks ha bott här sen huset byggdes.

Hemberg nickade och vände sig sedan till Wallander.

– Jag tror vi går en trappa upp, sa han. Och låter teknikerna arbeta ifred.

Stefansson var på väg att ansluta sig. Men Hemberg höll honom tillbaka. På övervåningen fanns tre rum. Kvinnans sovrum, ett rum som var helt tomt sånär som på ett stort linneskåp, och ett gästrum. Hemberg satte sig på sängen i gästrummet och gjorde tecken åt Wallander att slå sig ner på en stol som stod i ett hörn.

– Egentligen har jag bara en fråga, började Hemberg. Vilken tror du det är?

– Du undrar förstås vad jag gör här?

– Jag skulle nog formulera det lite starkare, sa Hemberg. Hur i helvete har du hamnat här?

– Det är en lång historia, sa Wallander.

– Gör den kort, svarade Hemberg. Men utelämna ingenting.

Wallander berättade. Om tipskupongen, om telefonsamtalen, om taxibilarna. Hemberg lyssnade med ögonen envist fästa i golvet. När Wallander hade slutat satt han tyst en stund.

– I och med att du har upptäckt att en människa blivit mördad måste jag naturligtvis ge dig beröm, började han. Din envishet tycks det inte vara nåt fel på. Inte heller har du tänkt alldeles fel. Men frånsett det så är det här naturligtvis fullkomligt förkastligt. Det finns ingenting inom poliskåren som kallas enskild och hemlig spaning, att poliser ger sig själva egna uppdrag. Jag säger det här bara en gång.

Wallander nickade. Han hade förstått.

– Har du några andra saker för dig? Frånsett det som lett dig hit till Arlöv?

Wallander berättade om sin kontakt med Helena på shippingkontoret.

– Inget mer?

– Ingenting.

Wallander var beredd på att få en utskällning. Men Hemberg reste sig bara från sängen och nickade åt honom att följa med.

I trappan stannade han och vände sig om.

– Jag sökte dig i dag, sa han. För att berätta att vapenundersökningen är färdig. Den gav inget förutom det vi väntat oss. Men dom sa att du var sjukskriven?

– Jag hade ont i magen i morse. Influensa.

Hemberg betraktade honom ironiskt.

– Den var kort, sa han. Men eftersom du tycks ha tillfrisknat så kan du ju vara med här i natt. Kanske du lär dig nånting. Rör ingenting, säg ingenting. Lägg bara allt på minnet.

Klockan halv fyra fördes kvinnan bort. Strax efter ett hade Sjunnesson kommit till Arlöv. Wallander hade undrat varför han inte alls verkade trött trots att det var mitt i natten. Hemberg, Stefansson och ytterligare en polis hade metodiskt gått igenom lägenheten, öppnat lådor och skåp och samlat ihop ett stort antal dokument som de lagt på bordet. Wallander hade också avlyssnat ett samtal mellan en rättsläkare som hette Jörne och Hemberg. Att kvinnan blivit strypt rådde det inget tvivel om. Jörne hade dessutom vid sin första undersökning hittat tecken på att hon blivit slagen i huvudet bakifrån. Hemberg hade förklarat att det han först av allt behövde veta var hur länge hon varit död.

– Hon har nog suttit där på stolen i några dagar, svarade Jörne.

– Hur många?

– Jag gissar inte. Du får lugna dig tills obduktionen är klar.

När samtalet med Jörne var över vände sig Hemberg till Wallander.

– Du förstår naturligtvis varför jag frågade som jag gjorde, sa han.

– Du vill veta om hon dog före Hålén?

Hemberg nickade.

– Det skulle i så fall ge oss en tänkbar förklaring till varför en människa tar livet av sig. Det är inte ovanligt att mördare begår självmord.

Hemberg hade satt sig i vardagsrummets soffa. Stefansson stod ute i tamburen och talade med polisfotografen.

– En sak kan vi ändå se alldeles klart, sa Hemberg efter en stunds tystnad. Kvinnan har blivit dödad när hon satt på stolen. Nån har slagit henne i huvudet. Det finns blodspår på golvet och på vaxduken. Sen har hon blivit strypt. Det ger oss vissa tänkbara utgångspunkter.

Hemberg såg på Wallander.

Han testar mig, tänkte Wallander. Han vill veta om jag duger.

– Det måste betyda att kvinnan kände den som dödade henne.

– Riktigt. Och mer?

Wallander tänkte efter. Fanns det ytterligare någon slutsats han borde dra? Han skakade på huvudet.

– Du måste använda ögonen, sa Hemberg. Fanns det nåt på bordet? En kopp? Flera koppar? Hur var hon klädd? En sak är att hon kände den som slog ihjäl henne. Låt oss för enkelhets skull anta att det var en man. Men hur kände hon honom?

Wallander förstod. Det irriterade honom att han inte hade insett vad Hemberg menat.

– Hon hade nattlinne och morgonrock, sa han. Det har man knappast när vem som helst kommer på besök.

– Hur såg det ut i hennes sovrum?

– Sängen var obäddad.

– Slutsats?

– Det kan naturligtvis ha varit så att Alexandra Batista hade ett förhållande med den man som dödade henne.

– Mer?

– Det fanns inga koppar på bordet. Däremot stod det några odiskade glas bredvid spisen.

– Dom ska vi undersöka, sa Hemberg. Vad hade dom druckit? Finns det fingeravtryck? Tomma glas kan berätta många intressanta historier.

Han reste sig tungt från soffan. Wallander insåg att han var trött.

– Vi vet alltså en hel del, fortsatte Hemberg. Eftersom ingenting tyder på inbrott så arbetar vi efter teorin att mordet hade andra, personliga förtecken.

– Det förklarar ändå inte branden hemma hos Hålén, sa Wallander.

Hemberg såg granskande på honom.

– Du skenar, sa han. När vi ska trava lugnt och metodiskt. Vi vet vissa saker med rätt stor säkerhet. Dom utgår vi ifrån. Det vi inte vet, eller det vi inte kan vara säkra på, får vi vänta med. Du kan inte lägga pussel så länge hälften av bitarna är kvar i kartongen.

De hade kommit ut i tamburen. Stefansson hade avslutat sitt samtal med fotografen och talade nu i telefon.

– Hur kom du hit? frågade Hemberg.

– Taxi.

– Du kan åka tillbaka med mig.

Under resan tillbaka till Malmö satt Hemberg tyst. De körde genom dimma och duggregn. Hemberg släppte av Wallander utanför huset i Rosengård.

– Kontakta mig i morgon, sa Hemberg. Om det är så att du blivit frisk från din maginfluensa.

Wallander kom in i sin lägenhet. Det var redan full morgon. Dimman hade börjat lätta. Han brydde sig inte om att klä av sig utan lade sig ovanpå sängen. Snart hade han somnat.

Han rycktes upp ur sömnen av att dörrklockan ringde. Sömndrucken snubblade han ut i tamburen och öppnade. Där stod hans syster Kristina.

– Stör jag?

Wallander skakade på huvudet och lät henne komma in.

– Jag har arbetat hela natten, sa han. Vad är klockan?

– Sju. Jag ska åka med pappa ut till Löderup i dag. Men jag tänkte hinna träffa dig först.

Wallander bad henne göra i ordning kaffe medan han tvättade sig och bytte kläder. Han baddade ansiktet länge i kallt vatten. När han kom tillbaka till köket hade han jagat den långa natten ur kroppen. Kristina såg på honom med ett leende.

– Du är faktiskt en av dom få män jag känner som inte har långt hår, sa hon.

– Jag passar inte i det, svarade Wallander. Men gudarna ska veta att jag har försökt. Skägg kan jag heller inte ha. Jag ser inte klok ut. Mona hotade att lämna mig när hon såg det.

– Hur mår hon?

– Bra.

Wallander övervägde hastigt om han skulle berätta för henne om det som hade hänt. Om den tystnad som just nu rådde mellan dem.

Tidigare, när de båda bodde hemma, hade han och Kristina haft ett nära och förtroendefullt förhållande till varandra. Ändå bestämde sig Wallander för att ingenting säga. Efter det att hon flyttat till Stockholm hade kontakten dem emellan blivit vag och mer oregelbunden.

Wallander satte sig vid bordet och frågade hur hon hade det.

– Bra.

– Farsan sa att du träffat nån som håller på med njurar.

– Han är ingenjör och arbetar med att framställa en ny typ av dialysapparat.

– Jag vet nog inte riktigt vad det är, sa Wallander. Men det låter avancerat.

Sedan insåg han att hon kommit av något bestämt skäl. Det kunde han se på hennes ansikte.

– Jag vet inte vad det beror på, sa han. Men jag kan alltid se på dig när du vill nåt särskilt.

– Jag förstår inte hur du kan behandla pappa som du gör.

Wallander häpnade.

– Vad menar du med det?

– Vad tror du? Du hjälper honom inte med att packa. Du vill

inte ens se hans hus ute i Löderup. När du möter honom på ga-
tan låtsas du inte om att du känner honom.

Wallander skakade på huvudet.

– Har han sagt det?

– Ja. Och han är väldigt upprörd.

– Ingenting av det där är sant.

– Jag har inte sett till dig sen jag kom. Det är i dag han flyttar.

– Har han inte berättat att jag var där? Och att han i det när-
maste slängde ut mig?

– Det har han inte sagt nånting om.

– Du bör inte tro på allt han säger. I alla fall inte om mig.

– Det är alltså inte sant?

– Ingenting är sant. Han berättade inte ens att han hade köpt
huset. Han har inte velat visa mig det, inte talat om vad det kos-
tat. När jag skulle hjälpa honom att packa tappade jag en gam-
mal tallrik. Det blev ett jävla liv. Och jag stannar faktiskt och
pratar med honom när jag möter honom på gatan. Även om han
ofta inte ser riktigt klok ut.

Wallander kunde märka att hon inte blev övertygad. Det re-
tade honom. Men ännu mer upprörd blev han av att hon satt här
och läxade upp honom. Det påminde honom om modern. Eller
om Mona. Och för den delen även Helena. Kvinnor som var be-
skäftiga och försökte diktera hur han skulle uppföra sig klarade
Wallander inte av.

– Du tror mig inte, sa Wallander. Det borde du göra. Glöm
inte att du bor i Stockholm och att jag har gubben inpå livet hela
tiden. Det innebär en viss skillnad.

Telefonen ringde. Klockan hade blivit tjugo minuter över sju.
Wallander svarade. Det var Helena.

– Jag ringde dig i går kväll, sa hon.

– Jag arbetade i natt.

– Eftersom ingen svarade tänkte jag att numret var fel, så jag
ringde Mona och frågade.

Wallander höll på att tappa telefonluren.

– Du gjorde vad?

– Jag ringde och frågade Mona om ditt nummer.

Wallander hade genast konsekvenserna klara för sig. Om Helena hade ringt Mona innebar det att Monas svartsjuka skulle välla upp med full kraft. Det skulle inte förbättra deras relation.

– Är du kvar? frågade hon.

– Ja, sa Wallander. Men just nu har jag besök av min syster.

– Jag är på arbetet. Du kan ringa mig.

Wallander lade på och återvände till köket. Kristina såg undrande på honom.

– Är du sjuk?

– Nej, sa han. Men jag måste nog arbeta nu.

De skildes i tamburen.

– Du borde tro mig, sa Wallander. Man kan inte alltid lita på vad han säger. Och hälsa honom att jag kommer ut så fort jag hinner. Om jag nu är välkommen och om nån bara kan tala om för mig var det där huset ligger.

– I utkanten av Löderup, sa Kristina. Först far du förbi en lanthandel. Sen genom en pilallé. När den tar slut ligger huset till vänster, med en stenmur mot vägen. Det har svart tak och är väldigt fint.

– Har du varit där?

– Första lasset gick i går.

– Vet du vad han betalade för det?

– Det säger han inte.

Kristina gick. Wallander vinkade åt henne genom köksfönstret. Ilskan över vad hans far hade sagt tvingade han bort. Allvarligare var det som Helena hade sagt. Wallander ringde upp henne. När han fick besked om att hon var upptagen i ett annat samtal dängde han luren i klykan. Det var sällan han miste kontrollen. Men nu märkte han att det var mycket nära. Han ringde upp igen. Fortfarande upptaget. Mona kommer att göra slut på vårt förhållande, tänkte han. Hon tror att jag börjat uppvakta Helena igen. Det spelar ingen roll vad jag säger. Hon kommer inte att tro det i alla fall. Han ringde på nytt. Den här gången fick han svar.

– Vad var det du ville?

Hennes röst var sträv när hon svarade.

– Måste du låta så otrevlig? Jag har faktiskt försökt hjälpa dig.

– Var det verkligen nödvändigt att ringa till Mona?

– Hon vet att jag inte är intresserad av dig längre.

– Vet hon? Då känner du inte Mona.

– Jag tänker faktiskt inte be om ursäkt för att jag tar reda på vad du har för telefonnummer.

– Vad var det du ville?

– Jag har fått hjälp av kapten Verke. Om du minns? Jag sa att vi hade en gammal sjökapten här.

Wallander kom ihåg.

– Jag har fotokopior framför mig på bordet. Listor över matroser och maskinister som arbetat på svenska rederier dom senaste tio åren. Det är som du förstår ganska många personer. Är du förresten säker på att den där mannen bara hade mönstrat på svenskflaggade fartyg?

– Jag är inte säker på nånting, sa Wallander.

– Du kan hämta listorna här, sa hon. När du har tid. Men i eftermiddag sitter jag i möte.

Wallander lovade att komma redan på förmiddagen. Sedan lade han på luren och tänkte att det han borde göra nu var att ringa till Mona och förklara sig. Men han lät det bero. Han vågade helt enkelt inte.

Klockan hade blivit tio i åtta. Han började sätta på sig jackan.

Tanken på att patrullera en hel dag ökade hans missmod.

Han skulle just lämna lägenheten när telefonen ringde på nytt. Mona, tänkte han. Nu ringer hon och säger åt mig att dra åt helvete. Han drog djupt efter andan och lyfte luren.

Det var Hemberg.

– Hur går det med maginfluensan?

– Jag var just på väg till polishuset.

– Bra. Men kom upp till mig. Jag har pratat med Lohman. Du är faktiskt ett vittne som vi behöver prata mer med. Ingen patrullering idag, alltså. Dessutom slipper du göra tillslag mot några knarkarkvartar.

– Jag kommer, sa Wallander.

– Kom hit klockan tio. Jag tänkte du kunde sitta med när vi har en genomgång av mordet i Arlöv.

Samtalet var över. Wallander såg på sin klocka. Han skulle hinna hämta de papper som väntade på honom på shippingkontoret. På köksväggen satt en tidtabell för bussarna till och från Rosengård. Om han skyndade sig skulle han slippa vänta.

När han kom ut ur porten stod Mona där. Det hade han inte väntat sig. Lika lite som det som därefter hände. Hon gick rakt fram till honom och gav honom en örfil på vänster kind. Sedan vände hon sig om och gick därifrån.

Wallander blev så häpen att han inte kom sig för att reagera. Kinden brände och en man som stod och låste upp dörren till sin bil betraktade honom nyfiket.

Mona var redan borta. Långsamt började han gå mot busshållplatsen. Han hade en knut i magen nu. Så häftigt hade han aldrig trott att Mona skulle reagera.

Bussen kom. Wallander åkte ner till centrala staden. Dimman var nu borta. Men det var molnigt. Morgonens duggregn fortsatte envetet. Han satt i bussen och var alldeles tom i huvudet. Nattens händelser existerade inte längre. Kvinnan som suttit död på sin stol i köket var en del av en dröm. Det enda som var verkligt var Mona som hade slagit till honom och sedan gått därifrån. Utan ett ord, utan att tveka.

Jag måste tala med henne, tänkte han. Inte nu, när hon fortfarande är upprörd. Men senast i kväll.

Han steg av bussen. Kinden brände fortfarande. Slaget hade varit hårt. Han speglade sig i ett skyltfönster. Rodnaden på kinden var tydlig.

Han blev stående, villrådig om vad han egentligen skulle göra. Tänkte att han borde tala med Lars Andersson så fort som möjligt. Tacka honom för hjälpen och förklara vad som hade hänt.

Sedan tänkte han på ett hus i Löderup han aldrig hade sett. Och på sitt barndomshem som inte längre fanns kvar i familjen.

Han började gå. Ingenting blev bättre av att han stod orörlig på en trottoar i centrala Malmö.

Wallander hämtade det omfångsrika kuvert som Helena lämnat in i receptionen på sitt kontor.

– Jag behöver prata med henne, sa Wallander till receptionisten.

– Hon är upptagen, fick han till svar. Hon bad mig bara att ge dig det här.

Wallander insåg att Helena blivit arg över samtalet på morgonen och inte ville träffa honom. Han hade inga större svårigheter att förstå henne.

När Wallander kom till polishuset hade klockan inte blivit mer än fem minuter över nio. Han gick till sitt rum och fann till sin lättnad att ingen väntade på honom där. Ännu en gång tänkte han igenom det som hade hänt på morgonen. Ringde han till damfriseringen skulle Mona säga att hon inte hade tid. Han var tvungen att vänta till kvällen.

Han öppnade kuvertet och häpnade över vilka långa namnlistor från olika rederier som Helena lyckats få fram. Han letade efter Artur Håléns namn. Men det fanns inte där. Det närmaste han kom var en matros som hette Håle som mest seglat på Grängesrederiet och ett maskinbefäl på Johnsonlinjen som hette Hallén. Wallander sköt undan högen med papper. Om den förteckning han hade framför sig var fullständig innebar det att Hålén hade seglat på fartyg som inte var inregistrerade i den svenska handelsflottan. Då skulle det vara i det närmaste omöjligt att hitta honom. Wallander visste plötsligt inte heller längre vad det egentligen var han hoppades hitta. En förklaring på vad?

Det hade tagit honom nästan tre kvart att gå igenom listorna.

Han reste sig och gick upp till övervåningen. I korridoren stötte han på sin chef, inspektör Lohman.

– Skulle inte du vara hos Hemberg i dag?

– Jag är på väg.

– Vad gjorde du egentligen i Arlöv?

– Det är en lång historia, det är den mötet med Hemberg handlar om.

Lohman skakade på huvudet och hastade vidare. Wallander kände lättnad över att slippa besöka de dystra och deprimerande knarkarkvartar som hans kollegor skulle tvingas gå in i den dagen.

Hemberg satt i sitt rum och bläddrade i några papper. Som vanligt hade han fötterna på bordet. Han såg upp när Wallander stod i den öppna dörren.

– Vad har hänt med dig? frågade Hemberg och pekade mot kinden.

– Jag råkade gå emot en dörr, svarade Wallander.

– Precis vad misshandlade hustrur brukar säga när de inte vill ange sina män, sa Hemberg glatt och satte sig tillrätta i stolen.

Wallander kände sig genomskådad. Vad Hemberg egentligen tänkte hade blivit allt svårare att förstå. Han tycktes ha ett dubbelt språk där den som lyssnade hela tiden fick leta efter den egentliga meningen bakom orden.

– Vi väntar fortfarande på ett definitivt resultat från Jörne, sa Hemberg. Sånt tar sin tid. Så länge vi inte kan fastställa exakt när kvinnan dog så kan vi inte heller gå vidare med teorin att det var Hålén som dödade henne och sen gick hem och sköt sig av ånger eller rädsla.

Hemberg reste sig med sina papper under armen. Wallander följde honom till ett mötesrum längre bort i korridoren. Där fanns redan flera kriminalpoliser, bland dem Stefansson som ogillande betraktade Wallander. Sjunnesson petade naglarna och såg inte på någon alls. Där fanns också två andra ansikten som Wallander kände igen. Den ene hette Hörner och den andre

89

Mattsson. Hemberg satte sig vid kortändan och pekade ut en stol åt Wallander.

– Ska ordningspolisen börja hjälpa oss nu? sa Stefansson. Har dom inte nog med alla jävla demonstranter?

– Ordningspolisen ska inte hjälpa oss, sa Hemberg. Men Wallander hittade tanten ute i Arlöv. Så enkelt är det.

Det var bara Stefansson som tycktes betrakta Wallanders närvaro med ogillande. De andra nickade vänligt. Wallander gissade att de framför allt var glada över att få förstärkning. Sjunnesson lade ifrån sig den tandpetare med vilken han rengjort sina naglar. Tydligen var det tecknet att Hemberg kunde börja. Wallander noterade den metodiska noggrannhet som präglade spaningsgruppens genomgång. De utgick från de fakta som existerade. Men de tillät samtidigt varandra, och framförallt Hemberg, att söka sig ut med trevare åt olika håll. Varför hade Alexandra Batista blivit mördad? Hur kunde sambandet till Hålén se ut? Fanns det några andra spår?

– Ädelstenarna i Håléns mage, sa Hemberg mot slutet av mötet. Jag har fått en värdering av en juvelerare. 150.000 kronor. Mycket pengar, alltså. Folk i det här landet har blivit mördade för betydligt mindre.

– Nån slog ett järnrör i huvudet på en taxichaufför för några år sen, sa Sjunnesson. Den gången fanns det 22 kronor i plånboken.

Hemberg såg sig runt kring bordet.

– Grannarna? frågade han. Sett nåt? Hört nåt?

Mattsson bläddrade bland sina anteckningar.

– Inga iakttagelser, sa han. Batista levde isolerat. Gick sällan ut annat än för att handla. Hade inga besök.

– Nån måste väl ha sett Hålén komma? invände Hemberg.

– Tydligen inte. Och dom närmaste grannarna gav intryck av att vara normala svenska medborgare. Det vill säga, oerhört nyfikna.

– När hade man sett Batista senast?

– Det rådde lite olika uppgifter om det. Men av det jag fått fram kan man dra slutsatsen att det var några dagar sen. Om det var två eller tre har inte gått att klara ut.

– Vet vi vad hon levde av?

Hörners tur.

– Hon tycks ha haft en liten livränta, sa han. Delvis med oklart ursprung. En bank i Portugal som i sin tur har filialer i Brasilien. Det tar alltid en jävla tid med banker. Men hon arbetade inte. Om man tittade på vad hon hade i sina garderober och i kylskåp och skafferi så kostade hennes liv inte mycket.

– Men huset?

– Inga lån. Betalat kontant av hennes före detta man.

– Var finns han?

– I en grav, svarade Stefansson. Han dog för några år sen. Jordfäst i Karlskoga. Jag talade med hans änka. Han hade alltså gift om sig. Det blev tyvärr lite pinsamt. Jag insåg för sent att hon inte ens kände till att det en gång funnits en Alexandra Batista i hans liv. Men några barn tycks inte Batista ha haft.

– Så kan det vara, sa Hemberg och vände sig mot Sjunnesson.

– Vi håller på, svarade denne. Olika fingeravtryck på glasen. Verkar ha varit rödvin i dom. Spanskt, tror jag. Vi jämför med en tomflaska som stod i köket. Vi håller på att se om vi har avtrycken i registren. Sen ska vi naturligtvis jämföra även med Hålén.

– Han kan faktiskt också finnas i Interpols register, påpekade Hemberg. Det dröjer lite innan vi får besked från dom.

– Att mördaren blivit insläppt av henne får vi utgå ifrån, fortsatte Sjunnesson. Det fanns ingen åverkan på fönster eller dörrar. Han kan ha haft egen nyckel för den delen. Vi har tittat på Håléns nyckelknippa. Men där fanns ingen som passade. Altandörren stod på glänt har vår vän Wallander talat om. Eftersom Batista varken hade katt eller hund kan man tänka sig att den har stått öppen för att släppa in nattluften. Vilket i sin tur bör betyda att Batista inte fruktade eller väntade sig att något skulle hända. Eller så har gärningsmannen gått ut den vägen. Det är bättre skyddat från insyn på baksidan.

– Andra spår? Hemberg drev på.

– Inget uppseendeväckande.

Hemberg sköt undan pappren som låg utspridda framför honom på bordet.

– Då är det bara att fortsätta, sa han. Rättsläkarna får skynda på. Det bästa som kan hända här är om Hålén kan bindas till brottet. Personligen är det vad jag tror. Men vi får fortsätta att prata med grannar och gräva i bakgrunder.

Sedan vände sig Hemberg mot Wallander.

– Har du nåt att tillägga? Trots allt var det du som hittade henne.

Wallander skakade på huvudet och märkte att han var torr i munnen.

– Ingenting?

– Jag lade inte märke till nåt som ni inte redan har kommenterat.

Hemberg slog en trumvirvel mot bordet med fingrarna.

– Då behöver vi inte sitta här längre, sa han. Är det nån som vet vad det är för lunch idag?

– Sill, sa Hörner. Den brukar vara bra.

Hemberg bad Wallander följa med och äta. Men han tackade nej. Matlusten var försvunnen. Han kände att han behövde vara ensam och tänka. Han gick till sitt rum för att hämta jackan. Genom fönstret kunde han se att duggregnet hade upphört. Just när han var på väg att lämna rummet kom en av hans kollegor inom ordningspolisen in. Han slängde ifrån sig uniformsmössan på ett bord.

– Fy fan, sa han och satte sig tungt på en stol.

Han hette Jörgen Berglund och kom från en bondgård utanför Landskrona. Wallander hade ibland svårt att förstå hans dialekt.

– Nu har vi rensat upp i två knarkarkvartar, fortsatte han. I en av dom hittade vi trettonåriga flickor som varit försvunna hemifrån i veckor. En av dom luktade så illa att man fick hålla för näsan. Den andra bet Persson i benet när vi skulle lyfta ut dom. Vad är det som händer i det här landet egentligen? Och varför var du inte med?

– Jag var inkallad till Hemberg, svarade Wallander. På den andra frågan, om vad som egentligen höll på att hända i Sverige, hade han inget svar.

Han tog jackan och gick. I receptionen blev han stoppad av en av flickorna som satt i växeln.

– Du har ett meddelande, sa hon och gav honom en lapp genom glasrutan. Där stod ett telefonnummer.

– Vad är det här? frågade han.

– Det ringde nån och sa att han var en avlägsen släkting till dig. Han var inte säker på att du ens skulle komma ihåg honom.

– Sa han inte vad han hette?

– Nej. Men han verkade vara ganska gammal.

Wallander betraktade telefonnumret. Där fanns också ett riktnummer. 0411. Det kan inte vara sant, tänkte han. Farsan ringer och presenterar sig som en avlägsen släkting. Som jag kanske inte ens kommer ihåg.

– Var ligger Löderup? frågade han.

– Det är nog Ystads polisdistrikt.

– Jag frågar inte om polisdistrikt. I vilket riktnummerområde?

– Det är Ystad.

Wallander stoppade lappen i fickan och gick. Hade han haft en bil hade han kört raka vägen ut till Löderup och frågat fadern vad han egentligen menat med sitt samtal. När han fått ett svar skulle han säga som det var. Att från och med nu upphörde all kontakt dem emellan. Inga fler pokerkvällar, inga telefonsamtal. Wallander skulle lova att infinna sig till den begravning som han hoppades inte skulle dröja alltför länge. Men det var också allt.

Wallander gick längs Fiskehamnsgatan. Sedan svängde han in

på Slottsgatan och vidare in i Kungsparken. Jag har två problem, tänkte han. Det största och viktigaste är Mona. Det andra är min far. Båda problemen måste jag lösa så fort det bara är möjligt.

Han satte sig på en bänk och betraktade några gråsparvar som badade i en vattenpöl. En berusad man låg och sov bakom några buskar. Egentligen borde jag lyfta upp honom, tänkte Wallander. Sätta honom här på bänken eller till och med se till att han blev intagen och fick sova ruset av sig. Men just nu bryr jag mig inte om honom. Han får ligga där han ligger.

Han reste sig från bänken och fortsatte. Lämnade Kungsparken och kom ut på Regementsgatan. Fortfarande kände han sig inte hungrig. Ändå stannade han vid en korvkiosk på Gustav Adolfs Torg och köpte en grillad med bröd. Sedan gick han tillbaka till polishuset.

Klockan hade blivit halv två. Hemberg var upptagen. Vad han själv skulle göra visste han inte. Egentligen borde han tala med Lohman om vad han förväntades göra under eftermiddagen. Men han lät det vara. I stället drog han till sig de listor som Helena hade gett honom. Återigen ögnade han igenom namnen. Försökte se deras ansikten, föreställa sig deras liv. Matroser och maskinister. I marginalen stod deras födelsedata. Wallander lade ifrån sig papperen igen. Utifrån korridoren hördes något som lät som ett hånskratt.

Wallander försökte tänka på Hålén. Hans granne. Som lämnat in tipskuponger, satt in ett extralås och sedan skjutit sig. Allt talade för att Hembergs teori skulle visa sig hålla. Hålén hade av något skäl dödat Alexandra Batista och sedan tagit livet av sig.

Där blev det tvärstopp för Wallander. Hembergs teori var alldeles logisk och självklar. Ändå tänkte Wallander att den var ihålig. Skalet stämde. Men innehållet? Det var fortfarande mycket oklart. Inte minst överensstämde det dåligt med det intryck som Wallander haft av sin granne. Något passionerat eller våldsamt drag hos honom hade Wallander aldrig kunnat upptäcka.

Förvisso kunde de mest tillbakadragna människor explodera i kaos och våld under pressade omständigheter. Men var det verkligen rimligt att Hålén tagit livet av den kvinna som han sannolikt haft ett förhållande med?

Något saknas, tänkte Wallander. Innanför skalet är det tomt. Han försökte tänka djupare utan att komma någon vart. Frånvarande betraktade han listorna som låg på bordet. Utan att han riktigt kunde säga varifrån tanken kom började han plötsligt gå igenom alla de födelsedata som fanns i den högra marginalen. Hur gammal hade Hålén egentligen varit? Han mindes att han varit född år 1898. Men vilket datum? Wallander ringde till växeln och bad att få bli kopplad till Stefansson. Denne svarade genast.

– Det är Wallander. Jag undrar om du har Håléns födelsedatum tillgängligt?

– Ska du gratulera honom på födelsedagen?

Han tycker inte om mig, tänkte Wallander. Men i sinom tid ska jag visa honom att jag är en betydligt bättre brottsutredare än han.

– Hemberg bad mig undersöka en sak, ljög Wallander.

Stefansson lade ifrån sig luren. Wallander kunde höra att han bläddrade i papper.

– 17 september 1898, sa Stefansson. Nåt mer?

– Det var allt, sa Wallander och lade på.

Sedan drog han till sig listorna igen.

På det tredje papperet hittade han det han inte medvetet vetat att han sökt efter. En maskinist som var född den 17 september 1898. *Anders Hansson*. Samma initialer som Artur Hålén, tänkte Wallander.

Han gick igenom resten av pappren för att försäkra sig om att det inte fanns någon mer som var född samma datum. Han hittade en matros som var född den 19 september 1901. Det var det närmaste. Wallander tog fram telefonkatalogen och slog upp numret till pastorsämbetet. Eftersom Hålén och han själv bodde i samma hus måste de också vara mantalsskrivna i samma församling. Han slog numret och väntade. En kvinna svarade. Wallander tänkte att han lika gärna kunde fortsätta att presentera sig som kriminalpolis.

– Jag heter Wallander och ringer från kriminalpolisen, började han. Det handlar om ett dödsfall som inträffade för några dagar sen. Jag ringer från våldsroteln.

Han gav Håléns namn, adress och födelsenummer.

– Vad är det du vill veta? frågade kvinnan.

– Om det finns nån uppgift på att Hålén eventuellt haft ett annat namn tidigare i livet.

– Han skulle alltså ha bytt efternamn?

Jävlar, tänkte Wallander. Människor byter inte förnamn. Bara efternamn.

– Jag ska se efter, sa kvinnan.

Det blev fel, insåg Wallander. Jag reagerar innan jag har gått igenom mina idéer grundligt nog.

Han funderade på om han bara skulle lägga på. Men kvinnan skulle undra, tro att samtalet kopplats ur, och kanske söka honom på polishuset. Han väntade. Det tog en lång stund innan hon återkom.

– Dödsfallet höll just på att registreras, sa hon. Det var därför det dröjde. Men du hade rätt.

Wallander satte sig upp i stolen.

– Han hette Hansson tidigare. Namnbytet skedde 1962.

Rätt, tänkte Wallander. Men fel i alla fall.

– Förnamnet, sa han. Vilket är det?

– Anders.

– Det borde ha varit Artur.

Svaret överraskade honom.

– Det är det också. Han måste haft föräldrar som älskade namn. Eller som inte kom överens. Han hette Erik Anders Artur Hansson.

Wallander höll andan.

– Då ber jag att få tacka för hjälpen, sa han.

När samtalet var över kände Wallander en omedelbar lust att kontakta Hemberg. Men han blev sittande i stolen. Frågan var hur mycket värde hans upptäckt egentligen hade. Jag ska följa upp det här själv, bestämde han. Om det ingenstans leder så behöver ingen få veta om det.

Wallander drog till sig ett kollegieblock och började göra en sammanfattning. Vad visste han egentligen? Artur Hålén hade bytt namn för sju år sedan. Linnea Almqvist på övervåningen hade vid något tillfälle sagt att Hålén flyttat in i början av 1960-talet. Det kunde stämma.

Wallander blev sittande med pennan i handen. Sedan ringde han upp pastorsämbetet igen. Samma kvinna svarade.

– Jag glömde en sak, ursäktade sig Wallander. Jag behöver veta när Hålén flyttade in till Rosengård.

– Du menar Hansson, sa kvinnan. Jag ska se efter.

Den här gången gick det fortare.

– Han har registrerats som inflyttad från 1 januari 1962.

– Var bodde han innan?

– Det vet jag faktiskt inte.

– Det trodde jag framgick?

– Han har varit skriven utomlands. Det saknas uppgift om var.

Wallander nickade in i luren.

– Då tror jag det var allt. Jag lovar att inte störa igen.

Han återvände till sina anteckningar. Hansson flyttar till Malmö från någon okänd utländsk ort 1962 och byter samtidigt namn. Några år senare inleder han ett förhållande med en kvinna i Arlöv. Om de känt varandra tidigare vet jag inte. Efter ytterligare några år blir hon mördad och Hålén begär självmord. I vilken ordning detta sker är fortfarande inte klarlagt. Men Hålén skjuter sig. Efter att ha fyllt i en tipskupong och satt in extralås i sin dörr. Samt svalt ett antal dyrbara ädelstenar.

Wallander grimaserade. Fortfarande hittade han ingen riktpunkt att utgå ifrån. Varför byter en människa namn? tänkte han. För att göra sig osynlig? För att göra sig oåtkomlig? För att ingen ska veta vem man är eller vem man har varit?

Vem man är eller vem man har varit?

Wallander tänkte efter. Ingen hade känt Hålén. Han hade varit en ensamvarg. Men däremot kunde det finnas människor som hade känt en man vid namn Anders Hansson. Frågan var bara hur han skulle hitta dem.

I det ögonblicket påminde han sig något som inträffat året innan, som kanske kunde bidra till att han kom närmare en lösning. Vid ett tillfälle hade det utbrutit slagsmål mellan några berusade personer nere vid flygbåtsterminalen. Wallander hade varit med om att rycka ut och stoppa bråket. En av de inblandade hade varit en dansk sjöman som hetat Holger Jespersen. Wallander hade uppfattat att denne ofrivilligt dragits in i slagsmålet. Det hade han också påpekat för sitt befäl. Han hade insisterat på att Jespersen ingenting gjort och mannen hade också blivit släppt medan de andra omhändertagits. Sedan hade Wallander glömt bort hela händelsen.

Men några veckor senare hade Jespersen plötsligt dykt upp utanför hans dörr i Rosengård och överlämnat en flaska dansk Akvavit som tack för hjälpen. Wallander hade aldrig lyckats få reda på hur Jespersen hittat honom. Men han hade själv bjudit in honom. Jespersen hade alkoholproblem men bara i perioder. Däremellan arbetade han på olika fartyg som motorman. Han var en god historieberättare och tycktes känna till varenda nordisk sjöman som levt under de senaste femtio åren. Jespersen hade berättat att han brukade tillbringa sina kvällar på en bar i Nyhavn. När han var nykter drack han kaffe. Annars öl. Men alltid på samma ställe. Om han inte för tillfället befann sig någonstans ute på havet.

Nu kom Wallander att tänka på honom. Jespersen vet, tänkte Wallander. Eller så kan han ge mig ett råd.

Wallander hade redan fattat sitt beslut. Hade han tur skulle

Jespersen befinna sig i Köpenhamn och förhoppningsvis inte
vara mitt inne i en av sina supperioder. Klockan var ännu inte
tre. Wallander skulle ägna resten av dagen åt att åka fram och
tillbaka till Köpenhamn. Ingen tycktes heller sakna honom på
polishuset. Men innan han reste över Sundet hade han ett tele-
fonsamtal att klara av. Det var som om beslutet att resa till Kö-
penhamn gett honom det nödvändiga självförtroendet. Han
slog numret till den damfrisering där Mona arbetade.

Kvinnan som svarade hette Karin och var damfriseringens
ägare. Wallander hade träffat henne vid flera tillfällen. Han
tyckte hon var närgången och nyfiken. Men Mona ansåg henne
vara en bra chef. Han sa vem han var och bad att få ett med-
delande framfört till Mona.

– Du kan prata med henne själv, sa Karin. Jag har en kvinna i
torkhuven här.

– Jag sitter i ett spaningsmöte, svarade Wallander och försök-
te låta upptagen. Säg henne bara att jag hör av mig senast klock-
an tio i kväll.

Karin lovade att framföra beskedet.

Efteråt märkte Wallander att han blivit svettig av det korta
samtalet. Men han var ändå glad över att han hade genomfört det.

Sedan lämnade han polishuset och hann precis med flygbåten
som gick klockan tre. Tidigare om åren hade han ofta varit i Kö-
penhamn. På senare tid ibland med Mona, förut ofta ensam.
Han tyckte om den staden, så mycket större än Malmö. Ibland
besökte han också Det kongelige när det var någon operaföre-
ställning han ville se.

Egentligen tyckte han inte om flygbåtarna. Resan gick för
fort. De gamla färjorna gav honom en starkare känsla av att det
faktiskt existerade ett avstånd mellan Sverige och Danmark, att
han gjorde en utlandsresa när han åkte över Sundet. Han satt
och såg ut genom fönstret medan han drack kaffe. En dag kom-
mer de säkert att bygga en bro här, tänkte han. Men den dagen
slipper jag nog uppleva.

När Wallander kom till Köpenhamn hade det börjat duggregna igen. Båten lade till i Nyhavn. Jespersen hade förklarat var hans stamlokus var beläget och det var inte utan spänning som Wallander trädde in i dunklet. Klockan var kvart i fyra. Han såg sig runt i den mörka lokalen. Vid borden satt spridda gäster och drack öl.

En radio stod påslagen någonstans. Eller kanske det var en grammofon? En dansk kvinnostämma sjöng något som verkade vara mycket sentimentalt. Wallander kunde inte upptäcka Jespersen vid något av borden. Bakom disken stod bartendern och löste korsordet i en tidning som var utbredd över disken. Han såg upp när Wallander kom fram.

– En öl, sa Wallander.

Mannen gav honom en Tuborg.

– Jag söker Jespersen, sa Wallander.

– Holger? Han kommer inte än på nån timme.

– Han är alltså inte ute på sjön?

Bartendern log.

– Då skulle han väl knappast komma om en timme? Han brukar vara här vid femtiden.

Wallander satte sig vid ett bord och väntade. Den sentimentala kvinnorösten hade nu ersatts av en lika sentimental mansröst. Om Jespersen kom vid femtiden skulle Wallander utan problem kunna vara tillbaka i Malmö i god tid innan han skulle ringa till Mona. Nu försökte han tänka ut vad han skulle säga. Örfilen skulle han överhuvudtaget inte låtsas om. Han skulle berätta varför han kontaktat Helena. Han skulle inte ge sig förrän hon trodde på det han sa.

En man hade somnat vid ett bord. Bartendern stod fortfarande lutad över sitt korsord. Tiden gick långsamt. Då och då öppnades dörren och dagsljuset skymtade. Någon kom och någon gick. Wallander såg på sin klocka. Tio minuter i fem. Fortfarande ingen Jespersen. Han blev hungrig och fick några korvbitar på ett fat. Och ytterligare en Tuborg. Wallander hade en känsla av att bartendern stod och grubblade över samma ord som när Wallander kommit till baren för en timme sedan.

Klockan blev fem. Fortfarande ingen Jespersen. Han kommer inte, tänkte Wallander. Just i dag har han trillat dit igen och börjat supa.

Två kvinnor kom in genom dörren. En av dem satte sig vid ett bord efter att ha beställt en snaps. Den andra gick in bakom disken. Bartendern lämnade tidningen och började gå igenom flaskorna som stod på hyllorna. Tydligen arbetade kvinnan där. Klockan blev tjugo över fem. Dörren gick upp och Jespersen kom in iförd jeansjacka och keps. Han gick raka vägen fram till bardisken och hälsade. Bartendern ställde genast fram en kopp kaffe och pekade mot det bord där Wallander satt. Jespersen tog sin kaffekopp och log när han såg att det var Wallander.

– Det var oväntat, sa han på bruten svenska. En svensk polisbetjänt i Köpenhamn.

– Inte betjänt, sa Wallander. Konstapel. Eller kriminalpolis.

– Det är väl samma fan det?

Jespersen skrockade och lade fyra sockerbitar i kaffet.

– Hur som helst är det trevligt att få besök, sa han. Jag känner alla som kommer hit. Jag vet vad dom kommer att dricka och vad dom kommer att säga. Och dom vet samma sak om mig. Ibland undrar jag varför jag inte går nån annanstans. Men jag tror inte jag vågar.

– Varför inte?

– Nån kanske säger nåt jag inte vill höra.

Wallander var inte riktigt säker på att han förstod allt vad Jespersen sa. Dels var hans dansk-svenska grötig, dels kunde han vara en aning svävande i sina uttalanden.

– Jag har kommit hit för att träffa dig, sa Wallander. Jag tänkte att du kanske kunde hjälpa mig.

– Vilken annan polisbetjänt som helst hade jag bett dra åt helvete, svarade Jespersen glatt. Men med dig är det annorlunda. Vad är det så du vill veta?

Wallander berättade i korta drag vad som hade hänt.

– En sjöman som både heter Anders Hansson och Artur Hålén, slutade han. Som seglat som både maskinist och matros.

– Vilket rederi?

– Sahlén.

Jespersen skakade långsamt på huvudet.

– Jag borde hört talas om nån som bytt namn, sa han. Det tror jag inte tillhör vanligheterna.

Wallander försökte beskriva Håléns utseende. Samtidigt tänkte han på de fotografier han sett i sjömansböckerna. En människa förändrades. Kanske Hålén också medvetet gjorde om sitt utseende när han bytte namn?

– Kan du säga nåt mer? frågade Jespersen. Han var matros och maskinist. Vilket i och för sig är en ovanlig kombination. Vilka hamnar seglade han på? Vilken typ av fartyg?

– Jag tror han var ganska många gånger i Brasilien, sa Wallander tveksamt. Rio de Janeiro, förstås. Men också i nånting som heter São Luis.

– Norra Brasilien, svarade Jespersen. Jag har varit där en gång. Hade frigång och bodde elegant på ett hotell som hette Casa Grande.

– Så mycket mer kan jag nog inte berätta, sa Wallander.

Jespersen betraktade honom medan han stoppade ytterligare en sockerbit i kaffekoppen.

– Nån som kände honom? Det är vad du vill veta? Nån som kände Anders Hansson? Eller Artur Hålén?

Wallander nickade.

– Då kommer vi inte längre just nu, sa Jespersen. Jag ska höra mig för. Både här och i Malmö. Nu tycker jag vi går och äter.

Wallander såg på klockan. Halv sex. Han behövde inte jäkta. Tog han flygbåten tillbaka till Malmö klockan nio skulle han hinna hem och ringa till Mona i tid. Dessutom var han hungrig. Korvbitarna hade inte mättat.

– Musslor, sa Jespersen och reste sig. Nu går vi till Anne-Birtes krog och äter.

Wallander betalade det han hade druckit. Eftersom Jespersen redan hade gått ut på gatan fick Wallander betala även dennes kaffe.

Anne-Birtes krog låg i nedre delen av Nyhavn. Eftersom det var tidigt på kvällen var det inga problem att få bord. Musslor var kanske inte det Wallander längtade mest efter. Men Jespersen hade bestämt sig så det fick bli musslor. Wallander fortsatte att dricka öl medan Jespersen hade gått över till illgult Citronvand.

– Jag super inte just nu, sa han. Men jag börjar om några veckor.

Wallander åt och lyssnade på Jespersens många och välberättade historier från hans år till sjöss. Strax före halv nio bröt de upp.

Wallander var ett tag orolig att han inte skulle ha nog med pengar för att betala räkningen, eftersom Jespersen tydligen såg det som en självklarhet att bli bjuden. Men Wallander hade tillräckligt.

De skildes utanför krogen.

– Jag ska undersöka saken, sa Jespersen. Jag hör av mig.

Wallander gick ner till flygbåten och ställde sig i kön. Prick klockan nio lossades förtöjningarna. Wallander slöt ögonen och somnade nästan genast.

Han vaknade av att allt var mycket tyst runt honom. Båtmotorernas dån hade upphört. Undrande såg han sig omkring. De befann sig ungefär mitt emellan Danmark och Sverige. Så kom ett meddelande över högtalaranläggningen från kaptenen. Fartyget hade fått maskinskada och måste bärgas tillbaka till Köpenhamn. Wallander flög upp ur sätet och frågade en av båtvärdinnorna om det fanns telefon ombord. Han fick ett nekande svar.

– När kommer vi till Köpenhamn? frågade han.

– Det kommer nog tyvärr att ta några timmar. Men vi bjuder på smörgås och valfri dryck under tiden.

– Jag vill inte ha smörgås, svarade Wallander. Jag vill ha en telefon.

Men ingen kunde hjälpa honom. Han vände sig till en styrman som korthugget svarade att radiotelefonerna inte kunde användas till privata samtal när fartyget befann sig i en nödsituation. Wallander satte sig på sitt säte igen.

Hon kommer inte att tro mig, tänkte han. En flygbåt som havererar. Det blir för mycket för henne. Då havererar vårt förhållande också slutgiltigt.

Wallander kom till Malmö klockan halv tre på natten. De hade inte varit tillbaka i Köpenhamn förrän strax efter midnatt. Då hade han redan gett upp tanken på att ringa till Mona. När han steg iland i Malmö hade det börjat ösregna. Eftersom han inte hade tillräckligt med pengar för att ta en taxi fick han gå ända hem till Rosengård. Han hade inte mer än kommit in genom dörren förrän han plötsligt blev våldsamt illamående. Efter att ha spytt började han få feber.

Musslorna, tänkte han. Säg inte att jag nu verkligen blir magsjuk på riktigt.

Resten av natten tillbringade Wallander på ständig vandring mellan sängen och toaletten. Han orkade påminna sig att han faktiskt aldrig hade ringt och friskanmält sig. Alltså var han fortfarande sjukskriven. I gryningen lyckades han äntligen somna några timmar. Men vid niotiden började han springa på toaletten igen. Tanken på att ringa till Mona, skitande och spyende, var honom omöjlig. I bästa fall skulle hon inse att något hade hänt, att han var sjuk. Men telefonen var tyst. Ingen hörde av sig till honom på hela dagen.

Sent på kvällen började han känna sig något bättre. Men han var så matt att han inte orkade laga till något annat än en kopp te. Innan han lyckades somna på nytt undrade han hur Jespersen mådde. Han hoppades att denne blivit lika sjuk eftersom det var han som föreslagit att de skulle äta musslor.

Dagen efter försökte han äta ett kokt ägg på morgonen. Men

det slutade med att han fick rusa ut på toaletten igen. Resten av dagen tillbringade han i sängen och märkte att magen då långsamt höll på att bli bättre.

Strax före fem på eftermiddagen ringde telefonen. Det var Hemberg.

– Jag har sökt dig, sa han.

– Jag ligger sjuk, svarade Wallander.

– Maginfluensa?

– Snarare musslor.

– Det finns väl ingen vettig människa som äter musslor?

– Jag gjorde det tyvärr. Och det straffade sig.

Hemberg bytte ämne.

– Jag ringer för att berätta att Jörne är färdig, sa han. Det var inte som vi trodde. Hålén tog livet av sig *innan* Alexandra Batista blev strypt. Det innebär med andra ord att vi måste vrida den här utredningen åt ett annat håll. Det var alltså en okänd gärningsman.

– Det kanske är en tillfällighet, sa Wallander.

– Att Batista dör och Hålén skjuter sig? Med ädelstenar i magen? Det kan du försöka inbilla nån annan. Vad som saknas är en länk i den här kedjan. För enkelhets skull kan vi säga att ett drama mellan två personer plötsligt förvandlats till en triangel.

Wallander hade velat berätta för Hemberg om Håléns namnbyte men märkte att han måste spy igen. Han ursäktade sig.

– Mår du bättre så kom upp i morgon, sa Hemberg. Kom ihåg att dricka mycket. Vätska är det enda som hjälper.

Efter att hastigt ha avslutat samtalet och gjort ännu ett besök på toaletten återvände Wallander till sängen. Kvällen och natten tillbringade han någonstans i gränstrakterna mellan sömn, vaka och halvdvala. Magen hade nu lugnat sig, men han var fortfarande mycket trött. Han drömde om Mona och han tänkte på det Hemberg hade sagt. Men han orkade inte engagera sig, orkade inte tänka på allvar.

På morgonen mådde han bättre. Han rostade bröd och drack en kopp svagt kaffe. Magen reagerade inte. Han vädrade ut i lägenheten som luktade illa. Regnmolnen hade dragit undan och det hade blivit varmt. Vid lunchtid ringde Wallander till damfriseringen. Återigen var det Karin som svarade.

– Kan du hälsa Mona att jag ringer henne i kväll? sa han. Jag har varit sjuk.

– Jag ska säga till henne.

Wallander kunde inte avgöra om det fanns något sarkastiskt i hennes röst. Han trodde inte Mona talade särskilt mycket om sitt privatliv. Åtminstone hoppades han inte det.

Vid ett-tiden gjorde Wallander sig klar att åka ner till polishuset. Men för säkerhets skull ringde han och frågade om Hemberg var inne. Efter flera fruktlösa försök att få tag i honom eller åtminstone besked om var han befann sig gav Wallander upp. Han bestämde sig för att gå och handla och sedan ägna resten av eftermiddagen till att förbereda sig för det samtal med Mona som inte skulle bli lätt.

Han lagade soppa till middag och lade sig sedan i soffan och såg på teve. Strax efter sju ringde det på dörren. Mona, tänkte han. Hon har insett att det är något fel och kommit hit.

Men när han öppnade dörren stod Jespersen där utanför.

– Dina jävla musslor, sa Wallander ilsket. Jag har varit sjuk i två dygn.

Jespersen såg undrande på honom.

– Jag märkte ingenting, sa han. Det var säkert inget fel på musslorna.

Wallander bestämde sig för att det var meningslöst att fortsätta att tala om middagen. Han släppte in Jespersen. De satte sig i köket.

– Det luktar konstigt här.

– Det gör det när den som bor här har tillbringat nästan fyrtio timmar på toaletten.

Jespersen skakade på huvudet.

– Det måste ha varit nåt annat, sa han. Inte Anne-Birtes musslor.

– Du är här, sa Wallander. Det betyder att du har nåt att säga.

– Lite kaffe hade varit gott, sa Jespersen.

– Det är slut. Tyvärr. Dessutom visste jag inte att du skulle komma.

Jespersen nickade. Han tog inte illa vid sig.

– Av musslor kan man nog få ont i kistan, sa Jespersen. Men tar jag helt fel om det är nåt annat som oroar dig just nu?

Wallander häpnade. Jespersen såg rakt in i honom, rakt in till den smärtpunkt som utgjordes av Mona.

– Du kan ha rätt, sa han. Men det är i så fall ingenting jag vill tala om.

Jespersen slog avvärjande ut med händerna.

– Du är här. Det betyder att du har nåt att säga, upprepade Wallander.

– Har jag nånsin berättat för dig med vilken respekt jag omfattar er president, herr Palme?

– Han är inte president, han är inte ens statsminister än. Dessutom har du väl knappast kommit hit för att säga det?

– Det bör ändå sägas, insisterade Jespersen. Men du har rätt i att det är andra skäl som har fört mig hit. Om man bor i Köpenhamn åker man bara till Malmö om man har ärende hit. Om du förstår vad jag menar.

Wallander nickade otåligt. Jespersen kunde vara en mycket omständlig man. Utom när han berättade sina historier från livet till sjöss. Då var han en mästare.

– Jag pratade lite med några vänner i Köpenhamn, sa Jespersen. Det gav ingenting. Sen for jag över till Malmö och då gick det bättre. Jag pratade med en gammal elektriker som beseglat världens hav i tusen år. Ljungström heter han. Bor på ålderdomshem numera. Fast jag har glömt namnet på stället där han bodde. Han kan knappt stå på benen. Men minnet är klart.

– Vad sa han?

– Ingenting. Men han föreslog att jag skulle prata lite med en karl ute i Frihamnen. Och när jag hittat honom och frågade om Hansson och Hålén så sa han att »det var en jävla trafik efter dom där två«.

– Vad menade han med det?

– Vad tror du? Du är polis och ska förstå det vanligt folk inte begriper.

– Vad var det han sa?

– Att »det var en jävla trafik efter dom där två«.

Wallander förstod.

– Det var alltså nån annan som frågat efter dom, eller honom rättare sagt?

– Yes.

– Vem då?

– Han visste inte namnet. Men påstod att det var en karl som verkat lite oredig. Hur är det man säger? Orakad och dåligt klädd. Och onykter.

– När hade det hänt?

– För nån månad sen.

Ungefär när Hålén satte in sitt extralås, tänkte Wallander.

– Han visste inte vad mannen hette? Kan jag tala med honom ute i Frihamnen själv? Han hade väl ett namn?

– Han ville inte prata med några poliser.

– Varför inte?

Jespersen ryckte på axlarna.

– Du vet hur det kan vara i en hamn. Spritlådor som råkar gå sönder, en och annan kaffesäck som plötsligt saknas.

Wallander hade hört talas om sådant.

– Men jag fortsatte att snacka runt lite sa Jespersen. Om jag inte tar alldeles fel finns det en del vildvuxet folk som brukar träffas och dela en flaska eller två i den där parken mitt i stan som jag glömt namnet på. Nåt på P?

– Pildammsparken?

– Just den. Och han som frågat efter Hålén, eller kanske det var Hansson, hade ett ögonlock som hängde ner.

– Vilket öga?

– Det lär inte vara så svårt att se om du hittar honom.

– Han hade alltså frågat efter Hålén eller Hansson för någon månad sen? Och han håller till i Pildammsparken?

– Jag tänkte vi kunde leta reda på honom innan jag far tillbaka, sa Jespersen. Och kanske hittar vi ett café på vägen?

Wallander såg på klockan. Halv åtta.

– Det går inte i kväll. Jag är upptagen.

– Då återvänder jag nog till Köpenhamn. Jag ska prata med Anne-Birte om hennes musslor.

– Det kan ha varit nåt annat, sa Wallander.

– Just vad jag ska säga till Anne-Birte.

De hade gått ut i tamburen.

– Tack för att du kom, sa Wallander. Och tack för hjälpen.

– Tack själv, sa Jespersen. Hade du inte varit hade jag fått böter och obehag den där gången när gubbarna började slåss.

– Vi ses, sa Wallander. Men inga fler musslor nästa gång.

– Inga fler musslor, sa Jespersen och gick.

Wallander återvände in i köket och skrev ner det han just hade hört. Någon hade frågat efter Hålén eller Hansson. Det har skett för någon månad sedan. Samtidigt sätter Hålén in ett extralås i dörren. Mannen som letat efter Hålén har ett nerhängande ögonlock. Tycks på ett eller annat sätt vara vinddriven. Och håller möjligtvis till i Pildammsparken.

Wallander lade ifrån sig pennan. Jag ska tala med Hemberg om det här också, tänkte han. Just nu är det faktiskt ett ordentligt spår.

Sedan tänkte Wallander att han naturligtvis skulle ha bett Jespersen att också fråga om det var någon bland hans känningar som hade hört talas om en kvinna vid namn Alexandra Batista.

Han irriterades över att han slarvade. Jag tänker ofullständigt, sa han till sig själv. Jag begår alldeles onödiga misstag.

Klockan hade blivit kvart i åtta. Wallander gick fram och tillbaka i lägenheten. Han var orolig, fast magen var bra nu. Han tänkte att han skulle ringa till sin far på det nya telefonnumret ute i Löderup. Men risken fanns att de skulle börja gräla. Det räckte med Mona. För att få tiden att gå tog han en promenad runt kvarteret. Sommaren hade kommit nu. Kvällen var varm. Han undrade hur det skulle gå med den planerade resan till Skagen.

Halv nio var han tillbaka i sin lägenhet igen. Satte sig vid köksbordet med armbandsuret framför sig på bordet. Jag beter mig som ett barn, tänkte han. Men just nu vet jag inte hur jag ska bära mig åt för att vara annorlunda.

När klockan blivit nio ringde han. Mona svarade nästan genast.

– Innan du lägger på vill jag gärna förklara mig, började Wallander.

– Vem har sagt att jag tänkt lägga på?

Wallander kom genast av sig. Han hade förberett sig noga, visste vad han skulle säga. I stället var det nu hon som talade.

– Jag tror faktiskt att du kan förklara, sa hon. Men just nu intresserar det mig inte. Jag tycker vi borde träffas och prata.

– Nu?

– Inte i kväll. Men i morgon. Om du kan?

– Jag kan.

– Då kommer jag hem till dig. Men inte förrän klockan nio. Min mamma fyller år. Jag lovade hälsa på.

– Jag kan laga middag.

– Det behövs inte.

Wallander började om från början igen med sina förberedda förklaringar. Men hon avbröt honom.

– Vi pratar i morgon. Inte nu, inte i telefon.

Samtalet var över på mindre än en minut. Ingenting hade blivit som Wallander tänkt sig. Det hade blivit ett samtal som han knappast ens vågat drömma om. Även om där också funnits något han kunde tyda som olycksbådande.

Tanken på att sitta inne resten av kvällen gjorde honom rastlös. Klockan var bara kvart över nio. Ingenting hindrar att jag tar en promenad genom Pildammsparken, tänkte han. Kanske kan jag till och med råka se en man med hängande ögonlock.

Instoppad i en av böckerna i bokhyllan hade Wallander hundra kronor i småsedlar. Han stoppade dem i fickan, tog jackan och lämnade lägenheten. Det var vindstilla och fortfarande varmt. Medan han gick mot busshållplatsen gnolade han på en melodi ur en opera. Rigoletto. Han såg bussen komma och började springa.

När han kom ner till Pildammsparken började han undra om det verkligen hade varit en särskilt bra idé. Parken var stor. Dessutom var det faktiskt en tänkbar mördare han letade efter. Det absoluta förbudet för poliser mot att agera ensamma ringde i hans öron. En promenad kan jag alltid ta, tänkte han. Jag har inte uniform, ingen vet att jag är polis. Jag är bara en ensam man som är ute och rastar min osynliga hund.

Wallander började gå längs en av parkvägarna. Under ett träd satt en grupp ungdomar. Någon spelade gitarr. Wallander såg några vinflaskor. Han undrade hur många lagbrott de här ungdomarna höll på att begå i detta ögonblick. Lohman hade med säkerhet gjort ett snabbt tillslag. Men Wallander gick bara förbi. För några år sedan skulle han själv ha kunnat vara en av dem som satt under trädet. Men nu var han polis och skulle i stället gripa den som drack sprit eller vin på allmän plats. Han skakade på huvudet åt sin tanke. Han kunde knappt bärga sig innan han fick börja arbeta på våldsroteln. Det var inte för det här han hade blivit polis. För att ingripa mot ungdomar som spelade gitarr och drack vin en av de första varma sommarkvällarna. Utan för att gripa de riktigt stora brottslingarna. De som begick våldsbrott eller grova stölder, smugglade narkotika.

Han gick vidare inåt parken. På avstånd brusade trafiken. Två ungdomar gick förbi, tätt omslingrade. Wallander tänkte på Mona. Det skulle nog ordna sig. Snart skulle de resa till Ska-

gen och han skulle aldrig mer komma för sent till ett avtalat
möte.

Wallander stannade. På en bänk inte långt framför honom
satt några människor och drack sprit. En av dem slet i kopplet
till en schäferhund som inte ville ligga stilla. Wallander närmade
sig långsamt. Männen tycktes inte bry sig om honom. Wallander
kunde inte se att någon av dem hade ett hängande ögonlock.
Men plötsligt reste sig en av männen och ställde sig på svajande
ben framför Wallander. Han var mycket kraftig. Musklerna
svällde under hans skjorta som var uppknäppt över magen.

– Jag behöver en tia, sa han.

Wallander tänkte först säga nej. Tio kronor var mycket peng-
ar. Sedan ändrade han sig.

– Jag letar efter en kompis, sa han. En kille med ett ögonlock
som hänger ner.

Wallander förväntade sig inget napp. Men till hans oförställ-
da förvåning kom ett svar som han inte hade väntat sig.

– Rune är inte här. Det vete fan vart han har tagit vägen.

– Just det, sa Wallander. Rune.

– Vem fan är du? sa mannen som stod och svajade framför
honom.

– Jag heter Kurt, sa Wallander. En gammal kompis.

– Dig har jag aldrig sett förut.

Wallander gav honom en tia.

– Säg till honom om du ser honom, sa Wallander. Säg till att
Kurt varit här. Vet du förresten vad Rune heter i efternamn?

– Jag vet inte ens om han har nåt efternamn. Rune är Rune.

– Var bor han då?

Mannen slutade för ett ögonblick att svaja.

– Jag tyckte du sa att ni var kompisar? Då vet du väl var han
bor?

– Han flyttar rätt ofta.

Mannen vände sig mot de andra som satt på bänken.

– Är det nån av er som vet var Rune bor nu?

Samtalet som följde var ytterst förvirrat. Först tog det en lång stund att reda ut vilken Rune det egentligen gällde. Sedan var buden många om var denne Rune egentligen bodde. Om han överhuvudtaget hade någon bostad. Wallander väntade. Schäfern invid bänken skällde oavbrutet.

Mannen med musklerna kom tillbaka.

– Vi vet inte var Rune bor, sa han. Men vi kan tala om att Kurt varit här.

Wallander nickade och gick hastigt därifrån. Naturligtvis kunde han ha fel. Fler än en människa kunde ha ett hängande ögonlock. Ändå var han säker att han var på rätt spår. Han tänkte att han genast borde kontakta Hemberg och föreslå att parken sattes under bevakning. Kanske polisen redan hade en man med hängande ögonlock i sina register?

Men Wallander kände sig plötsligt tveksam. Han gick för fort fram igen. Först skulle han ha ett ordentligt samtal med Hemberg. Han skulle berätta om namnbytet och om vad Jespersen hade sagt. Sedan fick Hemberg avgöra om det här kunde vara ett spår eller inte.

Samtalet med Hemberg skulle Wallander dessutom vänta med till dagen efter.

Wallander lämnade parken och tog bussen hem.

Han var fortfarande trött efter magsjukan och somnade redan före midnatt.

Dagen efter vaknade Wallander utsövd redan klockan sju. Efter att ha konstaterat att magen nu var helt återställd drack han en kopp kaffe. Sedan ringde han det telefonnummer han fått av flickan i polishusets reception.

Hans far svarade efter många signaler.

– Är det du? sa fadern bryskt. Jag hittade inte telefonen i all bråte.

– Varför ringer du till polishuset och presenterar dig som en avlägsen släkting? Du kan väl för fan säga att du är min far?

– Jag vill inte ha med polisen att göra, svarade fadern. Varför kommer du inte hit och hälsar på?

– Jag vet ju inte ens var du bor. Kristina förklarade bara på ett ungefär.

– Du är för lat att ta reda på det. Det är hela felet med dig.

Wallander insåg att samtalet redan hade spårat ur. Det bästa han kunde göra nu var att avsluta det så fort som möjligt.

– Jag kommer ut om några dagar, sa han. Jag ringer innan och får vägen förklarad för mig. Hur trivs du?

– Bra.

– Är det allt? »Bra«?

– Det är lite rörigt. Men när jag väl kommit i ordning blir det utmärkt. Jag får en fin ateljé ute i en gammal lagård.

– Jag kommer, sa Wallander.

– Det tror jag inte förrän du står här, sa fadern. Poliser kan man sällan lita på.

Wallander avslutade samtalet. Han kan leva i tjugo år till, tänkte han uppgivet. Och jag kommer att ha honom över mig hela tiden. Jag kommer aldrig undan honom. Det är lika bra jag inser det en gång för alla. Och är han vrång nu blir det bara värre när han blir äldre.

Wallander åt några smörgåsar med nyvunnen aptit och tog sedan bussen in till polishuset. Strax efter åtta knackade han på Hembergs halvöppna dörr. Han fick ett brummande till svar och steg in. För en gångs skull hade Hemberg inte fötterna på bordet. Han stod framme vid fönstret och bläddrade i en morgontidning. När Wallander steg in i rummet granskade Hemberg honom roat.

– Musslor, sa han. Det ska man akta sig för. Dom suger i sig all skit som finns i vattnet.

– Det kan ju ha varit nåt annat, svarade Wallander undvikande.

Hemberg lade ifrån sig tidningen och satte sig ner.

– Jag behöver prata med dig, sa Wallander. Och det kommer att ta längre tid än fem minuter.

Hemberg nickade mot stolen.

Wallander berättade om sin upptäckt, att Hålén hade bytt namn några år tidigare. Han märkte att Hemberg genast skärpte sin uppmärksamhet. Wallander fortsatte med att berätta om sitt samtal med Jespersen, besöket kvällen innan och promenaden i Pildammsparken.

– En man som heter Rune, slutade han. Som saknar efternamn. Och har ett hängande ögonlock.

Hemberg värderade under tystnad det Wallander hade sagt.

– Ingen människa saknar efternamn, sa han därefter. Och så många människor med ett hängande ögonlock som främsta kännemärke kan det inte finnas i en stad som Malmö.

Sedan rynkade han pannan.

– Jag har redan sagt åt dig en gång att inte agera på egen hand. Dessutom borde du ha kontaktat mig eller nån annan här redan i går kväll. Vi skulle ha tagit in dom du träffade i parken. Med lite noggranna förhör efter tillnyktring brukar folk påminna sig både det ena och det andra. Skrev du till exempel upp vad dom där männen hette?

– Jag sa inte att jag var polis. Jag utgav mig för att vara en kompis till Rune.

Hemberg skakade på huvudet.

– Så där kan du inte hålla på, sa han. Vi agerar öppet om det inte finns mycket starka skäl för motsatsen.

– Han ville ha pengar, försvarade sig Wallander. Annars hade jag bara gått förbi.

Hemberg såg granskande på Wallander.

– Vad gjorde du i Pildammsparken?

– Tog en promenad.

– Du bedrev alltså inte nån form av egen spaning?

– Jag behövde röra på mig efter magsjukan.

Hembergs ansikte röjde starkt tvivel.

– Det var med andra ord bara en tillfällighet som gjorde att du valde Pildammsparken?

Wallander svarade inte. Hemberg reste sig ur stolen.

– Jag ska sätta igång några gubbar på det här uppslaget. Just nu behöver vi gå fram på bredast möjliga front. Jag hade nog fått det till att det var Hålén som dödade Batista. Men man tar fel ibland. Då är det bara att stryka över och börja om från början.

Wallander lämnade Hembergs rum och gick ner till undervåningen. Han hoppades slippa stöta på Lohman. Men det var som om hans chef hade stått och lurpassat på honom. Han kom ut från ett mötesrum med en kaffekopp i handen.

– Jag hade just börjat undra, sa han.

– Jag har varit sjukskriven, svarade Wallander.

– Ändå har man sett dig här i huset.

– Jag är frisk igen, sa Wallander. Det var magsjuka. Musslor.

– Du är uppsatt på fotpatrullering, sa Lohmander. Prata med Håkansson.

Wallander gick in i det rum där ordningspoliserna mottog sina uppgifter. Håkansson som var stor och tjock och ständigt svettades satt vid ett bord och bläddrade i en veckotidning. Han såg upp när Wallander kom in.

– Centrala staden, sa han. Wittberg går på klockan nio. Avslut klockan tre. Gå ut med honom.

Wallander nickade och gick till omklädningsrummet. Ur sitt skåp plockade han fram uniformen och bytte om. Just när han var färdig kom Wittberg in. Han var 30 år gammal och talade ständigt om sina drömmar att en dag få köra racerbil.

Kvart över nio lämnade de polishuset.

– När det är varmt blir det alltid stillsammare, sa Wittberg. Inga onödiga ingripanden, så kanske dagen blir lugn.

Dagen blev mycket riktigt lugn. När Wallander hängde av sig sin uniform strax efter tre hade de inte gjort ett enda ingripande, förutom att stoppa en cyklist som körde på fel sida av gatan.

Klockan fyra hade Wallander kommit hem. På vägen från busshållplatsen hade han handlat mat. Det kunde hända att

Mona ändrade sig, att hon trots allt skulle vara hungrig när hon kom.

Halv fem hade han duschat och bytt kläder. Fortfarande var det fyra och en halv timme tills Mona skulle komma. Ingenting hindrar mig från att ta ännu en promenad i Pildammsparken, tänkte Wallander. Speciellt inte om jag är ute med min osynliga hund.

Samtidigt tvekade han. Hemberg hade gett uttryckliga order.

Men Wallander gav sig ändå av. Halv sex gick han samma parkväg som kvällen innan. Ungdomarna som hade spelat gitarr och druckit vin var borta. Bänken där de berusade männen suttit var också tom. Wallander bestämde sig för att fortsätta ytterligare en kvart. Sedan skulle han återvända hem. Han gick nerför en backe och stannade en stund och såg på änderna som simmade i den stora dammen. Någonstans ifrån hördes fågelsång. Doften från träden var försommarstark. Ett äldre par gick förbi. Wallander hörde att de talade om någons »stackars syster«. Vems syster det var och varför det var synd om henne fick han dock aldrig veta.

Han skulle just gå tillbaka samma väg han kommit när han upptäckte några personer som satt på marken i skuggan av ett träd. Om de var berusade eller inte kunde han inte avgöra. En av männen reste sig. Hans gång var vinglande. Hans kamrat som satt under trädet hade nickat till. Hakan vilade mot bröstet. Wallander gick närmare men han kände inte igen honom från kvällen innan. Men mannen var illa klädd och det låg en tom vodkaflaska mellan hans fötter.

Wallander satte sig på huk för att försöka uppfatta hans ansikte. Samtidigt hörde han steg på grusgången bakom sig. När han vände sig om stod två flickor där. Den ena av dem kände han igen utan att han genast kunde säga var han hade träffat henne.

– En av dom där jävla poliserna, sa flickan. Som slog mig under demonstrationen.

Då insåg Wallander vem det var. Den flicka som hade skällt ut honom på ett café veckan innan.

Wallander reste sig upp. I samma ögonblick såg han i den andra flickans ansikte att något hände bakom hans rygg. Han vände sig hastigt om. Mannen som suttit lutad mot trädet hade inte sovit. Nu stod han upp. Och han hade en kniv i handen.

Allt gick sedan mycket fort. Efteråt skulle Wallander bara minnas att flickorna skrikit till och därefter sprungit sin väg. Wallander hade lyft armarna till skydd. Men det hade varit för sent. Han lyckades inte parera hugget. Kniven träffade honom mitt i bröstet. Det var som om han drabbats av ett varmt mörker som sköljde över honom.

Redan innan han segnade ner på grusgången hade hans minne upphört att registrera det som hände.

Sedan hade allting bara varit en dimma. Eller kanske som ett tjockflytande hav där allting var vitt och tyst.

Wallander låg nersänkt i djup medvetslöshet i fyra dagar. Han genomgick två komplicerade operationer. Kniven hade snuddat vid hans hjärta. Men han överlevde. Och långsamt återvände han ur dimman. När han till sist, på morgonen den femte dagen, slog upp ögonen visste han inte vad som hade hänt eller var han befann sig.

Men intill sängen fanns ett ansikte han kände igen.

Ett ansikte som betydde allt. Monas ansikte.

Och hon log.

Epilog

En dag i början av september, när Wallander av läkaren som undersökt honom fått besked om att han kunde börja arbeta en vecka senare, ringde han till Hemberg. Senare på eftermiddagen kom denne ut till hans lägenhet i Rosengård. De möttes i trappuppgången. Wallander hade just varit ute och tömt soporna.

– Det var här det började, sa Hemberg och nickade mot Håléns dörr.

– Ingen har flyttat in än, svarade Wallander. Möblerna står kvar. Brandskadorna är heller inte åtgärdade. Varje gång jag går ut eller kommer hem tycker jag fortfarande det luktar rök.

De satte sig i Wallanders kök och drack kaffe. Septemberdagen var ovanligt kylig. Hemberg hade en tjock tröja på sig under överrocken.

– Hösten kommer tidigt i år, sa han.

– Jag var ute och hälsade på min far igår, sa Wallander. Han har flyttat från stan ut till Löderup. Det är vackert där ute på slätten.

– Hur man frivilligt kan bosätta sig mitt ute i leran övergår mitt förstånd, svarade Hemberg avvisande. Sen kommer vintern. Och alla snöar inne.

– Han verkade trivas, sa Wallander. Dessutom tror jag inte han bryr sig så mycket om vädret. Han målar tavlor från morgon till kväll.

– Inte visste jag att du hade en farsa som var konstnär?

– Han målar samma motiv hela tiden, sa Wallander. Ett landskap. Med eller utan tjäder.

Han reste sig. Hemberg följde med in i rummet där tavlan hängde på väggen.

– En av mina grannar har en sån där, sa Hemberg. Dom tycks vara populära.

De återvände till köket.

– Du gjorde alla fel man kan göra, sa Hemberg. Men det har jag redan talat om för dig. Man bedriver inte spaningsarbete ensam, man gör inga ingripanden utan att vara fler än en. Du var några centimeter från att dö. Jag hoppas du har lärt dig nåt. Åtminstone om hur man *inte* beter sig.

Wallander svarade inte. Hemberg hade naturligtvis rätt.

– Men du var envis, fortsatte Hemberg. Det var du som upptäckte att Hålén hade bytt namn. Vi hade naturligtvis också gjort det, förr eller senare. Vi hade också hittat Rune Blom. Men du tänkte rätt och du tänkte logiskt.

– Jag ringde dig eftersom jag är nyfiken, sa Wallander. Det är mycket jag fortfarande inte vet.

Hemberg berättade. Rune Blom hade erkänt och kunde också bindas till mordet på Alexandra Batista med teknisk bevisning.

– Det hela började 1954, sa Hemberg. Blom har varit mycket utförlig. Han och Hålén, eller Hansson som han hette då, hade tillhört samma besättning på en båt som gått på Brasilien. I São Luis hade dom vid ett tillfälle kommit över ädelstenarna. Han påstår att dom köpte dom för en struntsumma av en berusad brasilianare som inte visste deras rätta värde. Det gjorde förmodligen inte dom heller. Om dom stal dom eller verkligen köpte dom får vi nog aldrig veta. Dom hade bestämt sig för att dela rovet. Men sen hände det sig att Blom hamnade i brasilianskt fängelse för dråp. Och då passade Hålén på tillfället, eftersom det var han som hade stenarna. Han bytte namn och mönstrade av efter några år, och gömde sig här i Malmö. Träffade Batista och räknade med att Blom skulle bli sittande resten av livet i brasilianskt fängelse. Men Blom släpptes ut sent omsider och började leta efter Hålén. På nåt sätt fick Hålén reda på att Blom dykt upp i Malmö. Han blev rädd, satte extra lås i dörren. Men fortsatte att träffa Batista. Blom höll honom under uppsikt. Blom påstår att Hålén begick självmord samma dag som Blom upptäckte var han bodde. Tydligen var det nog för att han skulle bli så rädd att han gick hem och sköt sig. Man kan undra över det där. Varför gav han inte ädelstenarna till Blom? Varför svälja stenarna och skjuta sig? Vad är det för mening med att vara så girig att man föredrar att dö i stället för att ge ifrån sig nåt som har lite värde i pengar?

Hemberg drack kaffe och såg tankfullt ut genom fönstret. Det regnade.

– Resten vet du, fortsatte han. Blom hittade inga ädelstenar. Han misstänkte att Batista hade dom. Eftersom han hade presenterat sig som vän till Hålén släppte hon in honom utan att misstänka något. Och Blom tog livet av henne. Han är en våldsam natur. Det har han visat tidigare. När han dricker blir han emellanåt väldigt brutal. Det finns en hel del grova misshandelsfall i hans historia. Förutom dråpet i Brasilien. Den här gången gick det ut över Batista.

– Varför gjorde han sig besväret att återvända och tända eld på lägenheten? Var det inte riskabelt?

– Han har inte gett nån annan förklaring än att han blev förbannad över att ädelstenarna var borta. Jag tror det är sant. Blom är en obehaglig människa. Fast kanske han var rädd att hans namn ändå fanns nånstans i lägenheten på nåt papper. Det hade han nog inte hunnit kolla i detalj när du överraskade honom. Men visst var det en risk han tog. Han kunde ju ha blivit upptäckt.

Wallander nickade. Nu hade han bilden klar för sig.

– Egentligen ett litet otäckt skitmord och en girig gubbe som skjuter sig, sa Hemberg. När du blir kriminalare kommer du att få vara med om sånt här många gånger. Aldrig på samma sätt. Men med ungefär samma grundmotiv.

– Det var det jag skulle fråga om, sa Wallander. Jag inser att jag gjorde många fel.

– Bekymra dig inte för det, sa Hemberg kort. Du börjar hos oss den 1 oktober, men inte tidigare.

Wallander hade hört rätt. Inom sig jublade han. Men han visade det inte utan nickade bara.

Hemberg satt kvar ytterligare en stund. Sedan försvann han ut i regnet. Wallander stod i fönstret och såg honom köra i väg i sin bil. Förstrött kände han på ärret i bröstet.

Plötsligt påminde han sig något han hade läst. I vilket sammanhang visste han inte.

Att leva har sin tid, att vara död har sin.

Jag klarade mig, tänkte han. Jag hade tur.

Sedan bestämde han sig för att han aldrig skulle glömma de orden.

Att leva har sin tid, att vara död har sin.

De orden skulle bli hans personliga besvärjelse från och med nu.

Regnet trummade mot rutan.

Strax efter åtta kom Mona.

Den kvällen talade de länge om att nästa sommar göra den resa till Skagen som inte blivit av.

Sprickan

Wallander såg på klockan. Den var kvart i fem. Han satt i sitt tjänsterum på Malmö polishus. Det var julafton 1975. De två kollegor han delade rum med, Stefansson och Hörner, hade ledigt. Själv skulle han gå av om knappt en timme. Han reste sig och ställde sig vid fönstret. Det regnade. Någon vit jul skulle det inte bli. Inte i år heller. Han såg frånvarande ut genom rutan som börjat imma igen. Sedan gäspade han. Det knakade i käkarna. Han stängde försiktigt munnen. Det hände ibland när han gäspade stort att han fick kramp i en muskel under hakan.

Han gick tillbaka och satte sig vid skrivbordet. Där låg några papper som han inte behövde bry sig om just nu. Han lutade sig bakåt i stolen och tänkte med välbehag på den ledighet som nu väntade. Nästan en hel vecka. Först på nyårsaftonen skulle han gå i tjänst igen. Han lade upp fötterna på bordet, tog fram en cigarett och tände den. Genast började han hosta. Han hade bestämt sig för att han skulle sluta. Inte som ett nyårslöfte. Han kände sig själv alltför väl för att tro att det skulle kunna ha några förutsättningar att lyckas. Han behövde lång förberedelsetid. Men plötsligt en morgon skulle han vakna och veta att den dagen var den sista han tände en cigarett.

Han såg på klockan igen. Egentligen kunde han gå redan nu. Det hade varit en ovanligt lugn decembermånad. Kriminalen i Malmö hade för närvarande inga grova våldsbrott under utredning. De familjebråk som normalt inträffade under julhelgen skulle andra få ta sig an.

Wallander tog ner fötterna från bordet och ringde hem till Mona. Hon svarade nästan genast.

– Det är Kurt.

– Säg inte att du har blivit försenad.

Irritationen kom från ingenstans. Han klarade inte att dölja den.

– Jag ringer faktiskt bara för att säga att jag åker hem redan nu. Men det kanske var fel?

– Varför låter du så sur?

– Låter jag sur?

– Du hör vad jag säger.

– Jag hör vad du säger. Men hör du mig? Att jag faktiskt ringde för att säga att jag snart kommer hem. Om du inte har nåt emot det.

– Kör försiktigt bara.

Samtalet tog slut. Wallander blev sittande med telefonluren i handen. Sedan dängde han den hårt i klykan.

Vi kan inte ens tala i telefon längre, tänkte han upprört. Mona börjar gräla om hon hittar den minsta anledning. Och hon skulle förmodligen säga samma sak om mig.

Han blev sittande i stolen och följde med blicken röken som steg mot taket. Han märkte att han försökte undvika att tänka på Mona och sig själv. Och på grälen som blev allt vanligare. Men det gick inte. Allt oftare tänkte han den tanke han helst av allt ville undvika. Att det var deras dotter på fem år, Linda, som höll ihop äktenskapet. Men han värjde sig. Tanken på att han skulle leva sitt liv utan Mona och Linda var outhärdlig.

Han tänkte också att han ännu inte hade fyllt trettio år. Han visste att han hade förutsättningar att bli en duktig polis. Om han ville skulle han kunna göra en betydande karriär inom kåren. De sex år han arbetat i yrket och hans snabba avancemang till kriminalassistent hade gjort honom förvissad om den saken, även om han ofta kände sig otillräcklig. Men var det egentligen detta han ville? Ofta hade Mona försökt övertala honom att söka sig till något av de vaktbolag som blev allt vanligare i Sverige. Hon klippte ut annonser och sa att han skulle tjäna betydligt bättre på det. Hans arbetstider skulle bli mindre ryckiga.

Men han visste att hon innerst inne vädjade till honom att byta yrke eftersom hon var rädd. Rädd för att något skulle hända honom igen.

Han gick fram till fönstret igen. Såg ut över Malmö genom den immiga rutan.

Det var hans sista år i staden. Till sommaren skulle han tillträda en tjänst i Ystad. De hade redan flyttat dit. Bodde i en lägenhet i centrala staden sedan september. Mariagatan. De hade egentligen aldrig tvekat, trots att det kanske inte skulle främja hans karriär att flytta till en småstad. Mona ville att Linda skulle växa upp i en mindre stad än Malmö. Wallander kände behov av ombyte. Att hans far bodde på Österlen sedan några år var ytterligare ett skäl för dem att bosätta sig i Ystad. Men viktigare ändå var att Mona lyckats komma över en damfrisering billigt.

Han hade varit på polishuset i Ystad vid flera tillfällen och bekantat sig med dem som snart skulle bli hans kollegor. Framför allt hade han lärt sig uppskatta en medelålders polisman som hette Rydberg.

Wallander hade på förhand hört ihärdiga rykten om att denne skulle vara tvär och avvisande. Men hans intryck hade från första stund varit ett annat. Att Rydberg var en man som gick sina egna vägar behövde ingen betvivla. Men Wallander hade framför allt fäst sig vid hans stora förmåga att med få ord beskriva och analysera ett brott som just befann sig under utredning.

Han gick tillbaka till skrivbordet och släckte cigaretten. Klockan hade blivit kvart över fem. Nu kunde han åka. Han tog sin jacka som hängde på väggen. Han skulle köra hem sakta och försiktigt.

Kanske hade han låtit sur och tvär i telefonen utan att han märkt det? Han var trött. Han behövde sin ledighet. Mona skulle nog förstå när han väl fick tid att förklara sig.

Han satte på sig jackan och kände efter att nycklarna till hans Peugeot fanns i fickan.

Vid väggen alldeles intill dörren satt en liten rakspegel. Wal-

lander betraktade sitt ansikte. Han kände sig nöjd med det han
såg. Snart skulle han fylla trettio år. Men i spegeln såg han ett
ansikte som tillhörde någon som kunde ha varit tjugotvå.

I samma ögonblick öppnades dörren. Det var Hemberg, hans
närmaste chef sedan han kom till våldsroteln. Wallander hade
oftast lätt att samarbeta med honom. De gånger det uppstod
problem berodde det nästan uteslutande på Hembergs häftiga
humör.

Wallander visste att Hemberg skulle tjänstgöra under både
jul- och nyårshelgen. Eftersom han var ungkarl hade han offrat
ledigheten till förmån för ett annat befäl som hade familj med
många barn.

– Jag undrade just om du var kvar, sa Hemberg.

– Jag var på väg att gå, svarade Wallander. Jag tänkte smita en
halvtimme för tidigt.

– Inte gör det mig nåt, sa Hemberg.

Men Wallander hade genast uppfattat att Hemberg hade
kommit in i hans rum i något ärende.

– Du vill nåt, sa han.

Hemberg ryckte på axlarna.

– Du har ju flyttat till Ystad, började han. Det slog mig att du
kanske kunde göra ett litet stopp på vägen. Jag har lite dåligt
med folk just nu. Och det här är säkert ändå ingenting.

Wallander väntade otåligt på fortsättningen.

– Det är en kvinna som har ringt hit några gånger nu under
eftermiddagen. Hon har en liten livsmedelsaffär vid möbelvaru-
huset strax innan sista rondellen vid Jägersro. Intill OK-macken.

Wallander visste var det var. Hemberg kastade en blick på det
papper han hade i handen.

– Hon heter Elma Hagman och är nog ganska gammal. Hon
menar att det under eftermiddagen har strukit omkring en un-
derlig person utanför affären.

Wallander väntade förgäves på en fortsättning.

– Var det allt?

Hemberg slog ut med armarna.

– Det verkar så. Hon ringde nyss igen. Det var då jag kom att tänka på dig.

– Du vill alltså att jag ska stanna där och prata med henne?

Hemberg kastade en blick på klockan.

– Hon skulle stänga klockan sex. Du hinner precis. Men jag antar att hon inbillat sig. Om inte annat så kan du ju lugna henne. Och önska God jul.

Wallander tänkte hastigt efter. Det skulle ta honom högst tio minuter att stanna till vid affären och konstatera att allt var som det skulle.

– Jag ska prata med henne, sa han. Trots allt är jag ju fortfarande i tjänst.

Hemberg nickade.

– God jul, sa han sedan. Vi ses på nyårsafton.

– Hoppas det blir lugnt i kväll, svarade Wallander.

– Framåt natten börjar bråken, sa Hemberg dystert. Vi kan bara hoppas att de inte blir alltför våldsamma. Och att inte alltför många förväntansfulla barn blir ledsna.

De skildes ute i korridoren. Wallander skyndade sig ner till bilen som han denna dag parkerat på polishusets framsida. Det regnade kraftigt nu. Han sköt in en musikkassett i radion och vred upp ljudet. Staden runt honom glittrade av upplysta skyltfönster och gatudekorationer. Jussi Björlings stämma fyllde bilen. Han såg verkligen fram mot den ledighet som väntade honom.

Han hade nästan glömt det Hemberg bett honom om när han närmade sig den sista rondellen innan utfarten mot Ystad. Han var tvungen att hastigt bromsa in och byta fil. Sedan svängde han av vid möbelvaruhuset som hade stängt. Också bensinstationen var övergiven. Men i livsmedelsaffären strax bortom verkstadshallen lyste det fortfarande i fönstren. Wallander bromsade in och steg ur. Nycklarna lät han sitta kvar. Dörren stängde han så slarvigt att ljuset i kupén fortsatte att lysa. Men han lät det bero. Hans besök skulle vara över på några minuter.

Regnet var fortfarande mycket kraftigt. Han såg sig hastigt om. Ingen syntes till. Bruset av bilar nådde honom svagt. Han undrade frånvarande hur en livsmedelsaffär av den gamla sorten kunde överleva i ett område som nästan enbart bestod av varuhus och småindustrier. Utan att ha hittat något svar skyndade han sig genom regnet och öppnade dörren.

Genast han kom in i affären visste han att något inte var som det skulle.

Något var fel. Allvarligt fel.

Vad det var som omedelbart fick honom att reagera visste han inte. Han blev stående innanför dörren. Affärslokalen var tom. Inte en människa. Och det var tyst.

För tyst, tänkte han hastigt.

För tyst och för stilla. Och var var Elma Hagman?

Han gick försiktigt fram mot disken. Böjde sig över den och såg ner på golvet. Tomt. Kassalådan var stängd. Tystnaden runt honom var öronbedövande. Han tänkte att han nu egentligen borde lämna affären. Eftersom han inte hade radio i bilen behövde han en telefonautomat. Han borde ringa efter förstärkning. Minst två måste de vara. Ingen utryckning med bara en polisman.

Men han slog bort tanken att något var fel. Han kunde inte styras hur långt som helst av sin känsla.

– Är det nån här? ropade han. Fru Hagman?

Inget svar.

Han gick runt disken. Där fanns en dörr som var stängd. Han knackade. Fortfarande inget svar. Han tryckte långsamt ner dörrhandtaget. Det var olåst. Han sköt försiktigt upp dörren.

Sedan skedde allt på en gång och mycket hastigt. En kvinna låg utsträckt på mage i rummet innanför. Han uppfattade att en stol var vält och att det hade runnit ut blod kring hennes bortvända ansikte. Han hajade till, trots att han innerst inne varit förberedd på att något hänt. Tystnaden hade varit för massiv.

Samtidigt som han vände sig om insåg han också att det fanns någon där bakom. Han fullföljde vridningen samtidigt som han hukade sig och skymtade en skugga som hastigt kom emot hans ansikte. Sedan blev allting mörkt.

När han slog upp ögonen visste han genast var han befann sig. Det värkte i huvudet och han kände sig illamående. Han satt på golvet, innanför disken. Han kunde inte ha varit avsvimmad länge. Något mörkt hade kommit emot honom, en skugga som träffat honom hårt i huvudet. Det var den sista minnesbilden. Och den var mycket klar. Han försökte resa sig men märkte att han var fastbunden. Ett rep ringlade sig runt hans ben och armar och höll honom fast. Mot någon punkt bakom ryggen han inte kunde se.

Det var också något bekant med repet. Sedan insåg han att det var hans egen bogserlina som han alltid förvarade i bilens bagageutrymme.

Med ens kom minnesbilderna tillbaka. Han hade upptäckt en kvinna död inne i kontorsrummet. En kvinna som knappast kunde vara någon annan än Elma Hagman. Någon hade sedan slagit till honom i bakhuvudet. Och nu var han fastbunden med sin egen bogserlina. Han såg sig omkring, samtidigt som han lyssnade. Någon måste finnas där i närheten. Någon som han hade alla skäl att vara rädd för. Illamåendet kom i vågor. Han försökte tänja på bogserlinan. Kunde han ta sig loss? Hela tiden lyssnade han. Det var fortfarande lika tyst men det var en annan tystnad. Inte den han hade mött när han kommit in i affären. Han ryckte i repen. De satt inte så hårt, men hans armar och ben var vridna på ett sätt som gjorde att han inte kunde använda sina krafter fullt ut.

Nu märkte han också att han var rädd. Någon hade mördat Elma Hagman och sedan slagit honom hårt i huvudet och bundit honom. Vad var det Hemberg hade sagt? *Elma Hagman hade ringt och anmält att en underlig person strök omkring utanför affären.* Hon hade alltså haft rätt. Wallander försökte tänka lugnt. Mona visste att han var på väg hem. När han inte kom skulle hon bli orolig och ringa in till Malmö. Hemberg skulle då genast tänka på att han gett sig av till Elma Hagmans affär. Sedan skulle det inte ta många minuter förrän polisbilarna var på plats.

Wallander lyssnade. Allt var stilla. Han sträckte på sig för att försöka se om kassalådan nu hade blivit öppnad. Något annat än ett rånmord kunde det knappast vara fråga om. Var kassalådan öppen hade rånaren också med stor sannolikhet gett sig av. Han sträckte sig så mycket han kunde, men han kunde omöjligt avgöra om lådan var stängd eller inte. Ändå blev han alltmer övertygad om att han nu var ensam i affären tillsammans med den döda ägarinnan.

Den man som mördat henne och slagit ner honom måste redan ha försvunnit. Risken var stor att också hans bil var försvunnen, eftersom han låtit nycklarna sitta kvar.

Wallander fortsatte att slita i bogserlinan. Efter att ha sträckt ut armar och ben så långt han kunde började han ana att det var vänsterbenet han skulle koncentrera sig på. Om han fortsatte att sträcka på benet kunde han tänja linan och kanske komma loss. Det skulle i sin tur innebära att han kunde vrida på kroppen och undersöka på vilket sätt han var fastbunden vid väggen.

Han märkte att han blivit svettig. Om det var av ansträngningen eller den krypande rädslan visste han inte. Sex år tidigare, när han ännu hade varit en mycket ung och troskyldig polis, hade han blivit knivstucken. Den gången hade allt gått så fort att han aldrig hunnit reagera, aldrig hunnit värja sig. Knivbladet hade trängt in i bröstet alldeles intill hjärtat. Då hade rädslan kommit efteråt. Men nu fanns den här redan från början. Han försökte intala sig att ingenting mer skulle hända. Förr eller senare skulle han ta sig loss. Förr eller senare skulle man också börja leta efter honom.

Ett ögonblick vilade han från sina ansträngningar att lösgöra vänsterbenet. Hela situationen vällde plötsligt in över honom med full kraft. En gammal kvinna blir mördad på julafton i sin affär, strax innan hon ska stänga. Det var något skrämmande overkligt över brutaliteten. Sådana saker hände helt enkelt inte i Sverige. Minst av allt på julafton.

Han började slita i bogserlinan igen. Det gick långsamt, men han tyckte ändå att linan redan skavde mindre. Han lyckades med stor möda vrida på armen så att han kom åt att se på armbandsklockan. Nio minuter över sex. Det skulle inte dröja länge nu förrän Mona började undra. En halvtimme till så skulle hon bli orolig. Senast klockan halv åtta borde hon ringa till Malmö.

Wallander blev avbruten i sina tankar. Han hade uppfattat ett ljud någonstans i närheten. Han höll andan och lyssnade. Då hörde han det igen. Ett skrapande ljud. Han hade hört det tidigare. Det var ytterdörren. Samma ljud hade han uppfattat när han själv gick in i affären. Någon var på väg in, någon som gick mycket tyst.

Sedan upptäckte han mannen.

Han stod intill disken och såg ner på honom.

Han hade en svart huva över huvudet, en tjock jacka och handskar på händerna. Han var av medellängd och verkade mager. Han stod alldeles orörlig. Wallander försökte uppfatta hans ögon. Men ljuset från neonrören i taket var inte till någon hjälp och han såg inget av ansiktet, bara två små hål var urklippta för ögonen.

I händerna höll mannen ett järnrör. Eller kanske det var änden av en skiftnyckel.

Han stod orörlig.

Wallander kände rädsla och hjälplöshet. Det enda han kunde ha gjort var att ropa. Men det skulle ha varit meningslöst. Ingen fanns i närheten. Ingen skulle höra honom.

Mannen i huvan fortsatte att betrakta honom.

Sedan vände han sig hastigt om och försvann utom synhåll.

Wallander märkte hur hjärtat slog innanför bröstbenet. Han

försökte lyssna efter ljud. Dörren? Men han hörde ingenting. Mannen var alltså kvar inne i affären.

Wallander tänkte febrilt. Varför gick han inte? Varför dröjde han sig kvar? Vad väntade han på?

Han kom utifrån, tänkte Wallander. Sedan återvänder han in i affären. Han kommer fram och kontrollerar att jag sitter kvar där jag blev bunden.

Det finns bara en förklaring. Han väntar på någon. Någon som redan borde ha varit här.

Han försökte fullfölja sin tankegång. Hela tiden lyssnade han. En man med huva och handskar är ute för att begå rån utan att bli igenkänd. Han har valt Elma Hagmans ensamma affär. Varför han har slagit ihjäl henne är obegripligt. Hon kan inte ha bjudit honom något motstånd. Han ger inte heller intryck av att vara nervös eller påverkad av droger.

Rånet är över. Ändå dröjer han sig kvar. Han flyr inte. Trots att han sannolikt inte räknat med att han ska döda en människa. Eller att någon ska komma in i affären just innan den stänger på julaftonen. Ändå stannar han. Väntar.

Wallander insåg att det var någonting som inte stämde. Det var inget vanligt rån han hade hamnat i. Varför stannade mannen kvar? Hade han blivit paralyserad? Han visste att det var viktigt att hitta ett svar på frågan. Men bitarna passade inte ihop.

Det fanns också en annan omständighet som Wallander insåg hade stor betydelse.

Mannen med huvan visste inte att han var polis.

Han hade inte haft anledning att tro något annat än att det varit en sen kund som kommit till affären. Om det var en fördel eller nackdel kunde Wallander inte avgöra.

Han fortsatte att sträcka på vänsterbenet. Hela tiden höll han uppsikt mot sidorna på disken så gott han kunde. Mannen med huvan fanns där någonstans i bakgrunden. Och han rörde sig ljudlöst. Bogserlinan hade börjat ge med sig. Svetten rann innan-

för skjortan på Wallander. Med en våldsam ansträngning lycka-
des han komma fri med benet. Han satt orörlig. Sedan vände
han sig försiktigt om. Bogserlinan var dragen genom ett fäste till
en vägghylla. Wallander insåg att han inte skulle kunna ta sig
loss utan att samtidigt riva ner hyllan. Däremot kunde han nu ta
hjälp av det fria benet för att bit för bit befria det andra benet
från bogserlinan. Han kastade en blick på klockan. Det hade
bara gått sju minuter sedan han senast såg på den. Ännu hade
Mona nog inte ringt till Malmö. Frågan var om hon ens hade
börjat oroa sig. Wallander slet vidare. Nu fanns det ingen åter-
vändo längre. Om mannen med huvan upptäckte honom skulle
han genast inse att Wallander höll på att göra sig fri och sam-
tidigt skulle Wallander inte ha någon möjlighet att försvara sig.

Han arbetade så fort och ljudlöst han kunde. Båda benen var
fria nu, strax därpå även vänstra armen. Nu återstod bara den
högra. Sedan kunde han resa sig upp. Vad han skulle göra då
visste han inte. Något vapen bar han inte. Han skulle bli tvungen
att försvara sig med händerna om han blev attackerad. Men han
hade fått en känsla av att mannen med huvan inte var särskilt
stor eller kraftig. Dessutom skulle han inte vara förberedd.
Överraskningen var det vapen Wallander hade. Ingenting annat.
Och han skulle så fort som möjligt lämna affären. Han skulle
inte dra ut på slagsmålet i onödan. Ensam kunde han ingenting
göra. Så fort som möjligt måste han få kontakt med Hemberg på
polishuset.

Högerhanden var nu fri. Bogserlinan låg vid hans sida. Wal-
lander märkte att han redan hunnit bli stel i lederna. Han ställde
sig försiktigt på knä och kikade fram bakom diskens ena hörn.

Mannen med huvan stod med ryggen vänd mot honom.

Wallander kunde nu för första gången se hela gestalten. Hans
tidigare intryck stämde: mannen var verkligen mycket mager.
Han bar mörka jeans och vita träningsskor.

Han stod alldeles orörlig. Avståndet var inte mer än tre meter.
Wallander skulle kunna kasta sig emot honom och ge honom ett

slag i nacken. Det borde vara tillräckligt för att han sedan skulle
hinna ut ur affären.

Ändå tvekade han.

I samma ögonblick upptäckte han järnröret. Det låg på en hyl-
la intill mannen.

Wallander tvekade inte längre. Utan vapen skulle mannen
med huvan inte kunna försvara sig.

Långsamt började han resa sig upp. Mannen reagerade inte.
Wallander stod nu upprätt.

Precis då vände sig mannen hastigt om. Wallander kastade sig
framåt. Mannen tog ett hastigt steg åt sidan. Wallander slog i en
hylla som till största delen var fylld med hårt bröd och skorpor.
Men han föll inte omkull utan lyckades behålla balansen. Han
vände sig om för att gripa tag i mannen. Men han avbröt rörel-
sen och ryggade.

Mannen med huvan hade en pistol i handen.

Stadigt riktade han den mot Wallanders bröstkorg.

Sedan höjde han långsamt armen tills vapnet pekade rakt mot
Wallanders panna.

Ett svindlande ögonblick tänkte Wallander att han skulle dö.
En gång hade han överlevt ett knivhugg. Men pistolen som nu
var riktad mot hans panna skulle inte missa. Han skulle dö. På
julaftonen. I en livsmedelsaffär i utkanten av Malmö. En alldeles
meningslös död, som Mona och Linda ständigt skulle tvingas
leva med.

Ofrivilligt blundade han. Kanske för att slippa se. Eller för att
göra sig osynlig. Men han slog upp ögonen igen. Pistolen var
fortfarande riktad mot hans panna.

Wallander kunde höra sin egen andhämtning. Varje gång han
andades ut lät det som om han stönade. Men mannen som stod
med pistolen riktad mot honom andades helt ljudlöst. Han tyck-
tes vara alldeles oberörd av situationen. Fortfarande kunde Wal-
lander inte se in i de två uppklippta hålen i huvan. Där ögonen
fanns.

Tankarna virvlade genom hans huvud. Varför stannade mannen kvar i butiken? Vad väntade han på? Och varför sa han ingenting?

Wallander stirrade på pistolen, på huvan med de mörka hålen.

– Skjut inte, sa han och hörde att rösten var ostadig och stammande.

Mannen reagerade inte.

Wallander höll fram händerna. Han hade inget vapen, han hade inga avsikter att göra motstånd.

– Jag skulle bara handla, sa Wallander. Sedan pekade han på en av hyllorna. Han var noga med att handrörelsen inte skulle gå för fort.

– Jag var på väg hem, fortsatte han. Dom väntar där. Jag har en dotter som är fem år.

Mannen svarade inte. Wallander kunde inte upptäcka någon reaktion alls.

Han försökte tänka. Kanske han trots allt hade gjort en felbedömning när han gett sig ut för att bara vara en försenad kund? Kanske han hellre borde sagt som det var? Att han var polis och hade kallats ut eftersom Elma Hagman ringt och berättat att en okänd man strök omkring vid hennes affär.

Han visste inte. Tankarna virvlade genom hans huvud. Men de återvände hela tiden till samma utgångspunkt.

Varför ger han sig inte iväg? Vad är det han väntar på?

Plötsligt tog mannen med huvan ett steg bakåt. Pistolen pekade hela tiden mot Wallanders huvud. Med foten drog han fram en liten pall. Sedan pekade han på den med pistolen som han sedan genast riktade mot Wallander igen.

Wallander insåg att han skulle sätta sig. Bara han inte binder mig igen, tänkte han. Om det blir skottlossning när Hemberg kommer, vill jag inte sitta bunden.

Han gick långsamt fram och satte sig på pallen. Mannen hade dragit sig några steg tillbaka. När Wallander hade satt sig stoppade han pistolen innanför bältet.

Han vet att jag har sett den döda kvinnan, tänkte Wallander. Han fanns någonstans i lokalerna utan att jag upptäckte honom. Men det är därför han håller mig kvar. Han vågar inte låta mig gå. Det var därför han band mig.

Wallander övervägde om han skulle kunna kasta sig emot rånaren och sedan försvinna ut ur affären. Men vapnet fanns där. Och dörren till affären var sannolikt låst vid det här laget.

Han slog undan tanken. Mannen gav intryck av att helt behärska situationen.

Hittills har han inte heller sagt något, tänkte Wallander. Det är alltid lättare att få grepp om en människa när man har hört hur rösten låter. Men mannen som står här är stum.

Wallander gjorde en långsam rörelse med huvudet. Som om han hade börjat stelna till i nacken. Men det var för att han skulle kunna kasta en blick på sitt armbandsur.

Fem minuter över halv sju. Nu borde Mona ha börjat undra. Kanske hon också har börjat bli orolig. Men jag kan inte räkna med att hon redan har ringt. Det är för tidigt. Hon är alldeles för van vid att jag är försenad.

– Jag vet inte varför du vill ha mig kvar här, sa Wallander. Jag vet inte varför du inte låter mig gå.

Inget svar. Mannen ryckte till men sa ingenting.

Rädslan hade under några minuter tonat bort. Men nu återkom den med full kraft.

På något sätt måste mannen vara galen, tänkte Wallander. Han rånar en affär på julaftonen och slår ihjäl en gammal värnlös kvinna. Han binder mig och hotar mig med pistol.

Och han ger sig inte av. Framför allt det. Han stannar kvar.

Telefonen som stod intill kassaapparaten började ringa. Wallander hajade till. Men mannen med huvan förhöll sig oberörd. Han tycktes inte höra.

Signalerna fortsatte. Mannen stod orörlig. Wallander försökte föreställa sig vem det kunde vara. Någon som undrade varför Elma Hagman inte hade kommit hem? Det var det troligaste.

Hon skulle ha stängt sin affär nu. Det var julhelg. Någonstans satt hennes familj och väntade.

Wallander kände hur upprördheten bröt fram. Den var så stark att den trängde undan rädslan. Hur kunde man så brutalt döda en gammal kvinna? Vad var det egentligen som höll på att hända i Sverige?

De talade ofta om det på polishuset, när de åt eller drack kaffe. Eller kommenterade en utredning de höll på med.

Vad var det egentligen som höll på att hända? En underjordisk spricka hade plötsligt uppstått i det svenska samhället. Radikala seismografer registrerade den. Men var kom den ifrån? Att brottsligheten ständigt förändrades var inget märkvärdigt. Som en av Wallanders kollegor en gång hade uttryckt saken:

– Förr stal man vevgrammofoner. Man stal inte bilstereoapparater. Av det enkla skälet att dom inte fanns.

Men sprickan som visat sig var av annat slag. Det handlade om ett ökande våld. En brutalitet som inte frågade efter om den var nödvändig eller inte.

Och nu befann sig Wallander själv mitt inne i denna spricka. På julaftonskvällen. Framför honom stod en man med huva och pistol i bältet. Wallander visste att det låg en död kvinna några meter bakom honom.

Det fanns ingen logik i det hela. Om man letade tillräckligt länge och ihärdigt, fanns oftast ett moment som var förståeligt. Men inte här. Man slog inte ihjäl en kvinna med järnrör i en avsides belägen affär om det inte var absolut nödvändigt. Om hon inte gjort våldsamt motstånd.

Framför allt stannade man inte kvar med en huva över ansiktet och väntade.

Telefonen ringde igen. Wallander var nu övertygad om att det var någon som saknade Elma Hagman. Någon som började bli orolig.

Han försökte föreställa sig vad mannen med huvan tänkte.

Men denne förblev tyst och orörlig. Armarna hängde utmed sidorna.

Signalerna upphörde. I ett av neonrören började ljuset fladdra.

Wallander märkte plötsligt att han satt och tänkte på Linda. Han såg sig själv stå i dörren till lägenheten på Mariagatan och glädja sig över att hon kom emot honom.

Hela situationen är vansinnig, tänkte han. Jag ska inte sitta här på en pall. Med ett stort blåmärke i nacken, illamående och rädd.

De enda huvor människor ska ha på sig så här års är tomteluvor. Ingenting annat.

Han vred på huvudet igen. Klockan visade på nitton minuter i sju. Nu ringde nog Mona och frågade efter honom. Och hon skulle inte ge sig. Hon var envis. Till slut skulle samtalet hamna hos Hemberg som genast skulle slå larm. Med största sannolikhet skulle han ta sig an det själv. När något kunde befaras ha hänt en polisman fanns det alltid resurser. Då tvekade inte ens befälen att omedelbart bege sig ut på fältet.

Wallander började på nytt känna av illamåendet. Dessutom skulle han snart behöva gå på toaletten.

Samtidigt kände han att han inte längre kunde förbli overksam. Det fanns bara en väg att gå. Det visste han. Han måste börja tala med mannen som gömde sitt ansikte i den svarta huvan.

– Jag är civilklädd, började han. Men jag är polis. Det bästa du kan göra är att ge upp. Lämna ifrån dig vapnet. Om en inte alltför lång stund kommer det att vara fullt med polisbilar här utanför. Det bästa du kan göra är alltså att ge upp. Så att det inte blir värre än vad det redan är.

Wallander hade talat långsamt och tydligt. Han hade tvingat sin röst att verka bestämd.

Mannen reagerade inte.

– Lämna ifrån dig pistolen, sa Wallander. Stanna eller ge dig iväg. Men lämna pistolen.

Fortfarande ingen reaktion.

Wallander började undra om mannen var stum. Eller var han så omtöcknad att han inte uppfattade vad Wallander sa?

– Jag har mitt identitetskort i innerfickan, fortsatte Wallander. Där kan du se att jag är polis. Jag är obeväpnad. Men det vet du nog redan.

Och då kom äntligen en reaktion. Från ingenstans. Ett ljud som lät som ett klickande. Wallander tänkte att mannen måste ha smackat med läpparna. Eller klickat med tungan mot gommen.

Det var allt. Och han stod fortfarande orörlig.

Kanske gick det en minut.

Sedan lyfte han plötsligt ena handen. Tog ett tag längst upp på huvan och drog den av sig.

Wallander stirrade på mannens ansikte. Han såg rakt in i ett par mörka och trötta ögon.

Efteråt skulle Wallander många gånger grubbla över vad han egentligen hade väntat sig. Hur hade han föreställt sig ansiktet under huvan? Det enda han var absolut säker på var att han aldrig hade tänkt sig det ansikte han till slut fick se.

Det var en svart man som stod framför honom. Inte brun, inte kopparfärgad, inte mestis. Utan just svart.

Och han var ung. Knappast mer än tjugo år gammal.

Olika tankar for genom Wallanders huvud. Han insåg att mannen förmodligen inte hade begripit när Wallander talade svenska. Han upprepade det han just hade sagt på sin dåliga engelska. Och nu kunde han se att mannen förstod. Wallander talade mycket långsamt. Och han sa som det var. Att han var polis. Att det snart skulle svärma av polisbilar runt affären. Att det bästa han kunde göra var att ge upp.

Mannen skakade nästan omärkligt på huvudet. Wallander tyckte att han gav intryck av stor trötthet. Den blev synlig nu när huvan var borta.

Jag får inte glömma att han brutalt har dödat en gammal kvinna, påminde sig Wallander. Han slog ner mig och band mig. Han riktade en pistol mot mitt huvud.

Vad var det egentligen han hade lärt sig om hur man skulle uppträda i en situation som den han befann sig i? Bibehålla sitt lugn, inte göra några plötsliga rörelser eller provocerande uttalanden. Tala lugnt, en jämn ström av ord. Tålamod och vänlighet. Försöka få igång ett samtal. Inte tappa behärskningen. Framför allt inte det. Att tappa behärskningen var att tappa kontrollen.

Wallander tänkte att det nog kunde vara en bra början att tala om sig själv. Han berättade alltså vad han hette. Att han varit på väg hem till sin fru och sin dotter för att fira jul. Han märkte att mannen nu lyssnade.

Wallander frågade om han förstod.

Mannen nickade. Men fortfarande sa han ingenting.

Wallander såg på klockan. Nu hade Mona alldeles säkert ringt. Hemberg kanske redan var på väg.

Han bestämde sig för att säga precis som det var.

Mannen lyssnade. Wallander fick en känsla av att han redan förväntade sig att höra de annalkande sirenerna.

Wallander tystnade. Han försökte le.

– Vad heter du? frågade han. Alla har ett namn.

– Oliver.

Rösten var ostadig. Uppgiven, tänkte Wallander. Han väntar inte på att någon ska komma. Han väntar på att någon ska förklara för honom vad han har gjort.

– Bor du här i Sverige?

Oliver nickade.

– Är du svensk medborgare?

Wallander insåg genast det onödiga i frågan.

– Nej.

– Var kommer du ifrån?

Han svarade inte. Wallander väntade. Han var säker på att svaret skulle komma. Det var mycket han ville veta innan Hemberg och polisbilarna stod härutanför. Men han kunde inte skynda på. Steget till att denne svarte man ryckte upp pistolen igen och sköt honom behövde inte vara särskilt stort.

Wallander märkte att värken i bakhuvudet hade tilltagit. Men han försökte tänka bort den.

– Alla kommer nånstans ifrån, sa han. Och Afrika är stort. Jag läste om Afrika när jag gick i skolan, geografi var mitt bästa ämne. Jag läste om öknarna och floderna. Och trummorna. Hur dom dunkade i natten.

Oliver lyssnade uppmärksamt. Wallander fick en känsla av att han nu kanske också var något mindre på sin vakt.

– Gambia, sa Wallander. Dit åker svenskar på semester. Också en del av mina kollegor. Är det därifrån du kommer?

– Jag kommer från Sydafrika.

Svaret kom fort och bestämt. Nästan hårt.

Wallander var dåligt informerad om vad som egentligen pågick i Sydafrika. Han visste inte mycket mer än att apartheidsystemet och dess raslagar tillämpades hårdare än någonsin. Men också att motståndet hade ökat. Han hade läst i tidningarna om bomber som exploderat i Johannesburg och Kapstaden.

Han visste också att en del sydafrikaner hade funnit en fristad i Sverige. Inte minst de som öppet deltagit i det svarta motståndet och riskerade att dömas till döden och hängas om de stannade kvar.

I huvudet gjorde han en hastig summering. En ung sydafrikan som hette Oliver hade dödat Elma Hagman. Det var vad han visste. Varken mer eller mindre.

Ingen skulle tro mig, tänkte Wallander. Det här händer bara inte. Inte i Sverige och inte på julafton.

– Hon började ropa, sa Oliver.

– Hon blev väl rädd. En man som kommer in i en affär med huva över ansiktet är skrämmande, sa Wallander. Särskilt om han har en pistol eller ett järnrör i handen.

– Hon skulle inte ha ropat, sa Oliver.

– Du skulle inte ha slagit ihjäl henne, svarade Wallander. Hon hade nog gett dig pengarna ändå.

Oliver ryckte upp pistolen ur bältet. Det gick så fort att Wallander aldrig hann reagera. Återigen såg han pistolen riktad mot sitt huvud.

– Hon skulle inte ha ropat, sa Oliver, och nu var hans röst ostadig av upprördhet och rädsla.

– Jag kan döda dig, fortsatte han.

– Ja, sa Wallander. Det kan du. Men varför skulle du göra det?

– Hon skulle inte ha ropat.

Wallander insåg nu att han hade tagit alldeles fel. Sydafrikanen var minst av allt kontrollerad och lugn. Han befann sig på bristningsgränsen. Vad det var som höll på att gå sönder visste inte Wallander. Men nu började han på allvar frukta vad som skulle ske när Hemberg kom. Det kunde bli rena massakern.

Jag måste avväpna honom, tänkte Wallander. Ingenting annat är viktigare. Jag måste först av allt få honom att stoppa tillbaka pistolen i bältet. Den här mannen är fullt kapabel att börja skjuta vilt omkring sig. Hemberg är säkert på väg nu. Och han anar ingenting. Även om han befarar att någonting har hänt så väntar han sig inte det här. Lika lite som jag gjorde det. Det kan bli rena katastrofen.

– Hur länge har du varit här? frågade han.

– I tre månader.

– Inte mer?

– Jag kom från Västtyskland, sa Oliver. Från Frankfurt. Där kunde jag inte vara kvar.

– Varför?

Oliver svarade inte. Wallander anade att det kanske inte var första gången Oliver hade satt en huva över ansiktet och rånat en enslig belägen affär. Han kunde vara på flykt från den västtyska polisen.

Och det i sin tur innebar att han vistades illegalt i Sverige.

– Vad var det som hände? sa Wallander. Inte i Frankfurt utan i Sydafrika. Varför måste du ge dig av?

Oliver tog ett steg närmare Wallander.

– Vad vet du om Sydafrika?

– Inte mycket. Egentligen bara att dom svarta behandlas mycket illa.

Wallander höll på att bita sig i tungan. Fick man säga svarta eller var det diskriminering?

– Min far blev dödad av polisen. Dom slog ihjäl honom med en hammare och högg av hans ena hand. Den finns nånstans i en burk med sprit. Kanske i Sanderton. Kanske nån annanstans i Johannesburgs vita förstäder. Som en souvenir. Och det enda han hade gjort var att tillhöra ANC. Det enda han hade gjort var att tala med sina arbetskamrater. Om motstånd och frihet.

Wallander tvivlade inte på att Oliver talade sanning. Rösten var lugn nu, mitt i all upprördhet. Där fanns inget utrymme för lögner.

– Polisen började söka efter mig också, fortsatte Oliver. Jag gömde mig. Varje natt sov jag i en ny säng. Till slut kom jag till Namibia och därifrån till Europa. Till Frankfurt. Och sen hit. Men jag är fortfarande på flykt. Egentligen finns jag inte.

Oliver tystnade. Wallander lyssnade efter ljud från annalkande bilar.

– Du behövde pengar, sa han. Du hade hittat den här affären. Hon började ropa och du slog ihjäl henne.

– Dom dödade min far med en hammare. Och hans ena hand finns i en glasburk med sprit.

Han är förvirrad, tänkte Wallander. Hjälplös och omtöcknad. Han vet inte vad han själv gör.

– Jag är polis, sa Wallander. Men jag har aldrig slagit nån i huvudet med en hammare. Som du slog mig.

– Jag visste inte att du var polis.

– Just nu är det nog tur för dig. Man har börjat leta efter mig. Dom vet att jag är här. Tillsammans får vi reda ut situationen.

Oliver skakade pistolen.

– Om nån försöker ta mig så skjuter jag.

– Ingenting blir bättre av det.

– Ingenting kan heller bli värre.

Plötsligt insåg Wallander hur han skulle fortsätta det krampaktiga samtalet.

– Vad tror du din far skulle ha sagt om det du har gjort?

Det gick som en skakning genom Olivers kropp. Wallander förstod att ynglingen aldrig tidigare hade tänkt tanken. Eller också hade han tänkt den alltför många gånger.

– Jag lovar att du inte kommer att bli slagen, sa Wallander. Det garanterar jag. Men du har begått det svåraste brott som finns. Du har dödat en människa. Det enda du kan göra nu är att ge upp.

Oliver hann aldrig svara. Ljudet av bilar som närmade sig hördes plötsligt mycket tydligt. De bromsade in tvärt. Bildörrar öppnades och slogs igen.

Helvete, tänkte Wallander. Jag skulle ha behövt mer tid. Han sträckte långsamt ut handen.

– Ge mig pistolen, sa han. Ingenting kommer att hända. Ingen kommer att slå dig.

Det bankade på dörren. Wallander hörde Hembergs röst. Oliver såg förvirrat mellan Wallander och dörren.

– Pistolen, sa Wallander. Ge mig den.

Hemberg ropade och frågade om Wallander var där.

– Vänta! ropade Wallander tillbaka. Sedan upprepade han det på engelska.

– Är allt som det ska? Hembergs röst var orolig.

Ingenting är som det ska, tänkte Wallander. Det här är en mardröm.

– Ja, ropade han. Vänta. Gör ingenting.

Återigen upprepade han orden på engelska.

– Ge mig pistolen. Ge mig pistolen nu.

Oliver riktade den plötsligt mot taket och sköt. Dånet var öronbedövande.

Sedan vände han vapnet mot dörren. Wallander skrek en varning åt Hemberg att hålla sig undan i samma ögonblick som han kastade sig mot Oliver. De föll omkull på golvet och rev samtidigt ner ett tidningsställ. Hela Wallanders medvetande var inriktat på att få tag på vapnet. Oliver klöste honom i ansiktet och skrek ord på ett språk Wallander inte förstod. När Wallander kände hur Oliver höll på att slita av honom ena örat blev han ursinnig. Han fick loss ena handen och försökte slå Oliver i ansiktet med knuten näve. Pistolen hade glidit åt sidan och låg på golvet bland de nerfallna tidningarna. Wallander skulle just gripa efter den när Oliver träffade honom med en spark rakt i magen. Wallander tappade andan. Samtidigt såg han hur Oliver kastade sig efter vapnet. Han kunde inget göra. Sparken hade förlamat honom. Oliver satt på golvet bland tidningarna och riktade vapnet mot honom.

För andra gången denna kväll blundade Wallander inför det oundvikliga. Nu dog han. Det fanns ingenting han längre kunde göra. Utanför affären hördes fler sirener som närmade sig, och upprörda röster skrek frågor om vad det egentligen var som pågick.

Det är bara jag som dör, tänkte Wallander. Ingenting annat.

Skottet var öronbedövande. Wallander kastades bakåt. Han kämpade för att återfå andan.

Sedan insåg han att han inte hade blivit träffad. Han slog upp ögonen.

Framför honom på golvet låg Oliver utsträckt.

Han hade skjutit sig rakt i huvudet. Vid sidan av honom låg vapnet.

Helvete, tänkte Wallander. Varför gjorde han det?

I samma ögonblick sparkades dörren in. Wallander skymtade Hemberg. Sedan såg han ner på sina händer. De skakade. Hela han skakade.

Wallander hade fått en kopp kaffe och blivit omplåstrad. Han hade gett Hemberg en kort redogörelse för händelseförloppet.

– Jag hade ingen aning om det här, sa Hemberg efteråt. Och jag som bad dig stanna till här på vägen hem.

– Hur skulle du ha kunnat veta? sa Wallander. Hur skulle en enda människa ha kunnat föreställa sig det här?

Hemberg tycktes begrunda det Wallander hade sagt.

– Nånting håller på att hända, sa han till sist. Oron strömmar in över våra gränser.

– Vi skapar den lika mycket själv, svarade Wallander. Även om just Oliver här var en olycklig och fredlös ung man från Sydafrika.

Hemberg hajade till, som om Wallander hade sagt något olämpligt.

– Fredlös och fredlös, sa han sedan. Jag tycker inte om att det väller in utländska brottslingar över våra gränser.

– Det där är inte sant, sa Wallander.

Sedan blev det tyst. Varken Hemberg eller Wallander orkade fortsätta samtalet. De visste båda att de inte skulle kunna komma överens.

Också här finns en spricka, tänkte Wallander. Nyss satt jag fast i en spricka. Nu står jag mitt i en annan som växer alltmer mellan Hemberg och mig.

– Varför stannade han egentligen kvar här inne? sa Hemberg.

– Vart skulle han egentligen ha tagit vägen?

Ingen av dem hade något att tillägga.

– Det var din fru som hörde av sig, sa Hemberg efter en stund. Hon undrade varför du aldrig kom. Du hade tydligen ringt och sagt att du var på väg?

Wallander tänkte tillbaka på telefonsamtalet. Det korta grälet. Men han kände ingenting annat än trötthet och tomhet. Han drev undan tankarna.

– Du borde nog ringa hem, sa Hemberg försiktigt.

Wallander såg på honom.

– Vad ska jag säga?

– Att du blir försenad. Men vore jag som du berättade jag nog inte i detalj vad som hänt. Det skulle jag vänta med tills jag kom hem.

– Är inte du ogift?

Hemberg log.

– Jag kan nog ändå föreställa mig hur det är att ha nån väntande där hemma.

Wallander nickade. Sedan reste han sig tungt från stolen. Kroppen värkte. Illamåendet kom och gick i vågor.

Han banade sig fram mellan Sjunnesson och de andra polisteknikerna som höll på med sitt arbete.

När han kom ut stod han alldeles stilla och drog ner den kyliga luften i lungorna. Så fortsatte han till en av polisbilarna. Han satte sig i framsätet och såg på radiotelefonen och sedan på sitt armbandsur. Tio minuter över åtta.

Julaftonen 1975.

Genom den våta framrutan upptäckte han en telefonkiosk intill bensinstationen. Han steg ur bilen och gick dit. Sannolikt var den trasig. Men han ville ändå göra ett försök.

En man med hund i koppel stod i regnet och betraktade polisbilarna och den upplysta affären.

– Vad är det som har hänt? frågade han.

Med rynkad panna betraktade han Wallanders sönderrivna ansikte.

– Ingenting, sa Wallander. En olycka.

Mannen med hunden förstod att det Wallander sa inte var sant. Men han ställde inga fler frågor.

– God jul, sa han bara.

– Tack detsamma, svarade Wallander.

Sedan ringde han till Mona.

Regnet hade tilltagit.

Samtidigt hade det börjat blåsa.

En byig vind från nord.

Mannen på stranden

På eftermiddagen den 26 april 1987 satt kriminalkommissarie Kurt Wallander på sitt rum i polishuset i Ystad och klippte frånvarande hårstrån ur sin ena näsborre. Klockan var strax efter fem. Han hade just lagt ifrån sig en pärm som innehöll material kring de tröstlösa spaningarna efter en liga som sysslade med att skeppa över stulna lyxbilar till Polen. Utredningen hade med olika avbrott redan firat sitt tveksamma tioårsjubileum. Den hade inletts inte långt efter det att Wallander började arbeta i Ystad. Han hade ofta undrat för sig själv om utredningen skulle pågå även den avlägsna dag när han gick i pension.

På hans skrivbord var det nu för en gångs skull alldeles rent. Där hade rått kaos en längre tid och han hade tagit det dåliga vädret som förevändning för att jobba eftersom han var gräsänkling.

Några dagar tidigare hade Mona och Linda rest på en fjortondagarsresa till Kanarieöarna. För Wallander hade det kommit som en total överraskning. Han hade inte vetat om att Mona sparat ihop pengarna, och inte heller Linda hade sagt någonting. Trots föräldrarnas motstånd hade hon nyligen hoppat av gymnasiet. Nu verkade hon mest arg, trött och förvirrad. Han hade kört dem till Sturup en tidig morgon och efteråt på vägen tillbaka till Ystad tänkt att han egentligen inte hade något emot att få ett par veckor för sig själv. Äktenskapet med Mona knakade. Vad som var fel visste ingen av dem. Men däremot stod det klart att Linda under de senaste åren hade hållit ihop relationen. Vad skulle hända nu när hon slutat skolan och börjat staka ut ett eget liv åt sig?

Han reste sig och gick fram till fönstret. Vinden rev och slet i träden på andra sidan gatan. Det duggregnade. Termometern visade fyra plusgrader. Ännu var våren avlägsen.

Han satte på sig jackan och lämnade rummet. I receptionen nickade han åt helgens receptionist som talade i telefon. Han tog sin bil och körde ner mot centrum. Han tryckte in ett band med Maria Callas i kassettbandspelaren samtidigt som han funderade över vad han skulle handla till middag.

Skulle han över huvud taget handla någonting? Var han ens hungrig? Han irriterades över sin obeslutsamhet. Samtidigt hade han ingen lust att återfalla i sin gamla ovana att äta vid någon hamburgerbar. Mona hade allt oftare påpekat att han höll på att bli tjock. Och hon hade rätt. En morgon bara några månader tidigare hade han plötsligt stirrat på sitt ansikte i badrumsspegeln och insett att hans ungdom oåterkalleligen var förbi. Han skulle snart fylla fyrtio år. Men han såg ut att vara äldre. Tidigare hade han snarare sett yngre ut än sin verkliga ålder.

Han svängde irriterat ut på Malmövägen och stannade vid en av stadens stormarknader. Han hade just slagit igen bildörren när telefonen surrade inne i kupén. Först tänkte han att han skulle låta bli att svara. Vad det än var så fick någon annan ta sig an det. Just nu hade han nog av sina egna problem. Men han ändrade sig, öppnade bildörren igen och sträckte sig efter telefonluren.

– Wallander? hörde han sin kollega Hansson fråga.

– Ja.

– Var är du?

– Jag skulle just handla mat.

– Vänta med det. Kom hit i stället. Jag är på sjukhuset. Jag möter dig utanför.

– Vad är det som har hänt?

– Det är lite svårt att förklara. Det är bättre att du kommer hit.

Samtalet var över. Wallander visste att Hansson inte skulle ringt om det inte varit något allvarligt. Det tog honom bara ett par minuter att köra till sjukhuset. Hansson kom emot honom utanför stora entrén. Det syntes att han frös. Wallander försökte utläsa ur hans ansikte vad som hade hänt.

– Vad är det fråga om? sa Wallander.

– Det sitter en taxichaufför som heter Stenberg där inne, sa Hansson. Han dricker kaffe och är mycket upprörd.

Wallander följde undrande Hansson in genom glasdörrarna.

Sjukhusets cafeteria låg till höger. De gick förbi en gammal man som satt i en rullstol och långsamt tuggade på ett äpple. Wallander kände igen Stenberg som satt ensam vid ett bord. Han hade mött honom tidigare, utan att han genast kunde komma på i vilket sammanhang. Han var i femtioårsåldern, korpulent och nästan helt skallig. Hans näsa var böjd, som om han i sin ungdom hade varit boxare.

– Du känner kanske igen kommissarie Wallander? sa Hansson.

Stenberg nickade och reste sig för att hälsa.

– Sitt för all del, sa Wallander. Berätta hellre vad det är som har hänt.

Stenberg flackade med blicken. Wallander insåg att mannen antingen var mycket orolig eller rädd. Ännu kunde han inte avgöra vilket.

– Jag fick en körning till stan från Svarte, sa Stenberg. Kunden skulle vänta nere vid huvudvägen. Alexandersson hette han. När jag kom fram stod han mycket riktigt där. Han satte sig i baksätet och bad att få bli körd in till stan. Vi skulle stanna vid torget. Jag såg i backspegeln att han blundade. Jag trodde att han sov. När vi kom in till stan stannade jag vid torget och sa att vi var framme. Han reagerade inte alls. Jag gick ur bilen, öppnade bakdörren och tog tag i honom lite lätt. Men han reagerade inte, så jag trodde han var sjuk och körde upp hit till akutintaget på lasarettet. Där sa dom att han var död.

Wallander rynkade pannan.

– Död?

– Dom gjorde upplivningsförsök, sa Hansson. Men det hjälpte inte, han var död.

Wallander tänkte efter.

– Det tar dig 15 minuter in till stan från Svarte, sa han till Stenberg. Han verkade inte dålig när han steg in i bilen?

– Hade han varit sjuk hade jag märkt det, sa Stenberg. Dessutom hade han väl bett om att få bli körd till sjukhuset?

– Han hade ingen skada som du kunde se?

– Ingenting. Han var klädd i kostym och hade en ljusblå överrock.

– Hade han nåt i händerna? En väska eller nåt?

– Ingenting. Jag tänkte det var bäst att ringa polisen. Fast det måste väl sjukhuset också göra, förmodar jag.

Stenbergs svar kom direkt, utan tvekan. Wallander vände sig till Hansson.

– Vet vi vem han är?

Hansson tog fram sitt anteckningsblock.

– Göran Alexandersson, sa Hansson. 49 år gammal. Egen företagare i elektronikbranschen. Bosatt i Stockholm. Han hade ganska mycket pengar i sin plånbok. Och många kreditkort.

– Underligt, sa Wallander. Men jag antar att han har fått en hjärtattack. Vad säger läkarna?

– Att bara en obduktion kan ge ett definitivt svar på frågan om dödsorsaken.

Wallander nickade och reste sig upp.

– Du får kräva dödsboet på betalning för körningen, sa han till Stenberg. Vi hör av oss om vi har fler frågor.

– Det var obehagligt, sa Stenberg bestämt. Men inte fan tänker jag kräva nåt dödsbo på betalning för en liktransport.

Stenberg gick.

– Jag skulle vilja titta på honom, sa Wallander. Du behöver inte följa med om du inte vill.

– Helst inte, sa Hansson. Jag försöker få tag i hans anhöriga under tiden.

– Vad gjorde han i Ystad? sa Wallander tankfullt. Det borde vi också ta reda på.

Wallander stannade bara en kort stund vid båren som stod i ett rum på akutmottagningen. Ur den dödes ansikte kunde han inte utläsa någonting. Han undersökte kläderna. Liksom skorna var de av hög kvalitet. Visade det sig att ett brott blivit begånget fick teknikerna titta närmare på kläderna. I plånboken hittade han ingen annat än det Hansson redan hade uppgett. Efteråt pratade han med en av läkarna på akutmottagningen.

– Det verkar förstås vara en naturlig död, sa läkaren. Inga tecken på våld, inga skador.

– Och vem skulle ha kunnat slå ihjäl honom i baksätet på en taxi? sa Wallander. Men jag vill ändå ha obduktionsresultatet så fort som möjligt.

– Vi kör in honom till rättsläkarna i Lund nu, sa läkaren. Om polisen inte har nån annan uppfattning?

– Nej, svarade Wallander. Varför skulle vi ha det?

Han for tillbaka till polishuset och gick in till Hansson som höll på att avsluta ett telefonsamtal. Medan han väntade klämde han nerslaget på magen som börjat tränga sig ut ovanför livremmen.

– Jag har just pratat med Alexanderssons kontor i Stockholm, sa Hansson när han lagt på. Både med hans sekreterare och hans närmaste man. Dom blev naturligtvis chockade. Men dom kunde också upplysa om att Göran Alexandersson var frånskild sen tio år.

– Hade han några barn?

– En son.

– Då får vi leta reda på honom.

– Det går inte, sa Hansson.

– Varför inte?

– Därför att han är död.

Wallander kunde ibland reta sig på Hanssons omständliga sätt att komma till saken. Just nu var det ett sådant tillfälle.

– Död? Vad då död? Måste jag dra allting ur dig?
Hansson tydde sina anteckningar.

– Hans enda barn, en son, avled för snart sju år sen. Tydligen
hade det varit nån sorts olyckshändelse. Jag fick inte riktigt
grepp om det hela.

– Hade den där sonen nåt namn?

– Bengt.

– Frågade du om vad Göran Alexandersson gjorde i Ystad?
Eller Svarte?

– Han hade uppgett att han skulle ta en veckas semester. Han
skulle bo på hotell Kung Karl. Han kom hit för fyra dagar sen.

– Då far vi dit, sa Wallander.

De sökte igenom Alexanderssons rum på hotellet i över en tim-
me utan att hitta någonting av intresse. Där fanns bara en tom
väska, kläder noga upphängda i garderoben och ett extra par
skor.

– Inte ett papper, sa Wallander eftertänksamt. Inte en bok,
ingenting.

Sedan lyfte han på telefonluren och frågade receptionen om
Göran Alexandersson hade ringt eller mottagit några samtal el-
ler besökande. Receptionistens svar var entydigt. Ingen hade
ringt till rum 211. Ingen hade kommit på besök.

– Han bor här i Ystad, sa Wallander. Men han ringer efter en
bil ute i Svarte. Frågan är hur han kom dit.

– Jag ska undersöka med taxi, sa Hansson.

De for tillbaka upp till polishuset. Wallander blev stående vid
fönstret och betraktade frånvarande vattentornet på andra si-
dan gatan. Han märkte att han tänkte på Mona och Linda. För-
modligen satt de på någon uterestaurang och åt middag. Men
vad talade de om? Säkert om vad Linda skulle ägna sig åt nu.
Han försökte föreställa sig deras samtal. Men allt han hörde var
bruset från värmeelementet. Han satte sig att skriva en prelimi-
när rapport medan Hansson talade med taxi i Ystad. Innan han

började gick han dock ut i matrummet och plockade till sig några kakor som låg övergivna på ett fat. Klockan var närmare åtta när Hansson knackade på hans dörr och steg in.

– Han har åkt bil ut till Svarte tre gånger under de fyra dagar han har varit i Ystad, sa Hansson. Han har blivit avsläppt i utkanten av samhället. Han har kommit dit tidigt på morgonen och sen ringt efter en ny bil på eftermiddagen.

Wallander nickade frånvarande.

– Inget olagligt i det, sa han. Han kanske hade en älskarinna där?

Wallander reste sig och gick fram till fönstret. Vinden hade tagit i.

– Vi kör en registergenomgång på honom, sa han efter en stund. Jag har en känsla av att det inte kommer att ge nåt. Men i alla fall. Sen får vi avvakta obduktionen.

– Det var väl en hjärtattack, sa Hansson och reste sig.

– Säkert, sa Wallander.

Wallander for hem och öppnade en burk pyttipanna. Redan hade han börjat glömma Göran Alexandersson. När han hade ätit sin torftiga måltid somnade han framför teven.

Dagen efter körde Wallanders kollega Martinsson igenom alla tillgängliga kriminalregister på namnet Göran Alexandersson. Där fanns ingenting. Martinsson var yngst i spaningsgruppen och den som var mest öppen för ny teknik.

Wallander ägnade dagen åt de stulna lyxbilarna som for omkring i Polen. Under kvällen besökte han sin far i Löderup och spelade kort några timmar. Det slutade med att de började gräla om vem som egentligen var skyldig vem hur mycket. När Wallander for hem undrade han om han skulle bli som sin far när han blev gammal. Eller hade han redan börjat bli det? Argsint, gnällig och sur? Han borde fråga någon. Kanske någon annan än Mona.

På morgonen den 28 april ringde det på Wallanders telefon. Det var från rättsläkarstationen i Lund.

– Det gäller en person vid namn Göran Alexandersson, sa läkaren som ringde. Han hette Jörne och Wallander kände honom sedan tiden i Malmö.

– Vad var det? frågade Wallander. Hjärnblödning eller slaganfall?

– Ingetdera, svarade läkaren. Antingen begick han självmord eller så blev han mördad.

Wallander hajade till.

– Mördad? Vad menar du med det?

– Precis vad jag säger, sa Jörne.

– Men det är otänkbart. Han kan inte ha blivit mördad i baksätet på en taxi. Stenberg som körde honom brukar inte slå ihjäl folk. Men han kan väl inte heller ha begått självmord?

– Hur det har gått till kan jag inte svara på, sa Jörne oberört. Jag kan däremot med visshet konstatera att han dog av ett gift som han fått i sig, antingen via nåt han druckit eller nåt han ätit. Det tycker jag tyder på mord. Men det är förstås er sak att ta reda på.

Wallander sa ingenting.

– Jag faxar över pappren, sa Jörne. Är du kvar?

– Ja, sa Wallander. Jag är kvar.

Han tackade Jörne, lade på luren och tänkte på vad han just fått höra. Sedan tryckte han på snabbtelefonen och bad Hansson komma in på hans rum. Wallander drog till sig ett av sina kollegieblock och skrev två ord.

Göran Alexandersson.

Utanför polishuset hade vinden tilltagit. Byarna var redan uppe i stormstyrka.

Den byiga vinden fortsatte att blåsa över Skåne. Wallander satt instängd på sitt rum och insåg att han fortfarande inte visste vad som hade hänt med den man som några dagar tidigare hade avlidit i baksätet på en taxi. Klockan halv tio på förmiddagen gick han in i ett av polishusets mötesrum och stängde dörren bakom sig. Vid bordet satt då redan Hansson och Rydberg. Wallander blev överraskad när han såg Rydberg. Han hade varit sjukskriven för ryggsmärtor och hade inte aviserat sin återkomst.

– Hur mår du? frågade Wallander.

– Jag sitter här, svarade Rydberg avvisande. Vad är det för dumheter om en man som blivit mördad i baksätet av en taxi?

– Vi tar det från början, svarade Wallander.

Sedan såg han sig omkring. Någon fattades.

– Var är Martinsson?

– Han ringde och sa att han hade en halsböld, svarade Rydberg. Men Svedberg kanske kan gå in i spaningsgruppen?

– Vi får se om det behövs, sa Wallander och plockade med sina papper. Faxet från Lund hade kommit.

Sedan såg han på sina kollegor.

– Det som till en början verkade vara så enkelt kan visa sig bli betydligt besvärligare än vad jag trodde. En man dör i baksätet på en taxi. Rättsläkaren i Lund har fastslagit att han avlidit av ett gift. Det vi fortfarande inte har fått svar på är hur långt innan dödsögonblicket han fått i sig giftet. Men Lund har lovat besked inom ett par dagar.

– Mord eller självmord? undrade Rydberg

– Mord, svarade Wallander bestämt. Jag har svårt att tänka mig en självmördare som först sväljer gift och sen ringer efter en taxi.

– Kan han ha fått i sig det där giftet av misstag? frågade Hansson.

– Knappast troligt, sa Wallander. Enligt läkarna är det en giftblandning som egentligen inte finns.

– Vad menas med det? frågade Hansson.

– Att bara en specialist kan blanda till det, en läkare, en kemist eller en biolog till exempel.

Det blev tyst.

– Alltså bör vi betrakta det här som ett mord, sa Wallander. Vad vet vi egentligen om den här mannen, Göran Alexandersson?

Hansson bläddrade i sitt anteckningsblock.

– Han var affärsman, började Hansson. Han hade två elektronikaffärer i Stockholm. En i Västberga, den andra vid Norrtull. Han bodde ensam i en lägenhet på Åsögatan. Nån familj tycks han inte ha haft. Den frånskilda hustrun lär bo i Frankrike. Sonen avled alltså för sju år sen. Dom av hans anställda jag talat med karaktäriserar honom på exakt samma sätt.

– Hur då? avbröt Wallander.

– Han ansågs vara snäll.

– Snäll?

– Det var det ordet dom använde: snäll.

Wallander nickade.

– Nånting mer?

– Han tycks ha levt ett inrutat liv. Hans sekreterare gissade att han kanske samlade på frimärken. Det kom regelbundet kataloger till kontoret. Han tycks inte ha haft några nära vänner. Åtminstone inga som hans medarbetare kände till.

Det blev tyst.

– Vi får be Stockholm om hjälp med hans lägenhet, sa Wallander när tystnaden hade börjat bli tryckande. Och vi måste ha tag på hans fru. Själv ska jag försöka få svar på frågan vad han gjorde här nere, i Ystad och Svarte. Vem var det han träffade? Vi kan mötas i eftermiddag igen och stämma av vad vi kommit fram till.

– Det är en sak jag undrar över, sa Rydberg. Kan en människa bli mördad utan att hon vet om det?

Wallander nickade.

– Det är en intressant tanke, sa han. Nån ger omärkligt Göran Alexandersson ett gift som börjar verka först en timme senare. Jag ska be Jörne svara på det.

– Om han kan, muttrade Rydberg. Det ska du inte vara alldeles säker på.

Mötet var över. De gick åt olika håll efter att ha fördelat arbetsuppgifterna emellan sig. Wallander ställde sig vid fönstret i sitt rum med en kaffekopp i handen och försökte bestämma sig för var han skulle börja.

En halvtimme senare satte han sig i sin bil och for ut till Svarte. Vinden hade långsamt börjat avta. Solen sken genom de uppsprickande molnen. Wallander fick för första gången detta år en känsla av att våren nu äntligen var på väg. Han stannade när han kom fram till utkanten av Svarte och steg ur bilen.

Hit kom Göran Alexandersson, tänkte han. Han kom på morgonen och han for tillbaka till Ystad på eftermiddagen. Den fjärde gången blev han förgiftad och dog i baksätet på en taxi.

Wallander började gå in mot samhället. Många av husen på strandsidan av vägen var sommarställen som nu stod igenbommade.

Under sin promenad tvärs igenom samhället mötte Wallander bara två människor. Ödsligheten gjorde honom plötsligt illa till mods. Han vände och gick hastigt tillbaka mot bilen igen.

Han hade redan startat motorn när han upptäckte en gammal kvinna som höll på med en blomsterrabatt i trädgården alldeles intill bilen. Wallander stängde av motorn igen och steg ur. När han slog igen bildörren tittade kvinnan åt hans håll. Wallander gick fram till staketet och lyfte handen till hälsning.

– Jag hoppas jag inte stör, sa Wallander.

– Här är det ingen som stör, svarade kvinnan och såg nyfiket på honom.

– Jag heter Kurt Wallander och är polis i Ystad, sa han.

– Jag känner igen dig, svarade hon. Har jag inte sett dig på teve? I nåt debattprogram?

– Det tror jag knappast, sa Wallander. Men jag har tyvärr förekommit på bild i tidningarna ibland.

– Jag heter Agnes Ehn, sa kvinnan och räckte fram handen.

– Bor du här året om? frågade Wallander.

– Bara under sommarhalvåret. Jag brukar flytta ut hit i början av april. Sen stannar jag till oktober. På vintrarna bor jag i Halmstad. Jag är pensionerad lärare. Min man dog för några år sen.

– Det är vackert här, sa Wallander. Vackert och stillsamt. Alla känner alla.

– Jag vet inte det, sa hon. Det kan också vara så att man inte känner den som är ens närmsta granne.

– Du har inte händelsevis lagt märke till en ensam man som kommit hit till Svarte i taxi några gånger den senaste veckan? Och som sen har blivit hämtad i taxi på eftermiddagen?

Hennes svar överraskade honom.

– Det var hos mig han lånade telefonen för att beställa bilen, sa hon. Fyra dagar i rad faktiskt. Om det nu var samme man.

– Sa han vad han hette?

– Han var mycket artig.

– Presenterade han sig?

– Man kan vara artig utan att säga sitt namn.

– Och han bad att få låna telefonen?

– Ja.

– Han sa ingenting mer?

– Har det hänt nåt?

Wallander tänkte att han lika gärna kunde säga som det var.

– Han är död.

– Det var förfärligt. Vad var det som hände?

– Det vet vi inte. Än så länge vet vi bara att han är död. Vet du vad han gjorde här i Svarte? Sa han vem han besökte? Åt vilket håll gick han? Hade han nån i sällskap? Allt du kan komma ihåg är viktigt.

Återigen överraskade hon honom med sitt bestämda svar.

– Han gick nere på stranden, sa hon. På andra sidan huset går en stig ner till stranden. Han följde den. Sen gick han västerut. Först på eftermiddagen kom han tillbaka.

– Han gick på stranden? Var han ensam?

– Det kan jag ju inte veta. Stranden böjer av. Han kan ha träffat nån längre bort, dit jag inte kan se.

– Hade han nånting med sig? En väska eller ett paket?
Hon skakade på huvudet.

– Verkade han orolig på nåt sätt?

– Inte som jag kunde se.

– Han lånade alltså telefonen av dig i går?

– Ja.

– Du märkte inget särskilt?

– Det verkade vara en snäll och vänlig man. Han insisterade
på att få betala telefonsamtalen.

Wallander nickade.

– Du har varit till stor hjälp, sa han och gav henne ett kort med
sitt telefonnummer. Om du kommer ihåg nåt mer så vill jag att
du hör av dig.

– Det är tragiskt, sa hon. En så trevlig man.

Wallander nickade och gick till andra sidan huset där en stig
ledde ner mot stranden. Han gick ända ner till vattenbrynet.
Stranden var öde. När han vände sig om såg han att Agnes Ehn
stod och såg efter honom.

Han måste ha träffat någon, tänkte Wallander. Något annat
är alldeles orimligt. Frågan är bara vem.

Han åkte tillbaka till polishuset. Rydberg stoppade honom i
korridoren och sa att han hade lyckats lokalisera Alexanders-
sons frånskilda hustru i hennes bostad på Rivieran.

– Men det är ingen som svarar på telefonen, sa han. Jag försö-
ker igen.

– Det är bra, svarade Wallander. Ge mig besked när du fått tag
på henne.

– Martinsson var här, fortsatte Rydberg. Det gick knappt att
höra vad han sa. Jag sa åt honom att gå hem.

– Det gjorde du rätt i, sa Wallander.

Han gick in på sitt rum, stängde dörren och drog till sig kol-
legieblocket där han tidigare skrivit Göran Alexanderssons namn.
Vem? tänkte han. Vem var det du mötte på stranden? Det måste
jag ha svar på.

När klockan blev ett var Wallander hungrig. Han hade satt på sig jackan och skulle just gå när Hansson knackade på dörren.

Det syntes genast att han hade något viktigt att säga.

– Jag har nåt som kanske kan visa sig vara betydelsefullt, sa Hansson.

– Vad då?

– Som du minns hade Göran Alexandersson en son som dog för sju år sen. Det ser inte bättre ut än att han blev ihjälslagen. Och så vitt jag kan se blev aldrig nån gripen och dömd för det.

Wallander såg länge på Hansson.

– Bra, sa han sedan. Nu har vi nåt att gå på. Utan att jag riktigt kan säga vad det är.

Den hunger han hade känt strax innan hade försvunnit.

Strax efter klockan två på eftermiddagen den 28 april knackade Rydberg på Wallanders halvöppna dörr.

– Jag har fått tag på Alexanderssons fru, sa han och steg in i rummet. När han satte sig i besöksstolen grimaserade han.

– Hur är det med ryggen? frågade Wallander.

– Jag vet inte, svarade Rydberg. Men nåt konstigt är det.

– Du kanske har börjat arbeta för tidigt?

– Inget blir bättre av att jag ligger hemma och stirrar i taket.

Därmed var samtalet om Rydbergs rygg avslutat. Wallander visste att det inte var lönt att försöka påverka Rydberg att återvända hem och vila.

– Vad sa hon? frågade han i stället.

– Hon blev naturligtvis chockad. Jag tror det gick en minut utan att hon sa nånting.

– Det blir dyrt för svenska staten, sa Wallander. Men sen då? Efter det att den där minuten hade gått?

– Hon undrade förstås vad som hade hänt. Jag sa som det var. Hon hade svårt att förstå vad jag talade om.

– Det är inte så konstigt, sa Wallander.

– Jag fick i alla fall veta att dom inte hade nån kontakt med varandra. Enligt hustrun hade dom skilt sig eftersom dom hade det så tråkigt tillsammans.

Wallander rynkade pannan.

– Vad menade hon med det?

– Jag tror det är en vanligare orsak till skilsmässa än vad man anar, sa Rydberg. Jag tycker det skulle vara förfärligt att leva ihop med en tråkig människa.

Wallander nickade tankfullt. Han undrade om Mona tänkte på samma sätt. Och vad tänkte han själv?

– Jag frågade om hon kunde tänka sig nån som ville ta livet av honom. Men det kunde hon inte. Sen frågade jag om hon kunde förklara vad han gjorde här nere i Skåne. Det kunde hon inte heller. Det var allt.

– Du frågade ingenting om deras son som dog? Som Hansson påstår blev mördad?

– Naturligtvis gjorde jag det. Men hon hade ingen lust att tala om det.

– Är inte det lite märkligt?

Rydberg nickade.

– Precis min tanke.

– Jag tror du får kontakta henne igen, sa Wallander.

Rydberg nickade och lämnade rummet. Wallander tänkte att han vid tillfälle skulle tala med Mona och fråga om det var tråkigheten som var det största problemet i deras äktenskap. Han blev avbruten i sina tankar av att telefonen ringde. Det var Ebba i receptionen som meddelade att Stockholmspolisen ville tala med Wallander. Han drog till sig kollegieblocket och lyssnade. Det var en polis vid namn Rendal. Wallander hade aldrig tidigare haft kontakt med honom.

– Vi har varit och tittat på den där lägenheten på Åsögatan, sa Rendal.

– Hittade ni nånting?

– Hur skulle vi kunna hitta nåt när vi inte vet vad vi ska söka efter?

Wallander kunde höra att Rendal var stressad.

– Hur såg det ut? frågade Wallander så vänligt han kunde.

– Rent och snyggt, sa Rendal. Välstädat. Lite pedantiskt. Jag fick en känsla av ungkarlslägenhet.

– Det var det också, sa Wallander.

– Vi tittade på hans post, fortsatte Rendal. Han tycks ha varit borta i högst en vecka.

– Det stämmer, sa Wallander.

– Han hade en telefonsvarare. Men den var tom. Ingen hade ringt och sökt honom.

– Vad hade han läst in för meddelande? frågade Wallander.

– Bara det vanliga.

– Då vet vi det, sa Wallander. Tack för hjälpen. Vi återkommer om det är nåt mer.

Wallander lade på och såg på klockan att det var dags för spaningsgruppens eftermiddagsmöte. När han kom in i konferensrummet var Hansson och Rydberg redan där.

– Jag har just talat med Stockholm, sa Wallander och satte sig ner. Lägenheten på Åsögatan gav ingenting.

– Jag ringde upp frun en gång till, sa Rydberg. Hon var fortfarande inte villig att tala om sonen. Men när jag talade om för henne att vi kunde kräva att hon reste hem för att bistå oss i utredningen gick det lättare. Pojken blev tydligen nerslagen på öppen gata i centrala Stockholm. Det måste ha varit ett helt meningslöst överfall. Han hade inte ens blivit rånad.

– Jag har fått fram en del papper på det där överfallet, sa Hansson. Det har ju inte gått så lång tid att det är avskrivet än. Men ingen har tagit i det på mer än fem år.

– Fanns det inga misstänkta? undrade Wallander.

Hansson skakade på huvudet.

– Inga alls. Det fanns absolut ingenting. Inga vittnen, ingenting.

Wallander sköt undan sitt kollegieblock.

– Lika lite som vi har att gå på nu, sa han.

Det blev tyst runt bordet. Wallander insåg att han var tvungen att säga någonting.

– Ni får prata med personalen i hans butiker, sa han. Ring upp en man som heter Rendal på Stockholmspolisen och be honom om hjälp. Vi träffas i morgon igen.

De fördelade uppgifterna emellan sig och Wallander gick tillbaka till sitt rum. Han tänkte att han borde ringa till sin far ute i Löderup och be om ursäkt för grälet kvällen innan. Men han lät telefonen vara. Det som hade hänt med Göran Alexandersson vägrade att lämna honom ifred. Hela situationen var så orimlig att den borde kunna förklaras bara därför. Han visste av erfarenhet att alla mord, och även de flesta andra brott, någonstans hade en logisk kärna. Det gällde bara att han vände på de rätta stenarna i rätt ordning och letade efter tänkbara samband mellan de olika tecken som visade sig.

Wallander lämnade polishuset strax innan fem och for kustvägen mot Svarte. Den här gången ställde han bilen längre in i samhället. Ur bagageluckan tog han fram ett par gummistövlar. Sedan gick han ner till stranden. På avstånd såg han ett lastfartyg stäva västerut.

Han började gå längs stranden och såg på de villor som låg på hans högra sida. I ungefär vart tredje hus verkade det finnas människor. Han följde stranden tills han hade lagt Svarte bakom sig. Sedan återvände han. Plötsligt fick han en känsla av att han gick och hoppades på att Mona skulle komma gående emot honom. Han tänkte tillbaka på den gång de varit på Skagen. Det hade varit den bästa tiden av deras gemensamma liv. De hade så mycket att tala om, som de aldrig fick tid till.

Han skakade av sig de olustiga tankarna och tvingade sig att koncentrera sig på Göran Alexandersson. Medan han gick längs stranden försökte han göra en sammanfattning för sig själv.

Vad visste de? Att Alexandersson var ensamstående, att han ägde två elektronikbutiker, att han var 49 år gammal och att han rest till Ystad och tagit in på Kung Karl. Han hade sagt att han skulle ha semester. På hotellet hade han inte tagit emot vare sig samtal eller besök. Han hade heller inte själv använt sig av telefonen.

Varje morgon hade han åkt ut med taxi till Svarte där han tillbringat sina dagar med att gå fram och tillbaka på stranden. Sent på eftermiddagen hade han återvänt efter att ha lånat Agnes Ehns telefon. Vid det fjärde besöket hade han satt sig i den taxi där han avlidit.

Wallander stannade och såg sig om. Stranden var fortfarande övergiven. Göran Alexandersson är synlig nästan hela tiden, tänkte han. Men någonstans här på stranden försvinner han. Sedan dyker han upp igen och några minuter senare är han död.

Han måste ha träffat någon här, tänkte Wallander. Eller rättare sagt, han måste ha stämt möte med någon. Man träffar inte en giftmördare av en tillfällighet.

Wallander fortsatte att gå. Han såg på villorna som låg längs stranden. Dagen efter skulle de börja knacka dörr här. Någon måste ha sett honom gå där, någon hade kanske sett honom möta en annan människa.

Wallander upptäckte plötsligt att han inte längre var ensam på stranden. En äldre man kom gående emot honom. Han hade en svart labrador som lydigt sprang vid hans sida. Wallander stannade och såg på hunden. Under den senaste tiden hade han vid flera tillfällen övervägt om han inte borde föreslå Mona att de köpte en hund. Men han hade avstått eftersom han så ofta arbetade på oregelbundna tider. En hund skulle med all sannolikhet innebära mer dåligt samvete än sällskap.

Mannen lyfte på kepsen när han kommit fram till Wallander.

– Blir det nån vår, tro? frågade mannen. Wallander noterade att han inte talade skånska.

– Den kommer nog i år också, sa Wallander.

Mannen nickade och skulle just gå vidare när Wallander avbröt honom.

– Jag antar att ni går här varje dag? sa Wallander.

Mannen pekade mot ett av husen.

– Jag bor här sedan jag blev pensionerad, svarade han.

– Jag heter Wallander och är polis i Ystad. Ni har händelsevis inte lagt märke till en ensam man i 50-årsåldern som promenerat här på stranden dom senaste dagarna?

Mannens ögon var blåa och klara. Det vita håret stack ut under kepsen.

– Nej, sa han och log. Vem skulle det ha varit? Här går ingen annan än jag. Men i maj när det börjar bli varmt kommer det att se annorlunda ut.

– Ni är helt säker? sa Wallander.

– Jag luftar hunden tre gånger om dagen, sa mannen. Och jag har inte sett nån ensam man gå omkring här. Förrän nu. Förrän ni kom.

Wallander nickade.

– Då ska jag inte störa mer, sa han.

Wallander fortsatte att gå. När han stannade och vände sig om hade mannen med hunden försvunnit.

Varifrån tanken, eller rättare sagt känslan, kom ifrån, lyckades han efteråt aldrig reda ut. Ändå var han från det ögonblicket helt säker. Något hade skymtat i den gamle mannens ansikte, en svag, nästan osynlig skiftning i hans ögon, när Wallander frågat om han sett en ensam man på stranden.

Han vet någonting, tänkte Wallander. Frågan är vad.

Wallander såg sig om ännu en gång.

Stranden var nu åter tom.

Han stod orörlig i flera minuter.

Sedan återvände han till bilen och for hem.

Onsdagen den 29 april blev den första vårdagen i Skåne det året. Wallander vaknade som vanligt tidigt. Han var svettig och visste att han hade haft en mardröm utan att han kunde minnas vad den hade handlat om. Kanske hade han än en gång drömt om tjurarna som brukade förfölja honom? Eller att Mona hade lämnat honom? Han duschade, drack kaffe och bläddrade förstrött igenom Ystads Allehanda.

Redan klockan halv sju befann han sig i sitt rum i polishuset. Solen sken från en klarblå himmel. Wallander hoppades att Martinsson nu blivit frisk så att han kunde överta registerhanteringen från Hansson. Det brukade ge både bättre och snabbare resultat. Var Martinsson frisk skulle han ta med sig Hansson ut till Svarte för att knacka dörr. Men det kanske viktigaste just nu var att försöka få fram en så tydlig bild som möjligt av Göran Alexandersson. Martinsson var betydligt grundligare än Hansson när det gällde att kontakta människor som kunde ge upplysningar. Wallander bestämde sig också för att de på allvar skulle undersöka vad som egentligen hänt då Alexanderssons son Bengt blev ihjälslagen.

När klockan hade blivit sju försökte Wallander få tag på Jörne, som hade utfört obduktionen av Göran Alexandersson, men förgäves. Han märkte att han var otålig. Fallet med den döde mannen i baksätet på Stenbergs taxi gjorde honom orolig.

Klockan var två minuter i åtta när de träffades i konferensrummet. Martinsson hade fortfarande ont i halsen och feber, kunde Rydberg upplysa honom om. Wallander tänkte att det var typiskt att Martinsson med sin bacillskräck skulle råka så illa ut.

– Då blir det du och jag som knackar dörr ute i Svarte i dag, sa han. Du Hansson får fortsätta att gräva här hemma. Jag skulle gärna vilja veta mer om Alexanderssons son Bengt och hans död. Be Rendal om hjälp.

– Vet vi nåt mer om det där giftet? frågade Rydberg.

– Jag har försökt få svar nu på morgonen, svarade Wallander. Men jag får inte tag på nån.

Spaningsmötet blev mycket kort. Wallander bad om en förstoring av fotografiet på Alexanderssons körkort och sedan kopior. Därefter gick han in till Björk, som var polischef. Han tyckte att Björk i stort sett var en bra chef som lät var och en sköta sitt. Men ibland ryckte han upp sig och ville förskaffa sig en snabb överblick av läget på utredningsfronten.

– Hur går det med ligan som exporterar bilar? frågade Björk och lät handflatorna falla mot skrivbordet som tecken på att han ville ha ett kort och koncist svar.

– Dåligt, svarade Wallander sanningsenligt.

– Har du några gripanden aktuella?

– Inga alls, svarade Wallander. Om jag gick in till nån av åklagarna med det här och begärde häktning skulle jag bli utslängd.

– Vi får bara inte ge oss, sa Björk.

– För all del, svarade Wallander. Jag fortsätter. Bara vi har löst det här med mannen som dog i baksätet på en taxi.

– Hansson har informerat mig, sa Björk. Det låter mycket underligt alltsammans.

– Det *är* underligt, sa Wallander.

– Kan den där mannen verkligen ha blivit mördad?

– Läkarna påstår det, sa Wallander. Vi ska knacka dörr ute i Svarte i dag. Nån måste ha sett honom.

– Håll mig underrättad, sa Björk och reste sig som tecken på att samtalet var slut.

De for i Wallanders bil mot Svarte.

– Det är vackert i Skåne, sa Rydberg plötsligt.

– En dag som i dag i alla fall, svarade Wallander. Men nog kan här vara rent för jävligt på höstarna. När leran krälar över trösklarna. Eller kryper in under skinnet.

– Vem vill tänka på hösten nu? sa Rydberg. Varför ska man ta ut ovädren i förskott? Dom kommer ändå.

Wallander svarade inte. Han koncentrerade sig i stället på att köra om en traktor.

– Vi börjar med villorna längs stranden väster om samhället, sa han. Vi kan gå åt var sitt håll så möts vi på mitten sen. Försök också ta reda på vilka som bor i dom hus som nu står tomma.

– Vad är det egentligen du hoppas finna? frågade Rydberg.

– Lösningen, svarade han enkelt. Nån måste ha sett honom

där ute på stranden. Nån måste ha sett honom möta en annan människa.

Wallander parkerade bilen. Han lät Rydberg börja med det hus där Agnes Ehn bodde. Han gav sig av medan Wallander från sin biltelefon försökte få tag på Jörne. Men inte heller denna gång fick han något svar. Han körde en bit västerut, lämnade bilen och gick sedan österut. Det första huset var en gammal och välskött skånelänga. Han gick in genom grinden och ringde på dörren. När ingen öppnade ringde han ytterligare en gång. Han skulle just gå därifrån när dörren öppnades av en kvinna i trettioårsåldern som var klädd i en fläckig overall.

– Jag tycker inte om att bli störd, sa hon och betraktade irriterat Wallander.

– Ibland är det nödvändigt, svarade han och visade henne sin polislegitimation.

– Vad är det du vill? frågade hon.

– Min fråga kan låta märklig, sa Wallander. Men jag vill veta om du har sett en man i 50-årsåldern i ljusblå rock gå längs stranden under dom senaste dagarna.

Hon höjde på ögonbrynen och betraktade roat Wallander.

– Jag målar med gardinerna fördragna, svarade hon. Jag har inte sett nånting.

– Du är konstnär, sa Wallander. Jag trodde ni ville ha ljus?

– Inte jag. Men det är väl knappast straffbart?

– Och du har ingenting sett?

– Ingenting, nej, jag sa just det.

– Finns det nån annan här i huset som kan ha sett nånting?

– Jag har en katt som brukar ligga i ett fönster bakom gardinen. Du kan ju tala med den.

Wallander märkte att han ilsknade till.

– Ibland är det faktiskt nödvändigt för poliser att ställa frågor, sa han. Tro inte att jag gör det här för nöjes skull. Nu ska jag inte störa mer.

Kvinnan stängde dörren. Hon låste dörren med flera lås. Han

gick vidare till nästa fastighet. Det var ett relativt nybyggt två-våningshus. I trädgården fanns en liten fontän. När han ringde på dörren började en hund skälla inne i huset. Han väntade.

Hunden slutade att skälla och dörren öppnades. Den gamle man som han hade träffat dagen innan nere på stranden öppnade för honom. Wallander fick genast en känsla av att mannen inte blev förvånad över att se honom. Han hade väntat honom och han var på sin vakt.

– Ni igen, sa mannen.

– Ja, svarade Wallander. Jag går runt och ringer på hos folk som bor längs stranden.

– Jag sa redan i går att jag inte hade sett nånting.

Wallander nickade.

– Det händer att man kommer på saker i efterhand, sa han.

Mannen steg åt sidan och släppte in Wallander. Labradoren luktade nyfiket på honom.

– Ni bor här året om? frågade Wallander.

– Ja, sa mannen. I tjugotvå år var jag distriktsläkare i Nynäshamn. När jag pensionerade mig flyttade vi hit, min hustru och jag.

– Kanske hon har sett nånting? frågade Wallander. Om hon är här?

– Hon är sjuk, sa mannen. Hon har ingenting sett.

Wallander tog upp ett anteckningsblock ur fickan.

– Kan jag få ert namn, sa han.

– Jag heter Martin Stenholm, sa mannen. Min fru heter Kajsa.

Wallander stoppade ner blocket i fickan när han hade skrivit upp de två namnen.

– Då ska jag inte störa mer, sa han.

– För all del, sa Martin Stenholm.

– Jag kanske kan komma tillbaka om några dagar och prata med er hustru, sa han. Ibland är det bättre att folk själva får berätta vad de sett eller inte sett.

– Jag tror knappast det är nån idé, sa Martin Stenholm. Min

fru är mycket sjuk. Hon har cancer och hon kommer att dö.

– Jag förstår, sa Wallander. Då ska jag inte komma tillbaka och störa.

Martin Stenholm öppnade dörren för honom.

– Är er hustru också läkare? frågade Wallander.

– Nej, svarade mannen. Hon var jurist.

Wallander gick tillbaka ut på vägen. Sedan besökte han ytterligare tre hus som inte gav någonting, innan han stötte på Rydberg. Bägge vände genast, Wallander hämtade bilen och väntade på Rydberg vid Agnes Ehns hus. När denne kom hade han bara negativa besked. Ingen hade sett Göran Alexandersson på stranden.

– Jag har alltid hört att människor är nyfikna, sa Rydberg. Särskilt på landet och särskilt på främlingar.

De for tillbaka mot Ystad. Wallander satt tyst. När de kommit in på polishuset bad han Rydberg söka reda på Hansson och ta med honom till Wallanders rum. Han ringde till rättsläkarstationen och lyckades denna gång få tag på Jörne. När han avslutade samtalet med denne hade Hansson och Rydberg redan kommit. Wallander såg frågande på Hansson.

– Nåt nytt? undrade han.

– Ingenting som förändrar den bild vi hittills fått av Alexandersson, svarade Hansson.

– Jag talade just med Jörne, sa Wallander. Giftet som dödade honom kan han mycket väl ha fått i sig utan att märka det. Det går inte att säga exakt hur fort det verkar. Jörne gissade att det kunde ta minst en halvtimme. När döden sen kommer så kommer den mycket hastigt.

– Så långt har vi alltså rätt, sa Hansson. Har det där giftet nåt namn?

Wallander läste upp den komplicerade kemiska beteckning han skrivit ner på sitt block.

Sedan övergick han till att berätta om sitt samtal med Martin Stenholm i Svarte.

176

– Jag vet inte vad det är, sa han. Men jag kommer inte ifrån en känsla av att det är i den där läkarens hus vi kommer att hitta lösningen.

– En läkare känner till gifter, sa Rydberg, det är alltid en början.

– Det har du naturligtvis rätt i, svarade Wallander. Men det är nånting annat också. Jag kommer bara inte på vad det är.

– Ska jag leta i registren? frågade Hansson. Synd att Martinsson är sjuk. Han är bäst på sånt där.

Wallander nickade. Sedan slogs han av en tanke.

– Sök på hans hustru också. Kajsa Stenholm.

Under Valborgsmässohelgen och veckoslutet låg utredningen nere. Wallander tillbringade en stor del av den lediga tiden ute hos sin far. En eftermiddag använde han till att måla om i sitt kök. Han ringde också och talade med Rydberg. Han hade inte haft någon annan anledning än att Rydberg var lika ensam som han själv. Men när Wallander ringde hade Rydberg varit berusad och samtalet hade blivit mycket kort.

Måndagen den 4 maj var han tidigt tillbaka på polishuset. Medan han väntade på vad Hansson eventuellt kunde ha hittat i sina register återupptog han arbetet med ligan som smugglade stulna bilar. Först dagen därpå, strax efter klockan elva, kom Hansson in i hans rum.

– Jag hittar ingenting på Martin Stenholm, sa han. Han har förmodligen aldrig gjort nåt ohederligt i hela sitt liv.

Wallander blev inte alls förvånad. Han hade hela tiden varit medveten om att de kanske var på väg in i en återvändsgränd.

– Och hustrun? frågade han.

Hansson skakade på huvudet.

– Ännu mindre, sa Hansson. Hon var åklagare i Nynäshamn under en lång rad år.

Hansson lade en pärm med papper på Wallanders skrivbord.

– Jag ska prata med taxichaufförerna en gång till, sa han. Kanske dom trots allt har sett nåt.

När Wallander hade blivit ensam drog han till sig pärmen med papper som Hansson hade lämnat. Det tog honom en timme att noga gå igenom innehållet. Hansson hade för en gångs skull inte förbisett något. Ändå visste Wallander att Göran Alexanderssons död hade med den gamle läkaren att göra. Han visste utan att veta, som så många gånger tidigare. Han misstrodde visserligen sin intuition, men han kunde inte neka till att den många gånger ändå hade gett honom rätt. Han ringde på Rydberg som genast kom till hans rum. Wallander gav honom pärmen.

– Jag vill att du läser igenom det här, sa han. Varken Hansson eller jag hittar nåt anmärkningsvärt. Men jag är säker på att vi förbiser nånting.

– Hansson kan vi lämna därhän, sa Rydberg och dolde inte att hans respekt för kollegan var begränsad.

Sent samma eftermiddag lämnade Rydberg tillbaka pärmen och skakade på huvudet. Inte heller han hade hittat någonting.

– Vi får börja om från början, sa Wallander. Vi ses här i morgon bitti och bestämmer hur vi ska gå vidare.

En stund senare lämnade Wallander polishuset och for till Svarte. Återigen tog han en lång promenad ute på stranden. Han mötte ingen. Sedan satt han i bilen och läste ännu en gång igenom den pärm Hansson hade gett honom. Vad är det jag inte ser? tänkte han. Det finns ett samband mellan den här läkaren och Göran Alexandersson. Det är bara jag som inte upptäcker det.

Han körde tillbaka till Ystad och tog med sig pärmen hem till Mariagatan. De hade bott i samma trerumslägenhet ända sedan de flyttade till Ystad fjorton år tidigare.

Han försökte koppla av, men pärmen lämnade honom ingen ro. Sent på kvällen, när klockan närmade sig midnatt, satte han sig vid köksbordet och gick igenom den ytterligare en gång.

Trots att han var mycket trött var det då han hittade en detalj som fångade hans uppmärksamhet. Han var medveten om att det kunde vara något som ingenting betydde. Ändå bestämde han sig genast för att undersöka det tidigt på morgonen dagen efter.

Den natten sov han dåligt.

Strax före sju var han tillbaka på polishuset igen. Ett svagt duggregn föll över Ystad. Wallander visste att den man han sökte var lika morgonpigg som han själv. Han gick till den del av polishuset där åklagarmyndigheten var inrymd och knackade på dörren till Per Åkesons rum. Som vanligt rådde det stor oreda där inne. Åkeson och Wallander hade arbetat tillsammans i många år och hade stort förtroende för varandras omdömen. Åkeson sköt upp glasögonen i pannan och betraktade Wallander.

– Du här? sa han. Så tidigt? Det betyder att du har nåt viktigt att säga mig.

– Jag vet inte om det är viktigt, sa Wallander. Men jag behöver din hjälp.

Wallander lyfte ner ett antal pappersbuntar på golvet och satte sig i en besöksstol. Sedan berättade han kortfattat om Göran Alexanderssons död.

– Det låter mycket underligt, sa Per Åkeson när Wallander hade tystnat.

– Ibland händer det underliga saker, sa Wallander. Det vet du lika bra som jag.

– Men du kom väl knappast hit klockan sju på morgonen för att berätta det här? Jag antar att du inte tänker föreslå att vi häktar den där läkaren?

– Jag behöver din hjälp med hans hustru, sa Wallander. Kajsa Stenholm. Som varit din kollega. Under många år arbetade hon i Nynäshamn. Men vid ett par tillfällen var hon tjänstledig. Det hände då att hon tog olika korttidsvikariat. För sju år sen hade hon ett vikariat i Stockholm. Det råkar sammanfalla med den tidpunkt då Göran Alexanderssons son blev överfallen och dödad. Jag behöver din hjälp med att ta reda på om det finns nån koppling mellan dom här två händelserna.

Wallander bläddrade bland sina papper innan han fortsatte.

– Sonen hette Bengt, sa han sedan. Bengt Alexandersson. Han var 18 år gammal när han dog.

Per Åkeson vägde på stolen och betraktade Wallander med rynkad panna.

– Vad är det egentligen du föreställer dig? frågade han.

– Jag vet inte, svarade Wallander. Men jag vill ändå undersöka om det existerar ett samband. Om Kajsa Stenholm på nåt sätt hade med utredningen av Bengt Alexanderssons död att göra.

– Jag antar att du vill ha svar så fort som möjligt?

Wallander nickade.

– Du borde vid det här laget känna till att mitt tålamod för det mesta är obefintligt, sa han och reste sig upp.

– Jag ska se vad jag kan göra, sa Åkeson. Men vänta dig inte för mycket.

När Wallander strax efteråt passerade polishusets reception sa han till Ebba att han ville se Rydberg och Hansson på sitt rum så fort de kom in.

– Hur mår du egentligen? frågade Ebba. Sover du ordentligt på nätterna?

– Ibland känns det som om jag sover för mycket, svarade Wallander undvikande. Ebba var klippan i receptionen och höll ett vakande öga på allas välbefinnande. Wallander fick ibland värja sig vänligt mot hennes omsorger.

Kvart över åtta kom Hansson in i hans rum, strax därpå Rydberg. I korta ordalag redogjorde Wallander för det han hade upptäckt i det som redan nu kallades »Hanssons papper«.

– Vi får avvakta vad Per Åkeson kommer fram till, sa Wallander avslutningsvis. Kanske är det en meningslös gissning från min sida. Men om det å andra sidan visar sig att Kajsa Stenholm hade ett vikariat samtidigt som Bengt Alexandersson dödades, och om hon var inblandad i utredningen, då har vi faktiskt hittat ett samband.

– Sa du inte att hon var dödssjuk? undrade Rydberg.

– Det var vad hennes man påstod, svarade Wallander. Själv har jag inte träffat henne.

– Med all respekt för din förmåga att lotsa dig fram genom komplicerade brottsutredningar tycker jag det här verkar mycket vagt, sa Hansson. Låt oss anta att du har rätt. Att Kajsa Stenholm var inblandad som förundersökningsledare i utredningen om vem som slagit ihjäl unge Alexandersson. Vad innebär det i dag? Skulle en cancersjuk kvinna ha mördat en man som dyker upp nånstans ur hennes förflutna?

– Det *är* mycket vagt, erkände Wallander. Låt oss i alla fall avvakta vad Åkeson eventuellt kommer fram till.

När Wallander blivit ensam i sitt rum satt han länge obeslutsam. Han undrade vad Mona och Linda gjorde just nu. Och vad de talade om. Strax före halv tio gick han och hämtade en kopp kaffe, halv elva ytterligare en. Han hade just återvänt till sitt rum när telefonen ringde. Det var Per Åkeson.

– Det gick fortare än jag trodde, sa han. Har du en penna?

– Jag skriver, svarade Wallander.

– Mellan den 10 mars och den 9 oktober 1980 hade Kajsa Stenholm ett förordnande som åklagare i Stockholm, sa Per Åkeson. Med hjälp av en duktig registrator vid tingsrätten fick jag svar på din andra fråga, huruvida Kajsa Stenholm hade varit inblandad i utredningen av Bengt Alexanderssons död.

Han tystnade. Wallander väntade spänt.

– Det visade sig att du faktiskt hade rätt, sa Åkeson. Hon ledde förundersökningen och det var också hon som till sist lade den på is. Några gärningsmän kunde aldrig gripas.

– Tack för hjälpen, sa Wallander. Jag ska begrunda det här. Jag hör av mig senare.

När han hade lagt på luren reste han sig och gick fram till fönstret. Rutan var immig av fukt. Det regnade kraftigare nu än tidigare på morgonen. Det finns bara en sak att göra, tänkte han. Att gå in i huset och ta reda på vad som egentligen hänt. Han bestämde sig för att bara ta med sig Rydberg. Via snabbtelefonen kallade han på honom och Hansson. Han redogjorde för vad Åkeson hade sagt.

– Det var som fan, sa Hansson.

– Jag tänkte att du och jag skulle åka ut, sa Wallander till Rydberg. Tre blir en för mycket.

Hansson nickade, han förstod.

De for under tystnad i Wallanders bil mot Svarte. Wallander parkerade hundra meter bortom Stenholms villa.

– Vad förväntar du dig av mig? frågade Rydberg när de gick genom regnet.

– Att du är med, svarade Wallander. Ingenting annat.

Plötsligt slogs Wallander av tanken att det var första gången som Rydberg assisterade honom och inte tvärtom. Rydberg hade aldrig formellt basat över honom, det passade inte hans temperament att vara chef, utan de hade alltid jobbat sida vid sida. Men under de år Wallander varit i Ystad hade Rydberg varit hans store lärare. Det han i dag kunde om polisyrket var i huvudsak Rydbergs förtjänst.

De gick in genom grinden och fram till huset. Wallander ringde på. Som om de hade varit väntade öppnades dörren nästan genast av den gamle läkaren. Wallander tänkte hastigt att det var underligt att labradoren inte visade sig.

– Jag hoppas att vi inte kommer och stör, sa Wallander. Men vi har ytterligare några frågor som vi tyvärr inte kan dröja med.

– Om vad då?

Wallander märkte att all vänlighet hos mannen nu var borta. Han verkade rädd och irriterad.

– Om den man som gick på stranden, sa Wallander.

– Jag har redan sagt att jag inte har sett honom.

– Vi skulle också gärna vilja tala med er fru.

– Jag har ju sagt att hon är dödssjuk. Vad skulle hon ha sett?

Hon ligger i sin säng. Jag förstår inte att ni inte kan lämna oss i fred!

Wallander nickade.

– Då ska vi inte störa mer, sa han. I alla fall inte just nu. Men jag är ganska säker på att vi kommer tillbaka. Och då kommer ni att bli tvungen att släppa in oss.

Han tog Rydberg i armen och förde honom mot grinden. Bakom dem slogs dörren igen.

– Varför gav du dig så lätt? frågade Rydberg.

– Det har ju du lärt mig, svarade Wallander. Att det inte skadar att låta folk få tänka efter. Dessutom behöver jag tillstånd för husrannsakan av Åkeson.

– Är det verkligen han som har dödat Alexandersson? sa Rydberg.

– Ja, sa Wallander. Jag är säker. Det är han. Men jag vet fortfarande inte hur det hela hänger ihop.

Samma eftermiddag fick Wallander sitt tillstånd. Han bestämde sig för att vänta till morgonen därpå med att gå in. För att gardera sig fick han dock Björk att gå med på att villan sattes under bevakning till dess.

När Wallander vaknade tidigt i gryningen dagen efter, den 7 maj, och drog upp rullgardinen var staden inbäddad i dimma. Innan han duschade gjorde han något han glömt kvällen innan. Han slog upp namnet Stenholm i telefonkatalogen. Där fanns ingen Martin eller Kajsa Stenholm. Han ringde nummerbyrån och fick besked att numret var hemligt. Han nickade stumt, som om det var just det han hade väntat sig.

Medan han drack kaffe överlade han med sig själv om han skulle ta med Rydberg eller om han skulle åka ut till Svarte ensam. Först när han hade satt sig i bilen bestämde han att åka ensam. Dimman låg tät längs kusten.

Wallander körde mycket långsamt. Strax före klockan åtta parkerade han bilen alldeles utanför Stenholms villa. Han gick in genom grinden och ringde på. Först vid tredje signalen öppnades dörren. När Martin Stenholm såg att det var Wallander försökte han slå igen dörren. Wallander hann dock sätta en fot emellan och tryckte sedan upp dörren.

– Vad ger er rätt att bryta er in? ropade den gamle mannen med gäll röst.

– Jag bryter mig inte in, sa Wallander. Jag har tillstånd att göra husrannsakan hos er. Det är lika bra att ni accepterar det på en gång. Kan vi sätta oss nånstans?

Martin Stenholm verkade plötsligt resignera. Wallander följde honom till ett rum där väggarna var fyllda med böcker. Wallander satte sig i en läderfåtölj, den gamle mannen mitt emot honom.

– Har ni verkligen ingenting att säga mig? sa Wallander.

– Jag har inte sett nån man som går omkring på stranden. Det har inte heller min hustru, som är svårt sjuk. Hon ligger här uppe på övervåningen.

Wallander bestämde sig för att gå rakt på sak. Det fanns ingen orsak längre att tveka.

– Er hustru har varit åklagare, sa han. Under större delen av 1980 vikarierade hon i Stockholm. Hon hade bland mycket annat hand om en förundersökning av omständigheterna kring den 18-årige Bengt Alexanderssons död. Det var också hon som lade ner utredningen efter ett antal månader. Minns ni den händelsen?

– Naturligtvis inte, sa Stenholm. Vi har alltid haft för vana att undvika att tala om arbetet hemma. Varken hon om åtalade eller jag om patienter.

– Den man som har gått omkring här på stranden var far till den döde Bengt Alexandersson, fortsatte Wallander. Han blev dessutom förgiftad och dog i baksätet på en taxi. Tycker ni det verkar som en tillfällighet?

Stenholm svarade inte. Wallander tyckte plötsligt att han kunde se hela händelseförloppet framför sig.

– Efter pensioneringen flyttar ni från Nynäshamn ner till Skåne, sa han långsamt. Till ett litet anonymt samhälle som Svarte. Ni står inte ens i telefonkatalogen eftersom ert nummer är hemligt. Naturligtvis kan det bero på att ni vill vara i fred, låta ålderdomen vara anonym. Men kanske man också kan tänka sig en annan möjlighet. Att ni flyttar hit i största hemlighet för att slippa ifrån nåt eller nån. Kanske en man som inte förstår varför en åklagare inte lägger ner större möda på att lösa det meningslösa mordet på hans enda barn. Ni flyttar men han hittar er. Hur han lyckas med det får vi nog aldrig veta. Plötsligt står han här ute på stranden. Ni möter honom en dag när ni är ute med hunden. Det är naturligtvis en svår chock. Han upprepar sina anklagelser, han är kanske hotfull. På övervåningen ligger er hustru svårt sjuk. Jag tvivlar inte på att så är fallet. Mannen på stranden kommer tillbaka dag efter dag. Han släpper er inte. Ni ser ingen möjlighet att bli av med honom. Ni ser ingen utväg alls. Då bjuder ni in honom i huset. Förmodligen lovar ni honom att han ska få tala med er hustru. Ni ger honom ett gift, kanske i en kopp kaffe. Sen ber ni honom plötsligt att komma tillbaka dagen efter. Er hustru har mycket ont, eller hon kanske sover. Men ni vet att han aldrig kommer tillbaka. Problemet är löst. Göran Alexandersson kommer att dö av nåt som liknar en hjärtattack. Ingen har sett er tillsammans, ingen känner till det samband som i verkligheten existerar. Var det inte så det gick till?

Stenholm satt orörlig.

Wallander väntade. Genom fönstret kunde han se att dimman fortfarande var mycket tät. Sedan höjde mannen huvudet.

– Min hustru gjorde aldrig några fel, sa han. Men tiderna förändrades, brotten blev fler och värre. Överansträngda poliser och åklagare och domstolar kämpade förgäves. Det borde ni veta som är polis. Därför var det djupt orättfärdigt att Alexandersson klandrade min hustru för att mordet på hans son aldrig blev löst. Han förföljde och hotade och terroriserade oss i sju år.

Han gjorde det på ett sånt sätt att man aldrig kunde komma åt honom.

Stenholm tystnade. Sedan reste han sig ur stolen.

– Låt oss gå upp till min hustru. Hon kan berätta själv.

– Det är inte nödvändigt längre, sa Wallander.

– För mig är det nödvändigt, sa mannen.

Det gick en trappa upp till övervåningen. I ett stort och ljust rum låg Kajsa Stenholm i en sjuksäng. På golvet intill fanns labradoren.

– Hon sover inte, sa mannan. Gå fram till henne och fråga vad ni vill.

Wallander gick fram till sängen. Hennes ansikte var så magert att huden spände över kraniet.

I samma ögonblick insåg Wallander att hon var död. Han vände sig hastigt om. Den gamle mannen stod kvar i dörröppningen. Han höll en pistol riktad mot Wallander.

– Jag förstod att ni skulle komma tillbaka, sa mannen. Därför var det lika bra att hon fick dö.

– Ta bort pistolen, sa Wallander.

Stenholm skakade på huvudet. Wallander kände hur rädslan förlamade honom.

Sedan gick allting mycket fort. Stenholm riktade plötsligt pistolen mot sin egen tinning och tryckte av. Pistolskottet dånade i rummet. Av smällen kastades mannen halvvägs ut genom dörren. Blodet hade sprutat ut över väggarna. Wallander kände det som om han skulle svimma. Sedan raglade han ut genom dörren och nerför trappan. Han slog numret till polishuset. Det var Ebba som svarade.

– Hansson eller Rydberg, sa han. Fort som fan.

Det var Rydberg som tog telefonen.

– Det är över nu, sa Wallander. Jag vill ha utryckning till huset i Svarte. Jag har två döda människor här.

– Är det du som har dödat dom? Vad är det som har hänt? frågade Rydberg. Är du skadad? Varför i helvete åkte du dit ensam?

– Jag vet inte, sa Wallander. Skynda er på. Jag är inte skadad.

Wallander gick ut ur huset medan han väntade. Stranden låg insvept i dimma. Han tänkte på vad den gamle läkaren hade sagt. Om brotten som blev allt fler och allt grövre. Wallander hade många gånger känt samma sak. Han hade tänkt att han var en polis som egentligen började tillhöra en annan tid. Trots att han bara var fyrtio år gammal. Kanske nuet behövde en annan sorts poliser?

Han väntade i dimman på att de skulle komma från Ystad. Han kände sig illa till mods. Ännu en gång hade han mot sin vilja tvingats spela med i en tragedi. Han undrade hur länge till han skulle orka.

När utryckningen hade kommit och Rydberg stigit ur bilen upptäckte han Wallander som en svart skugga i den vita dimman.

– Vad är det som har hänt? frågade Rydberg.

– Vi har löst fallet med mannen som dog i baksätet på Stenbergs taxi, sa Wallander enkelt.

Han såg att Rydberg väntade på en fortsättning som inte skulle komma.

– Ingenting annat, sa han. Det är faktiskt det enda vi har gjort.

Sedan vände Wallander sig om och gick ner till stranden. Snart var han uppslukad av dimman.

Fotografens död

börja krympningen? Mannen på bilden log och såg mot vänster. I blicken fanns ett stänk av oro eller osäkerhet. Han bestämde sig för att börja med ögonen. De kunde göras skelande. Och mindre. Om han snedställde förstoringsapparaten skulle ansiktet dessutom bli mer långsträckt. Han kunde också pröva med att lägga pappret som en båge i förstoringsapparaten och se vilken effekt det gav. Sedan skulle han klippa och klistra och på så sätt få bort munnen. Eller kanske sy igen den. Politiker talade alldeles för mycket.

Han drack upp sitt kaffe. Klockan på väggen visade kvart i nio. Några stojande ungdomar gick förbi ute på gatan och störde för ett ögonblick musiken.

Han ställde undan kaffekoppen. Sedan började han det mödosamma men lustfyllda retuscheringsarbetet. Långsamt kunde han se hur ansiktet förändrades.

Det tog honom mer än två timmar. Att det var statsministerns ansikte kunde man fortfarande se. Men vad hade hänt med det? Han reste sig ur stolen och hängde upp bilden på väggen. Riktade in en lampa. Musiken i radion var annorlunda nu. Stravinskijs »Våroffer«. Den dramatiska musiken passade in när han betraktade sitt verk. Ansiktet var inte längre detsamma.

Nu återstod det viktigaste. Den mest lustfyllda delen av arbetet. Nu skulle han krympa bilden. Göra den liten och obetydlig. Han lade den på glasplattan och riktade in ljuset. Gjorde den mindre och mindre. Detaljerna drogs ihop. Men förblev skarpa. Först när ansiktet började bli otydligt slutade han.

Nu var han äntligen vid målet.

Klockan var närmare halv tolv innan han hade det färdiga resultatet framför sig på skrivbordet. Statsministerns förvridna ansikte var nu inte större än ett passfotografi. Ännu en gång hade han krympt en av alla de maktgalna människorna till proportioner som var mera passande. Av stora män gjorde han små män. I hans värld fanns ingen som var större än han själv. Han gjorde

Tidigt på vårarna hade han en återkommande dröm. Att han kunde flyga. Drömmen upprepades alltid på samma sätt. Han gick uppför en trappa som var dunkelt belyst. Plötsligt öppnades taket och han upptäckte att trappan hade lett honom upp till en trädtopp. Landskapet bredde ut sig under hans fötter. Han lyfte armarna och lät sig falla. Han härskade över världen.

I det ögonblicket vaknade han. Drömmen lämnade honom alltid just där. Trots att han hade haft samma dröm i många år hade han ännu aldrig upplevt att han verkligen svävat iväg från toppen av trädet.

Drömmen återkom. Och den lurade honom alltid.

Han tänkte på det när han gick genom Ystads centrum. Veckan innan hade drömmen kommit till honom en natt. Och som alltid lämnat honom just när han skulle flyga iväg. Nu skulle den nog inte återkomma på länge.

Det var en kväll i mitten av april 1988. Vårvärmen märktes ännu inte på allvar. När han gick genom staden ångrade han att han inte hade satt på sig en tjockare tröja. Dessutom bar han på resterna av en envis förkylning. Klockan var strax efter åtta. Gatorna var folktomma. Någonstans på avstånd hörde han en bil rivstarta. Motorljudet dog sedan bort. Han gick alltid samma väg. Från Lavendelvägen där han bodde följde han Tennisgatan. Vid Margaretaparken svängde han vänster och följde sedan Skottegatan ner mot centrum. Så svängde han vänster igen, korsade Kristianstadsvägen och var snart framme vid Sankta Gertruds Torg där han hade sin fotoateljé. Hade han varit en ung fotograf som just höll på att etablera sig i Ystad hade läget inte varit det bästa. Men han hade haft sin ateljé i mer än 25 år. Hans kundkrets var stabil. De visste var de kunde finna honom. Det var till honom de kom för att låta sig fotograferas när de gifte sig. Sedan återkom de gärna med det första barnet. Eller vid olika högtider som man visste att man gärna skulle vilja minnas. Han hade också vid några tillfällen tagit bröllopsfotografier av två generationer i samma familj. Första gången det hände hade han insett att han höll på att bli gammal. Tidigare hade han inte tänkt så mycket på det men plötsligt hade han fyllt 50. Och det i sin tur var redan sex år sedan.

Han stannade vid ett skyltfönster och betraktade sitt ansikte som speglades i rutan. Livet var som det var. Egentligen kunde han inte klaga. Fick han bara fortsätta att vara frisk i tio eller femton år till så ...

Han lämnade tankarna på livets gång och fortsatte. Det blåste en vind som var byig och han drog jackan tätare omkring sig. Han gick varken fort eller långsamt. Ingenting brådskade heller. Två kvällar i veckan gick han ner till sin ateljé efter att ha ätit middag. De var de heliga stunderna i hans liv. Två kvällar när han kunde vara alldeles ensam med sina egna bilder i rummet innanför ateljén.

Så var han framme. Innan han låste upp porten till butiken betraktade han sitt skyltfönster med en blandning av missmod och irritation. Han borde för länge sedan ha skyltat om. Även om han knappast lockade till sig några nya kunder borde han hålla fast vid den regel han själv skapat för mer än tjugo år sedan. En gång i månaden skulle han byta de utställda fotografierna. Nu hade det snart gått två. Tidigare, när han hade en expedit anställd, hade han haft mera tid att ägna sig åt fönstret mot gatan. Men den sista expediten hade han sagt upp för snart fyra sedan. Det hade blivit för dyrt. Dessutom var det inte mer arbete än att han klarade av det på egen hand.

Han låste upp och steg in. Affärslokalen låg i dunkel. Han hade en städerska som kom tre dagar i veckan. Hon hade egen

nyckel och brukade sköta städningen redan klockan fem på morgonen. Eftersom det hade regnat under förmiddagen var golvet smutsigt. Han tyckte inte om smuts. Därför tände han inte ljuset utan gick direkt in i sin ateljé och vidare till det innersta rummet där han framkallade sina bilder. Han stängde dörren och tände ljuset. Hängde av sig jackan. Satte på radion som stod på en liten vägghylla. Han hade den alltid inställd på den kanal där han kunde förvänta sig klassisk musik. Sedan laddade han kaffebryggaren och diskade en kopp. Ett välbehag började sprida sig i hans kropp. Det innersta rummet bakom ateljén var hans katedral. Hans heliga rum. Hit släppte han ingen annan än sin städerska. Här befann han sig i centrum av världen. Här var han ensam. Envåldshärskare.

Medan han väntade på att kaffet skulle bli klart, tänkte han på det som väntade. Han bestämde alltid på förhand vilket arbete han skulle ägna kvällen åt. Han var en metodisk man som aldrig lämnade något åt slumpen.

Just denna kväll hade turen kommit till den svenske statsministern. Egentligen hade det förvånat honom att han inte tidigare hade ägnat någon kväll åt honom. Men nu hade han i alla fall förberett sig. I mer än en vecka hade han noga letat igenom dagstidningar för att hitta den bild han skulle använda sig av. I en av kvällstidningarna hade han funnit den och genast vetat att det var den rätta. Den fyllde alla hans behov. Han hade fotograferat av den några dagar tidigare. Nu låg den inlåst i en av skrivbordslådorna. Han hällde upp kaffe och gnolade med i musiken. Just nu spelades en pianosonat av Beethoven. Han tyckte mer om Bach än om Beethoven. Och allra mest om Mozart. Men pianosonaten var vacker. Det kunde han inte förneka.

Han satte sig vid skrivbordet, riktade in lampan och låste upp den vänstra hurtsen. Där låg fotografiet av statsministern. Han hade förstorat upp bilden som han brukade. Något större än ett A4-ark. Han lade den framför sig på bordet, smakade på kaffet och betraktade ansiktet. Var skulle han börja? Var skulle han om deras ansikten, gjorde dem mindre, löjligare, till små och betydelselösa insekter.

Han tog fram albumet han förvarade i skrivbordet. Bläddrade fram till den första tomma sidan. Där klistrade han sedan in bilden han manipulerat. Med en reservoarpenna skrev han dagens datum.

Han lutade sig bakåt i stolen. Ännu en bild hade framställts och klistrats in. Det hade varit en lyckad kväll. Resultatet hade blivit bra. Och ingenting hade stört honom. Inga oroliga tankar hade rusat omkring i hans huvud. Det hade varit en kväll i katedralen när allt andades ro och frid.

Han lade tillbaka sitt album och låste hurtsen. Stravinskijs »Våroffer« hade följts av Händel. Ibland kunde han irriteras över programmakarnas oförmåga att skapa mjuka övergångar.

Han reste sig och stängde av radion. Det var dags för honom att gå hem.

I samma ögonblick fick han en känsla av att något inte stämde. Han stod orörlig och lyssnade. Allt var stilla. Han tänkte att han hade inbillat sig. Han stängde av kaffebryggaren och började släcka de lampor som brann. Då stannade han igen. Det var något som inte var som det skulle. Han hade hört ett ljud utifrån ateljén. Plötsligt blev han rädd. Hade någon brutit sig in i affären? Han gick försiktigt fram till dörren och lyssnade. Allt var stilla. Jag inbillar mig, tänkte han irriterat. Vem skulle bryta sig in i en fotoateljé där det inte ens finns kameror till försäljning? Kameror som kan stjälas?

Han lyssnade igen. Ingenting. Han tog ner jackan från hängaren och satte den på sig. Klockan på väggen visade nitton minuter i tolv. Allt var som vanligt. Det var vid den här tiden han brukade stänga sin katedral och gå hem.

Han såg sig om ännu en gång innan han släckte den sista lampan. Sedan öppnade han dörren. I ateljén rådde dunkel. Han tände ljuset. Det var som han trodde. Där fanns ingen. Han släckte igen och fortsatte ut mot affärslokalen.

Sedan gick allt mycket fort.

Plötsligt klev någon fram ur skuggorna framför honom. Någon som stått dold bakom en av de nerrullade fonder han använde till sina ateljéfoton. Han kunde inte se vem det var. Eftersom skuggan täckte utgången fanns bara en sak för honom att göra. Fly tillbaka in i det bakre rummet och låsa dörren. Där fanns också en telefon. Där kunde han ringa efter hjälp.

Han vände sig om. Men han kom aldrig fram till dörren. Skuggan rörde sig snabbare. Något träffade honom i bakhuvudet, något som gjorde att världen först exploderade i ett vitt ljus och sedan blev alldeles mörk.

Han var död innan han nådde golvet.

Klockan var då sjutton minuter i midnatt.

Städerskan hette Hilda Waldén. Strax efter klockan fem kom hon till Simon Lambergs fotoateljé, där hon brukade börja sitt morgonpass. Sin cykel ställde hon utanför affärsdörren och låste den noga med en kedja. Det duggregnade och hade blivit kallare och hon huttrade när hon letade fram rätt nyckel. Våren lät vänta på sig. Hon öppnade och steg in. Golvet var smutsigt efter det senaste regnvädret. Hon ställde handväskan på disken intill kassaapparaten och lade ifrån sig kappan på en stol som stod vid det lilla tidningsbordet.

Det fanns en städskrubb inne i ateljén. Där förvarade hon sin städrock tillsammans med arbetsredskapen. Hon tänkte att Lamberg snart måste köpa en ny dammsugare åt henne. Den hon hade sög alltför dåligt.

Hon steg in i ateljén och upptäckte honom i samma ögonblick. Genast förstod hon att han var död. Blodet hade runnit ut runt hans kropp.

Sedan flydde hon ut på gatan. En pensionerad bankdirektör som av sin läkare ordinerats regelbundna promenader undrade förfärat vad som hade hänt, sedan han hjälpligt lyckats lugna den skrikande kvinnan.

Hon stod och skakade i hela kroppen medan han sprang till en telefonautomat vid närmaste gathörn och slog larmnumret.

Klockan var tjugo minuter över fem.

Duggregn, byig vind från sydväst.

Det var Martinsson som ringde och väckte Wallander. Klockan var tre minuter över sex. Wallander visste av lång erfarenhet att när telefonen ringde så tidigt hade det inträffat något allvarligt. I vanliga fall var han vaken före sex. Men just denna morgon sov han och vaknade med ett ryck av telefonsignalen. Den främsta orsaken till att han ännu inte hade vaknat var att han kvällen innan hade bitit av en bit av en tand och haft värk under natten. Först vid fyratiden hade han lyckats somna efter att flera gånger ha varit uppe och tagit tabletter mot värken. Innan han grep luren hann han märka att värken var kvar.

– Väckte jag dig? frågade Martinsson.

– Ja, svarade Wallander och förvånades över att han för en gångs skull svarade sanningsenligt. Du gjorde faktiskt det. Vad är det som har hänt?

– Jag blev uppringd här hemma av nattjouren. Nån gång vid halvsextiden hade dom fått in ett oklart larm om ett påstått mord vid Sankta Gertruds Torg. En patrull for dit.

– Och?

– Det visade sig tyvärr vara riktigt.

Wallander hade satt sig upp i sängen. Larmet hade alltså kommit för en halvtimme sedan.

– Har du varit där själv?

– Hur skulle jag ha hunnit det? Jag höll på att klä mig när telefonen ringde. Jag tänkte det var bäst att höra av mig till dig direkt.

Wallander nickade stumt in i luren.

– Vet vi vem det är? frågade han sedan.

– Det verkar vara fotografen som har sin ateljé där vid torget. Men just nu har jag glömt hans namn.

– Lamberg? frågade Wallander med rynkad panna.

– Ja, så heter han. Simon Lamberg. Om jag har förstått saken rätt var det städerskan som upptäckte honom.

– Var?

– Vad menar du med det?

– Blev han funnen död inne i affären eller utanför?

– Där inne.

Wallander tänkte efter. Samtidigt såg han på väckarklockan som stod intill sängen. Sju minuter över sex.

– Ska vi ses om en kvart? sa han sedan.

– Ja, svarade Martinsson. Patrullen som var där sa att det var mycket obehagligt.

– Det brukar mordplatser vara, svarade Wallander. Jag tror aldrig jag i mitt liv har varit på en brottsplats man kunnat beskriva som behaglig.

De avslutade samtalet.

Wallander blev sittande i sängen. Den nyhet Martinsson hade kommit med gjorde honom illa berörd. Om det stämde så visste Wallander mycket väl vem det var som blivit mördad. Simon Lamberg var en man som många gånger hade fotograferat Wallander. Minnen av olika tillfällen när han besökt fotoateljén for igenom hans huvud. När han och Mona gifte sig i slutet av maj 1970 var det Lamberg som fotograferade dem. Det hade dock inte skett inne i ateljén utan nere på stranden, strax intill Saltsjöbadens hotell. Det var Mona som velat ha det så. Wallander kunde minnas hur han själv hade tyckt att det var onödigt besvär. Att de överhuvudtaget hade firat sitt bröllop i Ystad hade berott på att Monas gamla konfirmationspräst nu var verksam i staden. Wallander hade tyckt de kunde gifta sig i Malmö och helst borgerligt. Men det hade Mona inte gått med på. Att de dessutom skulle behöva stå nere på en kall och blåsig strand och bli fotograferade hade heller inte roat honom. För Wallander var det onödigt besvär för ett romantiskt fotografi som egentligen heller aldrig blev lyckat. Lamberg hade också fotograferat Linda som barn vid mer än ett tillfälle.

Wallander reste sig upp ur sängen, tänkte att han fick hoppa över duschen och klädde sig. Sedan gick han ut i badrummet och spärrade upp munnen. Hur många gånger han hade gjort det under natten visste han inte. Varje gång han öppnade munnen hoppades han att tanden skulle ha blivit hel igen.

Det var en tand till vänster i underkäken som han bitit av. När han drog tillbaka mungipan med ett finger kunde han tydligt se att halva tanden var borta. Försiktigt borstade han tänderna. När han kom åt den trasiga tanden gjorde det ordentligt ont.

Han lämnade badrummet och gick ut i köket. Disken stod i travar. Han kastade en blick ut genom köksfönstret. Det var blåsigt och duggregnade. Gatlyktan svajade i vinden. Termometern visade fyra plusgrader. Han grimaserade irriterat. Våren dröjde. Just när han skulle lämna lägenheten ändrade han sig och gick in i vardagsrummet. På bokhyllan stod deras bröllopsfotografi.

Lamberg tog ingen bild när vi separerade, tänkte Wallander. Av det finns ingenting bevarat. Och väl är det. I tankarna gick han återigen igenom det som hade hänt. Plötsligt en dag för någon månad sedan hade Mona sagt att hon ville att de skulle flytta isär ett tag. Hon måste tänka igenom hur hon ville ha det. Wallander hade blivit alldeles handfallen, även om han innerst inne inte blivit överraskad. De hade glidit ifrån varandra, haft mindre och mindre att tala med varandra om, mindre och mindre glädje av erotiken, och till slut hade där bara funnits Linda som den sammanhållande länken.

Wallander hade stretat emot. Han hade vädjat och hotat men Mona hade varit bestämd. Hon skulle flytta tillbaka till Malmö. Linda ville flytta med. Den större staden lockade. Så hade det också blivit. Fortfarande hoppades Wallander att de en dag skulle kunna börja om tillsammans igen. Men hur mycket det hoppet var värt visste han inte.

Han skakade av sig tankarna, satte tillbaka fotografiet på hyllan, lämnade lägenheten och undrade vad som hade hänt. Vem var egentligen Lamberg? Trots att han säkert blivit fotograferad av honom minst fyra eller fem gånger hade han inget egentligt minne av honom som person. Just nu förvånade det honom. Lamberg var egendomligt anonym. Wallander hade till och med svårt att frammana bilden av hans ansikte.

Det tog honom bara några minuter att köra till Sankta Gertruds Torg. Två polisbilar stod parkerade utanför fotoateljén. En grupp människor hade samlats. Några polismän höll på att spärra av gatan framför ingången. Martinsson kom samtidigt. Wallander upptäckte att han för ovanlighetens skull var orakad.

De gick fram mot avspärrningsbanden. Nickade till polismannen från nattjouren.

– Det ser inte trevligt ut, sa han. Den döde ligger framstupa på golvet. Det är mycket blod.

Wallander avbröt honom med en nick.

– Och det är säkert att det är fotografen? Lamberg?

– Städerskan menar det.

– Hon mår säkert mycket dåligt, sa Wallander. Kör upp henne till polishuset. Ge henne kaffe. Vi kommer så fort vi kan.

De gick fram till dörren som stod öppen.

– Jag ringde till Nyberg, sa Martinsson. Teknikerna är på väg.

De steg in i affärslokalen. Allt var mycket stilla. Wallander gick först, Martinsson strax bakom. De passerade förbi disken och steg in i ateljén. Där såg det verkligen förfärligt ut. Mannen som låg framstupa hade hamnat på ett utrullat golvpapper, ett sådant som fotografer använder när de tar sina bilder. Papperet var vitt. Blodet som runnit ut ritade en skarp kontur runt den dödes bakhuvud.

Wallander gick försiktigt närmare. Han hade tagit av sig skorna och gick i strumplästen. Sedan böjde han sig ner.

Städerskan hade haft rätt. Visst var det Simon Lamberg. Wallander kände igen honom. Ansiktet var vridet så att ena ansiktshalvan låg uppvänd. Ögonen var öppna.

Wallander försökte tyda ansiktsuttrycket. Fanns där något annat än smärta och förvåning? Han upptäckte inget mer som han säkert kunde utläsa.

– Det råder knappast nåt tvivel om dödsorsaken, sa han och pekade.

I bakhuvudet fanns ett stort krossår. Martinsson hade satt sig på huk vid hans sida.

– Hela bakhuvudet är inslaget, sa han med tydligt obehag.

Wallander kastade en blick på honom. Det hade vid några tillfällen hänt att Martinsson drabbats av akut illamående på mordplatser. Men just nu verkade han kunna behärska sig.

De reste sig upp. Wallander såg sig omkring. Någon oordning i rummet kunde han inte upptäcka. Inga tecken på att mordet hade föregåtts av slagsmål. Han såg inte heller något som kunde ha varit mordvapnet. Han gick förbi den döde och öppnade dörren. Tände lampan. Där inne hade Lamberg tydligen haft sitt kontor och det var också där han framkallade sina bilder. Inte heller i det rummet rådde det någon oordning. Skrivbordslådorna var stängda, hurtsen hade inte brutits upp.

– Det ser inte ut som inbrott, sa Martinsson.

– Det vet vi inte än, svarade Wallander. Var Lamberg gift?

– Städerskan påstod det. Dom bodde på Lavendelvägen.

Wallander visste var den låg.

– Är frun underrättad?

– Det tvivlar jag på.

– Då får vi börja med det. Det kan Svedberg ta sig an.

Martinsson såg förvånat på Wallander.

– Borde inte du göra det?

– Det gör Svedberg lika bra som jag. Ring honom. Säg åt honom att inte glömma att ta med sig en präst.

Klockan hade blivit kvart i sju. Martinsson gick ut i affärslokalen och ringde. Wallander stannade kvar i ateljén och såg sig runt i rummet. Han försökte föreställa sig vad som hade inträffat. Det försvårades av att han inte hade någon tidtabell. Han tänkte att det han först av allt måste göra var att tala med städerskan som hade hittat Lamberg. Innan dess kunde han inte dra några slutsatser alls.

Martinsson kom tillbaka in i rummet.

– Svedberg är på väg till polishuset, sa han.

– Det är vi också, sa Wallander. Jag vill prata med städerskan. Finns det ingen tidtabell?

– Det har varit svårt att tala med henne. Det är först nu hon har börjat samla sig.

Nyberg dök upp bakom Martinssons rygg. De nickade till varandra. Nyberg var en erfaren och skicklig om än ofta vresig kriminaltekniker. Wallander hade vid många tillfällen kunnat konstatera att de enbart tack vare hans arbete kunnat lösa komplicerade brottsfall.

Nyberg grimaserade när han såg den döde.

– Fotografen själv, sa han.

– Simon Lamberg, sa Wallander.

– Jag tog några passfoton här för ett par år sen, sa Nyberg. Inte fan kunde man föreställa sig att nån skulle gå och slå ihjäl honom.

– Han har haft den här ateljén i många år, sa Wallander. Han är inte en sån som alltid funnits här. Men det är inte långt ifrån.

Nyberg hade tagit av sig jackan.

– Vad vet vi? frågade Nyberg.

– Han upptäcktes av städerskan nån gång efter fem. Det är faktiskt allt.

– Vi vet alltså ingenting, sa Nyberg.

Martinsson och Wallander lämnade ateljén. Nyberg skulle få arbeta i fred tillsammans med de andra teknikerna. Wallander visste att arbetet skulle göras grundligt.

De for upp till polishuset. Wallander stannade till i receptionen och bad Ebba, som just hade kommit, att ringa och beställa tid hos hans tandläkare. Han gav henne namnet.

– Har du ont? frågade hon.

– Ja, sa Wallander. Jag ska prata med en städerska som hittat fotografen Lamberg död. Det tar kanske en timme. Sen vill jag gärna få komma till tandläkaren så fort som möjligt.

– Lamberg? sa Ebba förvånat. Vad är det som har hänt?

– Han har blivit mördad.

Ebba sjönk ner på sin stol.

– Honom har jag varit hos många gånger, sa hon sorgset. Han har fotograferat alla mina barnbarn. Ett efter ett.

Wallander nickade. Men han sa ingenting.

Sedan gick han genom korridoren mot sitt rum.

Alla tycks ha varit hos fotografen Lamberg, tänkte han. Alla har vi stått framför hans kamera. Jag undrar om alla hade ett lika vagt intryck av honom som jag.

Klockan hade blivit fem över sju.

Några minuter senare kom Hilda Waldén in genom dörren. Hon hade mycket lite att säga. Wallander insåg genast att det inte bara berodde på att hon var upprörd. Orsaken var att hon inte alls kände Lamberg, trots att hon arbetat som städerska i hans fotoateljé i mer än tio år.

När hon kommit in i Wallanders rum, åtföljd av Hansson, hade han tagit henne i hand och vänligt bett henne sätta sig ner. Hon var i 60-årsåldern och hade ett magert ansikte. Wallander tänkte att hon säkert hade slitit hårt i sitt liv. Hansson lämnade rummet och Wallander letade fram ett av alla de kollegieblock som låg travade i hans lådor. Han började med att beklaga det som hänt. Han förstod att hon var upprörd. Men ändå kunde han inte vänta med sina frågor. Ett grovt brott hade begåtts. Nu gällde det att så fort som möjligt identifiera gärningsmannen och motivet.

– Låt oss ta det från början, sa han. Du städade i Simon Lambergs fotoateljé?

Hon svarade med mycket låg röst. Wallander var tvungen att luta sig över bordet för att kunna uppfatta hennes svar.

– Jag har städat där i tolv år och sju månader. Tre morgnar i veckan. Måndag, onsdag och fredag.

– När kom du till butiken i morse?

– Som jag brukar. Strax efter fem. Jag städar i fyra affärer på morgnarna. Lambergs brukar jag ta först.

– Jag antar att du har egen nyckel?

Hon såg förvånat på honom.

– Hur skulle jag annars komma in? Lamberg öppnade inte förrän tio.

Wallander nickade och fortsatte.

– Gick du in från gatan?

– Det finns ingen bakdörr.

Wallander antecknade.

– Och dörren var låst?

– Ja.

– Det hade inte skett nån åverkan på låset?

– Inte som jag la märke till.

– Vad hände sen?

– Jag gick in. Ställde ifrån mig min handväska och tog av mig kappan.

– Du la inte märke till nåt som inte var som det skulle?

Han märkte att hon verkligen försökte tänka efter och minnas.

– Allt var som vanligt. Det regnade i går morse. Golvet var ovanligt smutsigt. Jag gick för att hämta mina hinkar och trasor.

Hon avbröt sig tvärt.

– Det var då du upptäckte honom?

Hon nickade stumt. Ett ögonblick blev Wallander orolig för att hon skulle bryta samman. Men hon drog djupt efter andan och samlade sig.

– Vad var klockan när du upptäckte honom?

– Nio minuter över fem.

Han såg förvånat på henne.

– Hur kan du veta det så exakt?

– Det finns en väggklocka i ateljén. Jag tittade genast på den. Kanske för att slippa se honom ligga där död. Kanske för att komma ihåg den exakta tidpunkten för den värsta upplevelsen i mitt liv.

Wallander nickade. Han trodde han förstod.

– Vad gjorde du då?

– Jag sprang ut på gatan. Kanske jag skrek. Det minns jag inte. Men det kom en man. Han ringde polisen från en telefonhytt i närheten.

Wallander lade för ett ögonblick ifrån sig pennan. Nu hade han fått Hilda Waldéns tidtabell. Han tvivlade inte på att den stämde.

– Kan du förklara för mig varför Lamberg befann sig i affären så tidigt på morgonen?

Hennes svar kom fort och bestämt. Wallander insåg att hon måste ha funderat på frågan redan innan han ställt den.

– Ibland brukade han gå ner till ateljén på kvällarna. Han stannade till midnatt. Det måste ha skett innan dess.

– Hur vet du att han gick dit på kvällarna? Om du städar där på morgnarna?

– För några år sen hade jag glömt min portmonnä i städrocken. Jag gick dit på kvällen för att hämta den. Då var han där. Han berättade att han brukade gå ner två kvällar i veckan.

– För att arbeta?

– Han satt nog mest i det inre rummet och plockade med sina papper. Radion brukade stå på.

Wallander nickade tankfullt. Förmodligen hade hon rätt. Mordet hade inte skett nu på morgonen utan redan kvällen innan.

Han såg på henne.

– Har du nån aning om vem som kan ha gjort det här?

– Nej.

– Hade han några fiender?

– Jag kände honom inte. Jag vet inte om han hade några vänner eller fiender. Jag bara städade där.

Wallander höll fast vid tråden.

– Men du har arbetat där i mer än tolv år? Du måste ha lärt känna honom? Hans vanor. Ovanor, kanske.

Hennes svar kom fortfarande lika bestämt.

– Jag kände honom inte alls. Han var mycket reserverad.

– På nåt sätt måste du ändå kunna beskriva honom.

Hennes svar förvånade honom.

– Hur beskriver man en människa som är så anonym att han nästan går i ett med väggen?

– Nej, sa Wallander. Det kan du ha rätt i.

Han sköt undan kollegieblocket.

– Har du märkt nåt ovanligt med honom på sista tiden?

– Jag träffade honom bara en gång i månaden. När jag hämtade min lön. Men allt var som vanligt.

– När såg du honom senast?

– För två veckor sen.

– Och då var han som vanligt?

– Ja.

– Han var inte orolig? Inte nervös?

– Nej.

– Du märkte ingenting i affären heller? Nåt som förändrades?

– Ingenting.

Hon var ett utmärkt vittne, tänkte Wallander. Hennes svar är bestämda. Hon har god iakttagelseförmåga. Jag behöver inte betvivla att hon minns rätt.

Han hade inget mer att fråga om. Samtalet hade tagit mindre än tjugo minuter. Han ringde in till Hansson som lovade att se till att Hilda Waldén kom hem.

När han blivit ensam ställde han sig vid fönstret och såg ut i regnvädret. Han undrade tankspritt när våren skulle komma. Och hur det skulle kännas att uppleva den utan Mona. Sedan märkte han att det hade börjat värka i tanden igen. Han såg på klockan. Ännu var det för tidigt. Han trodde inte att hans tandläkare hade kommit till sin mottagning ännu. Samtidigt undrade han hur det gick för Svedberg. Att framföra ett dödsbud var en av de mest fruktade uppgifterna för en polis. Särskilt när det gällde att rapportera ett oväntat och brutalt mord. Men han tvivlade inte på att Svedberg skulle klara sin uppgift. Han var en bra polis. Kanske inte särskilt begåvad men nitisk med ett pedantiskt ordnat skrivbord. På det sättet en av de bästa Wallander någonsin hade arbetat med. Dessutom var Svedberg alltid ytterst lojal mot Wallander.

Han lämnade fönstret och gick ut i matrummet och hämtade en kopp kaffe. Medan han gick tillbaka genom korridoren försökte han förstå vad som kunde ha hänt.

Simon Lamberg är en fotograf som närmar sig de sextio. En man med regelbundna vanor som sköter sin fotoateljé oklanderligt, fotograferar konfirmander, bröllopspar och barn i olika åldrar. Enligt hans städerska brukar han besöka sin ateljé två kvällar i veckan. Då sitter han i det inre rummet och plockar med papper och lyssnar på musik. Om städerskans uppgifter stämmer går han sedan hem strax före midnatt.

Wallander hade kommit tillbaka till sitt rum. Han stod med kaffekoppen i handen och fortsatte att stirra ut i regnet.

Varför satt Lamberg där i ateljén? Något i situationen hade väckt Wallanders undran.

Han såg på sin klocka. I samma ögonblick ringde Ebba. Hon hade fått tag på hans tandläkare. Wallander kunde komma genast.

Han bestämde sig för att inte vänta. Om han skulle leda en mordutredning kunde han inte gå omkring med tandvärk. Han gick in till Martinsson.

– Jag bet av en tand i går, sa han. Jag ska till tandläkaren. Men jag antar att jag är tillbaka om en timme. Låt oss ha ett möte då. Har Svedberg kommit tillbaka?

– Inte som jag vet.

– Försök se om Nyberg kan vara med en stund. Så vi kan ta del av hans första intryck.

Martinsson gäspade och sträckte på sig i stolen.

– Vem kan ha haft nån glädje av att ha ihjäl en gammal fotograf? sa han. Något inbrott verkar det inte ha varit.

– Gammal och gammal, invände Wallander. 56 år. Men annars håller jag med dig.

– Han har alltså blivit överfallen inne i affären. Hur hade gärningsmannen kommit in?

– Antingen med nyckel eller så har Lamberg släppt in honom.

– Lamberg blev mördad bakifrån.

– Vilket kan ha många olika förklaringar. Och ingen av dom har vi.

Wallander lämnade polishuset och gick ner till tandläkaren som hade sin mottagning vid Stortorget, strax intill radioaffären. Som barn hade Wallander varit rädd för de tandläkarbesök han släpats med till. I vuxen ålder hade rädslan plötsligt försvunnit. Nu ville han bara bli fri från värken så fort som möjligt. Men han insåg också att den trasiga tanden var ett ålderstecken. Han var bara 40 år gammal. Men sönderfallet kom redan tassande.

Wallander fick genast komma in och sätta sig i stolen. Tandläkaren var ung och arbetade fort och lätt. Efter en dryg halvtimme var han klar. Värken hade övergått i ett dovt molande.

– Det är snart borta, sa tandläkaren. Men du borde komma hit igen för att ta bort tandsten. Jag tror inte du borstar som du ska.

– Säkert inte, svarade Wallander.

Han antecknade sig för en tid två veckor senare och återvände till polishuset. Klockan tio hade han samlat sina medarbetare i mötesrummet. Svedberg hade kommit tillbaka, Nyberg var också där. Wallander satte sig vid sin vanliga plats vid bordets ena kortände. Sedan såg han sig omkring. Han undrade hastigt hur många gånger han hade suttit där och tagit sats för att starta en brottsutredning. Han hade kunnat märka hur det gick allt trögare med åren. Men han visste också att det bara var att kasta sig ut. De hade ett brutalt mord att lösa. Inget kunde vänta.

– Är det nån som vet var Rydberg befinner sig? frågade han.

– Ont i ryggen, svarade Martinsson.

– Synd, sa Wallander. Vi hade behövt honom nu.

Han vände sig till Nyberg och nickade åt honom att börja.

– Det är naturligtvis för tidigt, sa Nyberg. Men det ger inte intryck av att ha varit ett inbrott. Ingen åverkan på dörrar. Inget som verkar ha blivit stulet, åtminstone inte vid första anblicken. Det hela är mycket märkligt.

Wallander hade inte väntat sig att Nyberg skulle ha några avgörande iakttagelser att redovisa så här tidigt. Men han ville ändå ha honom med.

Han vände sig till Svedberg.

– Elisabeth Lamberg fick naturligtvis en svår chock. Tydligen är det så att dom har separata sovrum. Hon lägger alltså inte märke till när hennes man kommer hem om han är ute på kvällen. Dom hade ätit middag vid halvsjutiden. Lite före åtta hade han gått ner till ateljén. Själv hade hon lagt sig strax efter elva och genast somnat. Hon förstod inte vem som kunde ha mördat maken. Att han skulle haft några fiender avvisade hon helt.

Wallander nickade.

– Då vet vi det, sa han. Vi har en död fotograf. Men det är också allt vi har.

Alla visste vad det betydde. Nu skulle mödosamma efterforskningar rulla igång.

Vart de skulle leda dem hade de ingen aning om.

Spaningsmötet denna morgon, det första i jakten på den eller de gärningsmän som av okända skäl låg bakom mordet på fotografen Simon Lamberg, blev kort. Det fanns ett otal rutinmässiga förfaringssätt som de alltid följde. De måste också vänta på utlåtandena från rättsläkarstationen i Lund och på den undersökning av brottsplatsen som Nyberg och hans män höll på med. Själva skulle de nu börja kartlägga Simon Lamberg som person och det liv han hade levt. De skulle dessutom förhöra grannar och leta efter andra som eventuellt hade gjort några iakttagelser. Hoppet fanns naturligtvis också att det redan på detta tidiga stadium skulle komma in tips som gjorde att mordet kunde klaras upp inom loppet av några få dagar. Men Wallander hade redan nu en instinktiv känsla av att de stod inför en komplicerad utredning. De hade lite, eller snarare ingenting, att utgå ifrån.

Han märkte där han satt i sammanträdesrummet att han var orolig. Värken i tanden var nu borta. Däremot hade han denna oro i magen.

Björk kom in i rummet och satte sig för att lyssna på Wallanders försök att göra en preliminär genomgång av händelseförloppet och tidtabellen. Ingen hade efteråt några frågor att komma med. De fördelade de viktigaste arbetsuppgifterna och skildes sedan åt. Wallander skulle senare på dagen tala med Lambergs änka. Men först ville han göra en grundligare besiktning av brottsplatsen. Nyberg menade att han kunde släppa in Wallander i ateljén och det innersta rummet inom några timmar.

Björk och Wallander dröjde sig kvar i sammanträdesrummet när de andra hade gått.

– Du tror alltså inte att det är en inbrottstjuv som blivit ertappad och förlorat besinningen? frågade Björk.

– Nej, svarade Wallander. Men jag kan mycket väl ta fel. Vi kan inte bortse från några möjligheter. Men jag undrar vad en inbrottstjuv egentligen trodde sig kunna komma åt i Lambergs fotoateljé.

– Kameror?

– Han sålde ingen fotoutrustning. Han fotograferade bara själv. Det enda han hade till försäljning var ramar och album. Det tror jag knappast en inbrottstjuv gör sig besvär för.

– Vad återstår då? Nåt privat motiv?

– Jag vet inte. Men änkan, Elisabeth Lamberg, var enligt Svedberg mycket säker på att han inte hade haft några fiender.

– Men ingenting tyder heller på en sinnesförvirrad galning?

Wallander skakade på huvudet.

– Det tyder på allt och inget, sa han. Men tre reflexioner kan man göra redan nu. Hur kom gärningsmannen in i ateljén? Ingen åverkan på dörr eller fönster. Lamberg hade sannolikt inte lämnat porten olåst. Enligt Elisabeth Lamberg var han alltid noga med att låsa om sig.

– Det ger oss alltså två möjligheter. Antingen har han haft nyckel. Eller så har Simon Lamberg släppt in honom.

Wallander nickade. Björk hade förstått. Han fortsatte.

– Den andra iakttagelsen är att det slag som dödade Lamberg utdelades med våldsam kraft mot bakhuvudet. Det kan tyda på målmedvetenhet. Eller raseri. Och stora kroppskrafter. Eller båda delarna i kombination. Simon Lamberg har i dödsögonblicket vänt ryggen mot mördaren. Det i sin tur kan betyda minst två saker. Att han inte förväntat sig nåt ont. Eller att han försökt komma undan.

– Om han själv släppt in den som dödade honom förklarar det varför han vände ryggen till.

– Man kan nog gå ytterligare ett steg, sa Wallander. Skulle han över huvud taget ha släppt in nån sent på kvällen som han inte hade ett gott förhållande till?

– Nåt mer?

– Lamberg brukade enligt städerskan gå ner till ateljén två kvällar i veckan. Vilka kvällar kunde växla. Men man kan möjligen anta att gärningsmannen visste om det. Man kan tänka sig att vi är ute efter nån som åtminstone delvis kände till Lambergs vanor.

De lämnade sammanträdesrummet och blev stående i korridoren.

– Det betyder i alla fall att det finns några tänkbara utgångspunkter, sa Björk. Alldeles blankt är det inte.

Wallander grimaserade.

– Nästan, sa han. Det är så nära blankt det kan bli. Vi skulle ha behövt Rydberg.

– Jag är bekymrad över hans ryggproblem, sa Björk. Ibland har jag en känsla av att det är nåt annat.

Wallander betraktade honom förvånat.

– Vad skulle det vara?

– Han kanske har nån annan sjukdom. Ryggont behöver inte bara komma från muskler eller kotor.

Wallander visste att Björk hade en svåger som var läkare. Och eftersom Björk då och då ansåg sig vara bärare av diverse svåra sjukdomar, tänkte Wallander att han nu överförde sin oro även på Rydberg.

– Rydberg brukar ju bli bra efter nån vecka, sa Wallander.

De skildes åt. Wallander återvände till sitt rum. Eftersom nyheten om mordet nu hade spritt sig kunde Ebba meddela att flera journalister hade ringt och undrat när de skulle få information. Utan att rådgöra med någon gav Wallander besked om att han skulle vara tillgänglig för att svara på frågor klockan tre.

Efteråt ägnade han en timme åt att skriva en sammanfattning åt sig själv. Han hade just blivit klar när Nyberg hörde av sig över telefonen och meddelade att Wallander nu kunde börja gå igenom åtminstone det innersta rummet. Fortfarande hade inte Nyberg gjort några uppseendeväckande iakttagelser. Inte heller rättsläkaren hade kunnat konstatera något annat än att Lamberg dödats med ett våldsamt slag mot bakhuvudet. Wallander frågade om det redan nu gick att säga något om vilken typ av mordvapen som hade använts. Men det var för tidigt att svara på. Wallander avslutade samtalet och blev sittande och tänkte på Rydberg. Hans lärare och mentor, den skickligaste polisman han någonsin träffat. Han hade lärt Wallander hur viktigt det var att vrida och vända på argumenten och att närma sig ett problem från oväntat håll.

Just nu hade jag behövt honom, tänkte Wallander. Kanske jag borde ringa hem till honom i kväll.

Han gick till matrummet och drack ytterligare en kopp kaffe. Försiktigt tuggade han i sig en skorpa. Värken i tanden återkom inte.

Eftersom han kände sig trött efter nattens oroliga sömn tog

han en promenad ner till Sankta Gertruds Torg. Duggregnet var ihållande. Han undrade när våren skulle komma. Den samlade svenska otåligheten i april var mycket stor, tänkte han. Våren tycktes aldrig komma i rätt tid. Vintern kom alltid för tidigt och våren för sent.

Det stod många människor samlade utanför Lambergs butik. Wallander kände flera av dem, åtminstone hade han sett deras ansikten tidigare. Han nickade och hälsade. Men några frågor svarade han inte på. Han klev över avspärrningsbanden och gick in i affärslokalen. Nyberg stod med en termosmugg i handen och skällde på en av sina tekniker. Han avbröt sig inte då Wallander steg in genom dörren. Först när han hade grälat färdigt, och fått sagt det han ville, vände han sig mot Wallander. Han pekade inåt ateljén. Kroppen var nu borttagen. Där fanns bara den stora blodfläcken på det vita fondpapperet. En konstgjord stig av plast var utlagd.

– Gå där, sa Nyberg. Vi har hittat rätt många fotavtryck i ateljén.

Wallander satte plastöverdrag på sina skor, stoppade ett par plasthandskar i fickan och gick försiktigt in i det som var kombinerat kontor och framkallningsrum.

Wallander mindes hur han, när han varit mycket ung, kanske 14 eller 15 år gammal, hade närt en passionerad dröm om att bli fotograf. Men han skulle inte ha ateljé, han skulle bli pressfotograf. Vid alla stora evenemang skulle han finnas i främsta ledet och han skulle ta sina bilder medan andra tog bilder av honom.

När han steg in i det innersta rummet undrade han vart den drömmen egentligen hade tagit vägen. Plötsligt hade den bara varit borta. I dag ägde han en enkel Instamatic som han sällan använde. Efter ett par år ville han bli operasångare. Det hade det inte heller blivit något av med.

Han tog av sig jackan och såg sig runt i rummet. Utifrån ateljén hörde han att Nyberg hade börjat gräla igen. Wallander uppfattade vagt att det handlade om en slarvig mätning av ett av-

stånd mellan två fotavtryck. Han gick fram till radion och slog
på den. Klassisk musik. Han gick ner till ateljén ibland på kväl-
larna, hade Hilda Waldén sagt. För att arbeta och för att lyssna
på musik. Klassisk musik. Så långt stämde det. Han satte sig vid
skrivbordet. Alla saker låg noga ordnade. Han lyfte på det gröna
skrivbordsunderlägget. Ingenting. Sedan reste han sig och gick
ut till Nyberg och frågade om de hade funnit någon nyckelknip-
pa. Det hade de. Wallander satte på sig plasthandskar och gick
tillbaka. Han letade fram rätt nyckel för att kunna låsa upp
skrivbordshurtsen. I den översta lådan låg olika skattehandling-
ar och diverse korrespondens med ateljéns revisor. Wallander
bläddrade försiktigt igenom papperen. Han letade inte efter nå-
got speciellt. Därför kunde också allt vara viktigt.

Metodiskt gick han igenom låda efter låda. Ingenting av det
han såg fick honom att stanna upp. Simon Lambergs liv var än
så länge ett välorganiserat liv, utan hemligheter, utan överrask-
ningar. Men fortfarande skrapade han bara på ytan. Han böjde
sig ner och drog ut den nedersta lådan. Där låg ett ensamt foto-
album. Pärmarna var av exklusivt läder. Wallander lade det
framför sig på bordet och slog upp den första sidan. Med rynkad
panna betraktade han ett ensamt fotografi som var inklistrat
mitt på sidan. Det var inte större än ett passfoto. Wallander hade
sett ett förstoringsglas i en av de lådor han gått igenom tidigare.
Nu letade han reda på det, tände en av skrivbordets två lampor
och studerade bilden närmare.

Den föreställde USA:s president Ronald Reagan. Men bilden
var deformerad. Ansiktet hade förvrängts. Det var fortfarande
Ronald Reagan. Men ändå inte. Av den rynkige gamle mannen
hade det blivit en bild av ett motbjudande monster. Strax intill
bilden stod ett datum skrivet med bläck: 10 augusti 1984.

Wallander vände undrande blad. Samma sak igen. Ett ensamt
fotografi inklistrat mitt på sidan. Den här gången var det en bild
av en av Sveriges tidigare statsministrar. Samma vanskapta, de-
formerade ansikte. Ett datum skrivet med bläck.

Utan att studera varje bild i detalj bläddrade Wallander långsamt vidare. Överallt ett ensamt fotografi. Vanskapt, deformerat. Män, för det var enbart män, omgjorda till motbjudande monster. Svenska såväl som utländska. Främst politiker men också några affärsmän, en författare och dessutom några som Wallander inte kände igen.

Han försökte förstå vad bilderna berättade. Varför hade Simon Lamberg detta egendomliga fotoalbum? Varför hade han förvanskat fotografierna? Var det för att arbeta med detta album som han tillbringade sina kvällar i ateljéns ensamhet? Wallanders uppmärksamhet hade skärpts. Bakom Simon Lambergs välorganiserade fasad fanns alldeles uppenbart också något annat. Åtminstone en man som med vilje satt och förstörde kända människors ansikten.

Han vände sida igen. Hajade till. Ett våldsamt obehag spred sig inom honom.

Han hade svårt att tro att det han såg var sant.

I samma ögonblick kom Svedberg in i rummet.

– Se på det här, sa Wallander långsamt.

Sedan pekade han på fotografiet. Svedberg böjde sig över hans axel.

– Det är ju du, sa han förvånat.

– Ja, svarade Wallander. Det är jag. Eller i alla fall kanske.

Han såg på bilden igen. Det var ett fotografi från någon tidning. Det var han, men ändå inte han. Han såg ut som en osedvanligt vedervärdig människa.

Wallander kunde inte påminna sig när han senast blivit så uppskakad. Den förvridna och vanställda bilden av hans ansikte hade gjort honom illamående. Spontana utbrott mot honom från brottslingar han varit med om att gripa var han ganska van vid, men tanken på att någon satt i timmar och tillverkade en hatbild av honom var skrämmande. Svedberg märkte hans reaktion och hämtade Nyberg. Tillsammans gick de igenom fotoalbumet. Den sista bilden var från dagen innan, då den svenske statsministern hade fått sitt ansikte förstört. Bredvid var datum skrivet med bläck.

– Den som har gjort det här måste vara sjuk, sa Nyberg.

– Tveklöst är det Simon Lamberg som ägnat sina ensamma kvällar åt dom här fotografierna, sa Wallander. Det jag naturligtvis undrar över är varför jag är med i den här makabra församlingen. Den enda personen från Ystad dessutom. Bland statsmän och presidenter. Jag vill inte förneka att jag tycker det är mycket obehagligt.

– Och vad är syftet? undrade Svedberg.

Ingen hade något vettigt svar att erbjuda.

Wallander kände behov av att lämna ateljén. Han bad Svedberg att fortsätta genomgången av rummet. Själv skulle han snart vara tvungen att ge pressen den information de väntade på. När han kom ut på gatan lättade illamåendet. Han klev över avspärrningsbanden och fortsatte raka vägen till polishuset. Fortfarande duggregnade det. Även om illamåendet hade gått över kände han sig lika olustig.

Simon Lamberg sitter på kvällen i sin ateljé och lyssnar på klassisk musik. Samtidigt vanställer han bilder på olika framstående statsmän. Samt på en kriminalpolis från Ystad. Wallander försökte febrilt hitta en förklaring utan att lyckas. Att en man kunde leva ett dubbelliv, dölja galenskap under en alldeles normal yta, var inget ovanligt. Från brottets annaler kunde många exempel på just det hämtas fram. Men varför fanns han själv med i albumet? Vad hade han gemensamt med de andra avbildade människorna? Varför utgjorde just han undantaget?

Han gick raka vägen till sitt rum och stängde dörren. När han hade satt sig i sin stol insåg han att han var orolig. Simon Lamberg var död. Någon hade med ursinnig kraft krossat bakhuvudet på honom. De visste inte varför. Och i hans skrivbord hade de funnit ett exklusivt fotoalbum med ett makabert innehåll.

Han rycktes ur sina tankar av att det knackade på dörren. Det var Hansson.

– Lamberg är död, sa han, som om han meddelat en nyhet. Han fotograferade mig när jag konfirmerades för många år sen.

– Är du konfirmerad? frågade Wallander förvånat. Jag trodde du minst av allt brydde dig om några högre makter.

– Det gör jag inte heller, svarade Hansson glatt medan han omsorgsfullt petade sig i ena örat. Men jag ville väldigt gärna ha en klocka och få min första ordentliga kostym.

Han pekade över axeln ut mot korridoren.

– Journalister, sa han. Jag tänkte vara med och lyssna så jag får veta vad som hänt.

– Det kan jag tala om redan nu, sa Wallander. Nån krossade bakhuvudet på Lamberg i går kväll mellan klockan åtta och midnatt. Nån inbrottstjuv rör det sig knappast om. Det är i stort sett allt vi vet.

– Inte mycket, sa Hansson.

– Nej, svarade Wallander och reste sig. Mindre kan det knappast bli.

Mötet med journalisterna blev improviserat och kort. Wallander redogjorde för vad som hade hänt och gav fåordiga svar på journalisternas frågor. Det hela var över på mindre än en halvtimme. Klockan hade blivit halv fyra. Wallander märkte att han var hungrig. Men bilden i Simon Lambergs album oroade hela tiden innanför pannbenet. Frågan gnagde: Varför hade just han blivit utvald till att få sitt ansikte förkrympt och vanställt? Någonstans anade han att detta bara kunde vara en galen människas verk. Men ändå, varför just han?

Kvart i fyra bestämde han sig för att det var dags att åka upp till Lavendelvägen där Lambergs bodde. När han kom ut från polishuset hade regnet upphört. Däremot hade den byiga vinden tilltagit. Han funderade på om han skulle försöka få tag på Svedberg och ta honom med sig. Men han lät det stanna vid tanken. Egentligen hade han mest lust att träffa Elisabeth Lamberg ensam. Han hade mycket han ville tala med henne om. Men en av frågorna var definitivt viktigare än alla andra.

Han letade sig upp till Lavendelvägen och steg ur bilen. Huset låg inne i en trädgård som han kunde se var välskött, trots att rabatterna ännu var tomma. Han ringde på dörren. Den öppnades nästan genast av en kvinna i 50-årsåldern. Wallander sträckte fram handen och hälsade. Kvinnan verkade skygg.

– Det är inte jag som är Elisabeth Lamberg, sa hon. Jag är en väninna. Jag heter Karin Fahlman.

Hon släppte in honom i tamburen.

– Elisabeth ligger i sovrummet och vilar, sa kvinnan. Kan verkligen inte det här samtalet vänta?

– Tyvärr inte. När det gäller att gripa den som har begått det här brottet är det viktigt att inte förlora tid.

Karin Fahlman nickade och visade in honom i vardagsrummet. Sedan försvann hon ljudlöst.

Wallander såg sig runt i rummet. Det första som slog honom var att det var mycket tyst. Inga klockor, inga ljud från gatan trängde in. Genom ett fönster såg han några barn leka med varandra. Men han kunde inte höra dem fast det syntes att de ropade och skrek. Han gick fram och betraktade fönstret. Det hade dubbla glas och var av någon speciell modell som tydligen var extremt ljudisolerande. Han gick runt i rummet. Det var smakfullt möblerat, varken prålig eller överdådigt. En blandning av gammalt och nytt. Kopior av gamla träsnitt. En hel vägg täckt av böcker.

Han hörde aldrig när hon kom in i rummet. Men plötsligt fanns hon bara där, alldeles bakom honom. Ofrivilligt ryckte han till. Hon var mycket blek, nästan som om hennes ansikte hade haft ett tunt lager av vitsmink. Hon hade mörkt och rakt kortklippt hår. Wallander tänkte att hon en gång säkert hade varit mycket vacker.

– Jag beklagar att jag måste komma och störa, sa han och sträckte fram handen.

– Jag vet vem du är, sa hon. Och jag förstår faktiskt också att du måste komma hit.

– Jag får naturligtvis börja med att beklaga sorgen.

– Tack.

Wallander märkte att hon ansträngde sig till det yttersta för att vara samlad. Han undrade hur länge till hon skulle orka, innan det brast.

De satte sig ner. Wallander skymtade Karin Fahlman i ett angränsande rum. Han antog att hon satt där för att lyssna på deras samtal. Under ett ögonblick tvekade han om hur han egentligen skulle börja. Men han blev avbruten i sina tankar av att Elisabeth Lamberg ställde den första frågan.

– Vet du nåt om vem som har dödat min man?

– Vi har inga direkta spår att gå efter. Men inte mycket talar för att det var inbrott. Det betyder att din man antingen måste ha öppnat för nån eller att denna okända person hade egna nycklar.

Hon skakade energiskt på huvudet, som om hon opponerade sig våldsamt mot det Wallander just hade sagt.

– Simon var alltid mycket försiktig. Han skulle inte ha öppnat för en okänd person. Minst av allt på kvällen.

– Men kanske för nån han kände?

– Vem skulle det ha varit?

– Jag vet inte. Alla människor har vänner.

– Simon åkte in till Lund en gång i månaden. Där finns ett sällskap för amatörastronomer. Han satt i styrelsen. Det var det enda umgänge han hade så vitt jag vet.

Wallander insåg att både han själv och Svedberg hade förbisett en mycket viktig fråga.

– Har ni några barn?

– En dotter. Matilda.

Något i hennes sätt att svara gjorde att Wallander genast blev på sin vakt. En svag förändring av tonfallet hade inte undgått honom. Som om frågan hade oroat henne. Han gick försiktigt vidare.

– Hur gammal är hon?

– 24 år.

– Hon bor kanske inte hemma längre?

Elisabeth Lamberg såg honom stint in i ögonen när hon svarade.

– När Matilda föddes var hon svårt handikappad. Vi hade henne hemma i fyra år. Sen gick det inte längre. Nu bor hon på en institution. Hon behöver hjälp med precis allting.

Wallander kom av sig. Vad han hade väntat sig visste han inte. Men knappast det svar han fått.

– Det måste ha varit ett svårt beslut, sa han och ansträngde sig att låta förstående. Ett omöjligt beslut. Att lämna bort henne till en institution.

Hon fortsatte att se honom rakt in i ögonen.

– Det var inte mitt beslut. Det var Simon som ville det. Inte jag. Det blev som han bestämde.

För ett ögonblick tyckte Wallander att han såg rakt ner i en avgrund. Hennes smärta var så stark när hon berättade för honom vad som hade hänt.

Wallander satt länge tyst innan han fortsatte.

– Kan du tänka dig nån som kan ha haft nåt skäl att döda din man?

Hennes svar fortsatte att överraska honom.

– Efter det som hände den där gången kände jag honom inte längre.

– Trots att det är tjugo år sen?

– Vissa saker går aldrig över.

– Men ni var fortfarande gifta?

– Vi bodde under samma tak. Det var allt.

Wallander tänkte efter innan han fortsatte.

– Du kan alltså inte alls föreställa dig vem mördaren är?

– Nej.

– Du kan inte heller tänka dig nåt motiv?

– Nej.

Wallander gick nu rakt på den viktigaste av alla frågorna.

– När jag kom hit sa du att du kände igen mig. Kan du komma ihåg om din man nånsin talade om mig?

Hon höjde förvånat på ögonbrynen.

– Varför skulle han ha gjort det?

– Det vet jag inte. Men frågan kvarstår.

– Vi talade inte mycket med varandra. Men jag kan inte påminna mig att vi nånsin talade om dig.

Wallander gick vidare.

– I ateljén hittade vi ett album. Där fanns ett stort antal fotografier av statsmän och andra kända människor. Av nån anledning fanns också mitt ansikte där. Känner du till det albumet?

– Nej.

– Det är du säker på?

– Ja.

– Bilderna var förvanskade. Alla dessa människor, inklusive jag själv, såg ut som monster. Din man måste ha ägnat många timmar åt att förstöra våra ansikten. Det känner du alltså inte heller till?

– Nej. Det låter mycket konstigt. Obegripligt.

Wallander insåg att hon talade sanning. Hon visste verkligen inte mycket om sin man. Eftersom hon i tjugo års tid inte hade velat veta något.

Wallander reste sig ur stolen. Han visste att han skulle komma tillbaka med många nya frågor. Men just nu hade han inget mer att säga.

Hon följde honom till ytterdörren.

– Min man hade nog många hemligheter, sa hon plötsligt. Men jag kände inte till dom.

– Om inte du gjorde det, vem kan då ha känt till dom?

– Jag vet inte, sa hon, nästan vädjande. Men nån måste ha gjort det.

– Vad för sorts hemligheter?

– Jag har redan sagt att jag inte vet. Men Simon var full av hemliga rum. Jag varken ville eller kunde se in i dom.

Wallander nickade.

I bilen blev han sittande. Återigen hade det börjat regna.

Vad hade hon egentligen menat? Simon var en man »full av hemliga rum«? Som om det innersta rummet i ateljén bara var ett? Som om det fanns fler? Som de ännu inte hade hittat?

Han körde långsamt tillbaka till polishuset. Oron som han tidigare känt hade blivit starkare.

Resten av eftermiddagen och kvällen fortsatte de med att försöka bearbeta det lilla material de hade. Vid tiotiden gick Wallander hem. Spaningsgruppen skulle mötas nästa morgon klockan åtta.

När han kommit upp i lägenheten värmde han en burk bönor, som var det enda i matväg han hittade. Strax efter elva hade han somnat.

Telefonsamtalet kom när klockan var fyra minuter i midnatt. Wallander lyfte yrvaket på luren. Det var en man som påstod att han var ute och nattvandrade. Han presenterade sig som den som hade tagit hand om Hilda Waldén samma morgon.

– Jag såg just en man försvinna in i Lambergs fotoaffär, sa han viskande.

Wallander satte sig upp i sängen.

– Är du säker på det? Och det var ingen polis?

– En skugga gled in genom dörren, sa han. Mitt hjärta är dåligt. Men mina ögon är det inget fel på.

Samtalet bröts. Något fel hade uppstått på linjen. Wallander blev sittande med luren i handen. Det var ovanligt att han blev uppringd av någon annan än polisen. Särskilt på natten. Naturligtvis stod han inte i telefonkatalogen. Men någon måste ha gett mannen Wallanders nummer under morgonens uppståndelse.

Sedan steg han hastigt upp och började klä sig.

Klockan hade just passerat midnatt.

Wallander kom fram till torget där fotoateljén var belägen några minuter senare. Han hade gått till fots, halvsprungit, eftersom det var kort väg från Mariagatan där han bodde. Ändå hade han blivit andfådd. När han kom dit upptäckte han genast en ensam man en bit bort. Han skyndade sig fram till honom, hälsade och tog honom med sig till en plats intill där de fortfarande hade uppsyn över ingången, men själva inte så lätt kunde bli upptäckta. Mannen var i 70-årsåldern och hade presenterat sig som Lars Backman. Han var pensionerad direktör i Handelsbanken. Han använde fortfarande det gamla namnet, Svenska Handelsbanken.

– Jag bor på Ågatan här intill, sa han. Jag är ute och går tidigt om morgnarna och sent på kvällarna. Doktorn har gett order.

– Beskriv vad som hänt.

– Jag upptäckte en man som försvann in genom dörren till fotoateljén.

– En man? I telefonen sa ni en skugga?

– Man tänker sig väl automatiskt att det är en man. Men det kan naturligtvis också ha varit en kvinna.

– Och ni har inte sett nån lämna affären?

– Jag har hållit uppsikt. Ingen har kommit ut.

Wallander nickade. Han sprang till telefonhytten och ringde Nyberg som svarade efter tredje signalen. Wallander fick en känsla av att han legat och sovit. Men han frågade inte utan förklarade bara hastigt vad som hade hänt. Det viktigaste fick han veta, nämligen att Nyberg hade nycklarna till affären. Dessutom hade han inte lämnat dem på polishuset utan hade dem hemma. Tidigt dagen efter skulle han återvända till ateljén för att slutföra den tekniska undersökningen. Wallander bad honom komma så fort han kunde och avslutade samtalet. Övervägde om han borde kontakta Hansson eller någon av de andra redan nu. Alltför ofta bröt Wallander mot regeln att en polis aldrig ska vara ensam när han befinner sig i en situation han inte helt kan kontrollera. Men Wallander lät det vara. Nyberg var ju också polis. Först när han var på plats skulle de bestämma hur de skulle gå vidare. Lars Backman stod kvar. Wallander bad honom vänligt att lämna torget. Det skulle komma ytterligare en polis och de behövde vara ensamma. Backman verkade inte bli missnöjd över att motas undan. Han nickade bara och gick därifrån.

Wallander märkte att han frös. Han hade bara en skjorta under jackan. Blåsten hade tilltagit. Molntäcket hade spruckit upp. Det var säkert bara några få plusgrader. Han betraktade ingången till affären. Kunde Backman ha misstagit sig? Han trodde inte det . Han försökte ana sig till om det var något ljus tänt i lokalerna. Men det var omöjligt att se. En bil passerade, strax därefter ännu en. Sedan upptäckte han Nyberg på andra sidan torget och gick honom till mötes. De ställde sig intill en husvägg för att få lä. Hela tiden höll Wallander uppsikt mot dörren till affären. Han berättade hastigt för Nyberg vad som hade hänt. Nyberg betraktade honom undrande.

– Hade du tänkt dig att vi skulle gå in där ensamma?

– Först av allt ville jag ha hit dig eftersom du har nycklar. Och nån bakväg finns alltså inte?

– Nej.

– Det enda sättet att ta sig in och ut är med andra ord genom dörren mot gatan?

– Ja.

– Då ringer vi efter en av nattpatrullerna, sa Wallander. Sen öppnar vi dörren och beordrar ut honom.

Utan att släppa uppmärksamheten på dörren gick Wallander och ringde till polishuset. En nattpatrull skulle vara på plats inom några minuter. De gick bort mot affären. Klockan hade blivit fem över halv ett. Gatorna var övergivna.

Då öppnades dörren till ateljén. En man kom ut. Hans ansikte var dolt av skuggorna. Alla tre upptäckte varandra samtidigt och tvärstannade. Wallander skulle just ropa till honom att stå stilla och stanna där han var, när mannen vände sig om och med våldsam fart började springa längs Norra Änggatan. Wallander ropade till Nyberg att vänta på nattpatrullen. Sedan följde han efter den springande mannen som rörde sig mycket fort. Trots att Wallander sprang för allt han var värd kom han inte närmare. Vid Vassgatan svängde mannen till höger och fortsatte mot Folkparken. Wallander undrade varför nattpatrullen aldrig kom. Risken var stor att han skulle förlora den flyende ur sikte. Han svängde till höger igen och försvann in på Aulingatan. Wallander snavade på några lösa stenar som fanns på trottoaren och ramlade omkull. Han slog ena knät hårt i gatan och slet upp ett hål i byxorna. Smärtan skar genom benet när han fortsatte. Avståndet till mannen ökade hela tiden. Var fanns Nyberg och nattpatrullen? Han svor tyst för sig själv. Hjärtat bultade som en hammare i bröstet. Mannen försvann in på Giöddesgränd. Wallander förlorade honom ur sikte. I samma ögonblick han nådde hörnet av gatan tänkte han att han nu borde stanna och invänta Nyberg. Men han stannade inte utan fortsatte.

Mannen väntade på andra sidan hörnet. Ett våldsamt slag träffade Wallander rakt i ansiktet. Allt blev mörkt.

När Wallander vaknade visste han inte alls var han befann sig. Han stirrade rakt upp mot stjärnhimlen. Det var kallt under honom där han låg. När han trevade med händerna vid sidorna kände han asfalt. Sedan kom han ihåg vad som hade hänt. Han satte sig upp. Det värkte i vänster kind där slaget hade träffat honom. Med tungan kunde han känna att en tand hade blivit avslagen. Samma tand som han just fått lagad. Han reste sig mödosamt. Knät värkte. Det sprängde i huvudet. Sedan såg han sig omkring. Mannen var naturligtvis borta. Han linkade Aulingatan tillbaka mot Surbrunnsvägen. Det hade gått så fort att han aldrig hade hunnit uppfatta mannens ansikte. Han hade svängt runt gathörnet och världen hade exploderat.

Polisbilen kom från Ågatan. Wallander gick ut mitt i gatan så att de skulle upptäcka honom. Wallander kände polismannen som körde. Han hette Peters och hade varit i Ystad lika länge som Wallander själv. Nyberg hoppade ur bilen.

– Vad är det som har hänt?

– Han försvann in på Giöddesgränd. Han slog ner mig. Vi hittar honom säkert inte. Men vi kan ju göra ett försök.

– Du ska till sjukhuset, sa Nyberg. Först av allt.

Wallander kände på sin kind. Handen blev våt av blod. Han överfölls av en plötslig yrsel. Nyberg tog tag i hans arm och hjälpte honom in i bilen.

Klockan fyra på morgonen kunde Wallander lämna sjukhuset. Då hade Svedberg och Hansson kommit. Olika nattpatruller hade genomkorsat staden i jakten på den man som slagit ner Wallander. Men eftersom det bara fanns ett vagt signalement, en beskrivning av en halvlång jacka som kanske varit svart eller mörkblå, hade ansträngningen naturligtvis varit förgäves. Wallander själv hade blivit omplåstrad. Den sönderslagna tanden skulle få vänta till senare på dagen. Wallanders kind hade svullnat upp. Blodet härrörde från ett sår intill hårfästet.

När de lämnade sjukhuset insisterade Wallander på att de inte skulle uppskjuta besöket i ateljén. Både Hansson och Svedberg protesterade och menade att han först av allt behövde vila sig. Men Wallander godtog inga invändningar. Nyberg var redan där när de kom. De tände alla lampor som fanns och samlades inne i själva ateljén.

– Jag har inte kunnat upptäcka att nåt är vare sig borta eller förändrat, sa Nyberg.

Wallander visste att Nyberg hade ett enastående detaljminne. Men han insåg samtidigt att mannen kunde ha varit ute efter något som inte alls var iögonfallande. De kunde över huvud taget inte veta varför han kommit till ateljén under natten.

– Hur är det med fingeravtryck? frågade Wallander. Fotavtryck?

Nyberg pekade på golvet där han på några ställen markerat att området inte fick beträdas.

– Jag har kontrollerat dörrhandtagen. Men jag misstänker att den här mannen hade handskar på sig.

– Och ytterdörren?

– Ingen åverkan. Vi kan med säkerhet slå fast att han hade tillgång till en nyckel. Det var jag som låste här på kvällen.

Wallander såg på sina kollegor.

– Borde här egentligen inte ha varit nån form av yttre bevakning?

– Bedömningen var min, svarade Hansson. Jag uppfattade inte att det fanns några rimliga skäl. Inte minst med den personalsituation vi har för närvarande.

Wallander insåg att Hansson hade rätt. Han skulle inte heller ha begärt någon bevakning om han hade varit den som fattat beslutet.

– Vi kan bara spekulera i vem mannen var, fortsatte han. Och vad han ville här inne. Även om det inte fanns nån synlig polisbevakning måste han ha insett att det var mycket möjligt att vi höll ateljén under uppsikt. Men jag vill att nån talar med Lars Backman, som inte bara ringde till mig vid midnatt utan också tog sig an Hilda Waldén i går morse. Han verkar på mig som en omdömesgill person. Han kan ha sett nåt som han i förstone inte tänkt på.

– Klockan är fyra på morgonen, sa Svedberg förvånat. Ska jag ringa honom nu?

– Han är säkert vaken, sa Wallander. I går morse var han ute redan klockan fem. Han är både morgontidig och kvällspigg.

Svedberg nickade och lämnade fotoateljén. Det fanns heller ingen anledning för Wallander att hålla kvar de andra.

– Vi får gå igenom det här grundligt i morgon bitti, sa han när Svedberg hade gått. Det bästa ni kan göra är att sova ett par timmar. Själv tänker jag stanna kvar här en stund.

– Är det så klokt? undrade Hansson. Med tanke på vad du har varit med om.

– Om det är så klokt vet jag inte. Men jag gör nog det ändå.

Nyberg gav honom nycklarna. När Hansson och Nyberg hade

gått låste Wallander dörren. Trots att han var mycket trött och det värkte i kinden var hans uppmärksamhet skärpt. Han lyssnade på stillheten. Ingenting tycktes förändrat. Han gick in i det innersta rummet, gjorde samma sak, såg sig runt med forskande ögon. Ingenting iögonfallande, tänkte han. Men mannen hade kommit hit av ett speciellt skäl. Och han hade haft bråttom. Han kunde inte vänta. Det kunde bara finnas en förklaring. Det fanns något i ateljén som han måste hämta. Wallander satte sig vid skrivbordet. Ingen åverkan syntes på låsen. Han öppnade hurtsen, drog ut låda efter låda. Albumet låg på samma sätt som han lämnat det. Ingenting verkade saknas. Wallander försökte i huvudet räkna ut hur länge mannen hade varit inne i affären. Telefonsamtalet från Backman hade kommit fyra minuter i midnatt. Tio över tolv hade Wallander varit där. Hans samtal med Backman och telefonsamtalet till Nyberg hade inte tagit mer än några minuter. Då är klockan kvart över tolv. Nyberg kom halv ett. Under 40 minuter befann sig den okände mannen inne i ateljén. När han lämnade den hade han blivit överraskad. Det innebar att han inte hade flytt. Han hade lämnat affären eftersom han var färdig.

Färdig med vad?

Wallander såg sig runt i rummet igen, den här gången ännu mer systematiskt. Någonstans måste det finnas en förändring. Det var bara det att han inte upptäckte den. Något som var borta. Eller ditlagt, återbördat? Han gick ut i ateljén och upprepade sin granskning, till sist även i själva affärslokalen.

Ingenting. Han återvände till det innersta rummet igen. Något sa honom att det var där han borde leta. I Simon Lambergs hemliga rum. Han satte sig i stolen. Lät blicken vandra runt väggarna, över skrivbordet och bokhyllorna. Sedan reste han sig och gick in i själva framkallningsskrubben. Tände den röda lampan. Allt var som han mindes det. Den svaga doften av kemikalier. De tomma plastbaljorna, förstoringsapparaten.

Han gick fundersamt tillbaka till skrivbordet. Blev stående.

Varifrån impulsen kom var han själv inte klar över. Men han gick bort till vägghyllan där radion stod och satte på den.

Musiken var öronbedövande.

Han stirrade på radion. Volymen var densamma.

Men musiken var inte klassisk. Utan våldsam rockmusik.

Wallander var övertygad om att varken Nyberg eller någon av de andra teknikerna hade ändrat kanalinställningen. De rörde aldrig något om de inte var absolut tvungna för arbetets skull. De skulle inte ens drömma om att sätta på radion för att ha musik under arbetet.

Wallander tog upp en näsduk ur fickan och stängde av radion. Det fanns bara en möjlighet.

Det var den okände mannen som hade ändrat kanalinställningen.

Han hade bytt station.

Frågan var bara varför.

Klockan tio på förmiddagen kunde mötet i spaningsgruppen äntligen ta sin början. Förseningen berodde på att Wallander inte hade blivit klar hos tandläkaren tidigare. Nu kom han skyndande till mötet med en provisorisk lagning, en svullen kind och ett stort plåster intill hårfästet. Han hade på allvar börjat känna av sömnbristen. Men allvarligare ändå var den oro som gnagde inom honom.

Det hade nu gått drygt ett dygn sedan Hilda Waldén gjorde sin upptäckt av den döde fotografen. Wallander började mötet med att skissera en sammanfattning av spaningsläget. Han berättade sedan utförligt om det som hade inträffat under natten.

– Vem den okände mannen var och vad han ville inne i affären blir naturligtvis mycket viktigt att klara ut, slutade han. Men jag tror att vi ganska säkert kan avskriva möjligheten att det här har varit ett vanligt inbrott där tjuven förlorat kontrollen.

– Den ändrade radiokanalen är egendomlig, sa Svedberg. Kan det ha funnits nåt inne i radioapparaten?

– Den har vi undersökt, svarade Nyberg. För att öppna själva höljet måste man lossa åtta skruvar. Det har inte skett. Radion har aldrig nånsin varit öppnad sen den monterades ihop på fabriken. Lacken täckte fortfarande skruvhuvudena.

– Det finns mycket som är egendomligt, sa Wallander. Albumet med dom förvanskade bilderna ska vi inte glömma. Enligt änkan var Simon Lamberg en man som bar på många hemligheter. Jag tror att vi nu måste inrikta oss på att försöka skapa oss en bild av vem han egentligen var. Alldeles uppenbart stämmer inte ytan med det som finns där under. Den artige, tystlåtne och pedantiske fotografen måste i grund och botten ha varit nån helt annan.

– Frågan är bara vem som kan veta mer om honom, sa Martinsson. Om han nu inte har några vänner. Ingen tycks ha känt honom.

– Vi har amatörastronomerna i Lund, sa Wallander. Dom måste vi naturligtvis kontakta. Tidigare expediter. Man kan inte leva ett helt liv i en stad som Ystad utan att nån känner en. Vi har dessutom knappast ens påbörjat samtalen med Elisabeth Lamberg. Vi har med andra ord mycket att ta fatt i. Allt måste ske samtidigt.

– Jag talade med Backman, sa Svedberg. Du hade rätt i att han var vaken. När jag kom upp i lägenheten var hans fru också uppe och färdigklädd. Jag fick en känsla av att det var mitt på dagen, trots att klockan bara var fyra på morgonen. Tyvärr kunde han inte ge nåt signalement på mannen som slog ner dig. Annat än att hans jacka varit halvlång och förmodligen mörkblå.

– Kunde han inte ens avgöra mannens längd? Var han kort eller lång? Vad hade han för hårfärg?

– Det hade gått mycket fort. Backman ville bara säga det han var säker på.

– En sak vet vi i alla fall om den som slog ner mig, sa Wallander. Att han sprang betydligt fortare än vad jag gjorde. Enligt min bedömning var han av medellängd, och ganska kraftig. Dessutom hade han bättre kondition än jag. Mitt intryck av honom, även om det är mycket vagt, är att han kan ha varit i min ålder. Men också det är en uppgift som måste behandlas med stor varsamhet.

De väntade fortfarande på den första preliminära rapporten från rättsläkarstationen i Lund. Nyberg och kriminaltekniska laboratoriet i Linköping skulle ha kontakt med varandra. Det fanns ett stort antal fingeravtryck som skulle kollas mot registren.

Alla hade mycket att göra. Wallander ville därför bryta mötet så fort som möjligt. Klockan hade blivit elva när de reste sig. Wallander hade inte mer än kommit in i sitt rum när telefonen ringde. Det var Ebba ute i receptionen.

– Du har besök, sa hon. En man som heter Gunnar Larsson. Han vill tala med dig om Lamberg.

Wallander hade just bestämt sig för att göra ett nytt besök hemma hos Elisabeth Lamberg.

– Kan inte nån annan ta sig an honom?

– Han vill tala med just dig.

– Vem är han?

– Han har arbetat för Lamberg tidigare.

Wallander ändrade sig genast. Samtalet med änkan fick vänta.

– Jag kommer ut och hämtar honom, sa Wallander och reste sig.

Gunnar Larsson var i trettioårsåldern. De satte sig i Wallanders rum. Han tackade nej till erbjudandet om en kopp kaffe.

– Det var bra att du själv tog initiativet att komma hit, började Wallander. Förr eller senare hade ditt namn naturligtvis dykt upp ändå. Men på det här sättet spar vi tid.

Wallander hade slagit upp ett av sina kollegieblock.

– Jag arbetade hos Lamberg i sex år, sa Gunnar Larsson. För ungefär fyra år sen sa han upp mig. Jag tror inte han hade nån mer anställd efter det.

– Varför blev du uppsagd?

– Han påstod att han inte längre hade råd att ha nån anställd. Det tror jag också var alldeles sant. Egentligen hade jag nog väntat på det. Lambergs verksamhet var inte större än att han kunde klara av den själv. Eftersom han inte hade nån försäljning av kameror och tillbehör var inkomsterna inte överdrivet stora. I dåliga tider går människor inte heller så ofta till fotografen.

– Men du arbetade där i sex år. Det innebär att du måste ha lärt känna honom ganska väl?

– Både ja och nej.

– Låt oss börja med det första.

– Han var alltid artig och vänlig. Mot alla. Mot mig och mot kunderna. Han hade till exempel ett nästan gränslöst tålamod med barn. Han var dessutom mycket ordningsam.

Wallander hade plötsligt slagits av en tanke.

– Skulle du vilja säga att Simon Lamberg var en bra fotograf?

– Nåt originellt fanns knappast hos honom. Dom bilder han tog var konventionella. Eftersom människor vill ha konventionella bilder. Bilder som liknar alla andra. Det gjorde han bra. Han slarvade aldrig. Han var inte originell, eftersom han inte hade nåt behov av att vara det. Jag tvivlar på att han hade några konstnärliga ambitioner med sitt fotograferande. I alla fall märkte jag aldrig av några.

Wallander nickade.

– Jag får en känsla av en vänlig men ganska färglös person. Stämmer det?

– Ja.

– Låt oss då gå över till varför du tycker att du inte kände honom.

– Han var nog den mest reserverade människa jag har träffat i mitt liv.

– På vilket sätt?

– Han talade aldrig om sig själv. Eller sina känslor. Jag kan inte påminna mig att han nånsin gav uttryck för en egen upplevelse av nånting. Men i början försökte jag nog föra vanliga samtal med honom.

– Om vad då?

– Om väder och vind. Men det slutade jag snart med.

– Kommenterade han heller aldrig sånt som skedde i världen?

– Jag tror han var mycket konservativ.

– Varför tror du det?

Gunnar Larsson ryckte på axlarna.

– Jag bara tror det. Men jag tvivlar å andra sidan på att han läste några tidningar.

Där tar du fel, tänkte Wallander. Han läste tidningar. Och han visste förmodligen en hel del om olika internationella politiker. Sina åsikter förvarade han i ett fotoalbum av en sort som världen nog aldrig tidigare har skådat.

– En annan sak är också märklig, fortsatte Gunnar Larsson. Under dom sex år jag arbetade där träffade jag aldrig hans fru. Naturligtvis var jag inte heller hemma på besök i deras villa. För att överhuvudtaget få klart för mig var dom bodde gick jag förbi där en söndag.

– Du träffade alltså inte heller deras dotter?

Gunnar Larsson såg undrande på Wallander.

– Hade dom barn?

– Det visste du inte?

– Nej.

– Dom har en dotter. Matilda.

Wallander valde att inte berätta att hon var svårt handikappad. Men alldeles uppenbart visste Gunnar Larsson ingenting om att hon överhuvudtaget existerade.

Wallander lade ifrån sig pennan på bordet.

– Vad tänkte du när du fick veta vad som hade hänt?

– Det var alldeles obegripligt.

– Hade du kunnat föreställa dig att nåt skulle hända honom?

– Det kan jag fortfarande inte. Vem kan ha haft nån anledning att mörda honom?

– Det är just det vi försöker ta reda på.

Wallander märkte plötsligt att Gunnar Larsson verkade besvärad. Det var som om han inte klarade att bestämma sig för vad han skulle säga.

– Du tänker på nåt, sa Wallander försiktigt. Har jag rätt?

– Det gick en del rykten, sa Gunnar Larsson tveksamt. Rykten om att Simon Lamberg spelade.

– Spelade på vad?

– Spelade. För att vinna pengar. Nån hade sett honom på Jägersro.

– Varför skulle det gå rykten om det? Att gå på Jägersro är väl inget märkvärdigt?

– Dessutom påstods det att han regelbundet syntes till på illegala klubbar. Både i Malmö och Köpenhamn.

Wallander rynkade pannan.

– Hur har du fått reda på det här?

– Det går många rykten i en liten stad som Ystad.

Wallander visste alltför väl hur sant det påståendet var.

– Det gick rykten om att han hade stora skulder.

– Hade han det?

– Inte under den tid jag arbetade där. Det kunde jag se i bokföringen.

– Han kan naturligtvis ha haft stora privata lån? Han kan ha råkat i händerna på ockrare.

– Det kunde jag i så fall ingenting veta om.

Wallander tänkte efter.

– Rykten kommer alltid nånstans ifrån, sa han.

– Det är så länge sen nu, svarade Gunnar Larsson. Var eller när jag hörde dom där ryktena minns jag faktiskt inte.

– Kände du till det fotoalbum han hade inlåst i skrivbordet?

– Jag såg aldrig vad han hade i sitt skrivbord.

Wallander kände sig säker på att mannen på andra sidan bordet talade sanning.

– Hade du egna nycklar när du arbetade hos Lamberg?

– Ja.

– Vad hände med dom när du slutade?

– Jag lämnade naturligtvis tillbaka nycklarna.

Wallander nickade. Han kom inte längre. Simon Lamberg tycktes honom alltmer gåtfull mitt i all sin färglöshet, ju fler människor han talade med. Han noterade Gunnar Larssons telefonnummer och adress. Samtalet var över och Wallander följde honom ut i receptionen. Efteråt gick han och hämtade en kopp kaffe och återvände till sitt rum. Han stängde av telefonen. Han kunde inte minnas när han senast känt sig så villrådig. Åt vilket håll skulle de egentligen vända sig för att söka efter en lösning? Allt tycktes bestå av lösa ändar. Trots att han försökte undvika det, återvände gång på gång minnesbilden av hans eget ansikte vanställt och inklistrat i ett fotoalbum.

De lösa ändarna hängde inte ihop någonstans.

Han såg på klockan. Snart tolv. Han märkte att han var hungrig. Blåsten utanför fönstret tycktes ha tilltagit ännu mer. Han kopplade på telefonen igen. Genast ringde det. Det var Nyberg som meddelade att den tekniska undersökningen var klar och att de inte funnit något oväntat. Nu kunde Wallander undersöka även de andra rummen.

Wallander satte sig vid skrivbordet och försökte göra en sammanfattning för sig själv. I tankarna förde han ett resonemang med Rydberg och förbannade det faktum att denne var frånvarande. Vad gör jag nu? Hur ska jag komma vidare? Vi famlar runt som om vi gick i en vinglig cirkel.

Han läste igenom vad han skrivit. Försökte locka ur sammanfattningen någon dold hemlighet. Men det fanns ingen. Irriterat slängde han kollegieblocket ifrån sig.

Klockan hade blivit kvart i ett. Det klokaste han nu kunde göra var att gå och äta. Senare på eftermiddagen måste han ha ett nytt samtal med Elisabeth Lamberg.

Han insåg att han var för otålig. Trots allt hade det bara gått ett dygn sedan Simon Lamberg blivit mördad.

I hans tankar höll Rydberg med honom. Wallander visste att hans tålamod var alltför litet.

Han satte på sig jackan och gjorde sig beredd att gå.

I samma ögonblick öppnades dörren. Det var Martinsson.

Det syntes på hans ansikte att något viktigt hade hänt.

Martinsson hade stannat i dörröppningen. Wallander betraktade honom spänt.

– Vi hittade aldrig den som överföll dig i natt, sa Martinsson. Men han blev iakttagen.

Martinsson pekade på en karta över Ystad som satt på Wallanders vägg.

– Han slog ner dig i hörnet av Aulingatan och Giöddesgränd. Sen flydde han troligen vidare längs Herrestadsgatan och vek av norrut. Strax efter det att du blev nerslagen blev han iakttagen i en trädgård på Timmermansgatan som ligger alldeles i närheten.

– Hur då iakttagen?

Martinsson tog upp sitt lilla block ur fickan och bläddrade bland anteckningarna.

– Det är en ung familj som heter Simovic. Frun i huset var vaken, eftersom hon ammat sin tremånaders baby. Vid nåt tillfälle hade hon sett ut i trädgården. Då hade hon skymtat en människa där ute i skuggorna. Hon hade genast väckt sin man. Men när han kom till fönstret hade skuggan varit borta. Han hade sagt att hon inbillat sig. Hon hade tydligen blivit övertygad och gått och lagt sig sen barnet somnat. Först i dag, när hon var ute i trädgården, hade hon kommit ihåg vad som hänt. Hon hade gått bort till den plats där hon tyckte sig ha sett nån under natten. Det hör till saken att hon då också hade hört att Lamberg blivit mördad. Ystad är inte större än att också familjen Simovic låtit ta ett familjefotografi i hans ateljé.

– Men hon kan omöjligt ha hört talas om den nattliga jakten, invände Wallander. Den har vi inte informerat om.

– Det är riktigt, fortsatte Martinsson. Därför ska vi vara glada att hon överhuvudtaget hörde av sig.

– Kan hon ge oss nåt användbart signalement?

– Hon såg bara en skugga. Om ens det.

Wallander betraktade Martinsson undrande.

– Då hjälper oss knappast dom här iakttagelserna särskilt mycket?

– Också riktigt, sa Martinsson. Om det inte vore för att hon hade hittat nåt där på marken. Som hon kom hit för en stund sen och lämnade in. Och som just nu ligger på mitt bord.

Wallander följde Martinsson genom korridoren till hans rum. På skrivbordet låg en psalmbok.

Wallander såg misstroget på Martinsson.

– Den här? Var det den hon hittade?

– En psalmbok. Från Svenska kyrkan.

Wallander försökte tänka efter.

– Varför kom fru Simovic överhuvudtaget hit med den?

– Det hade skett ett mord. Hon hade upptäckt nån som rört sig på ett mystiskt sätt i hennes trädgård under natten. Först hade hon låtit sig övertygas av sin man om att det bara varit inbillning. Sen hittade hon den här psalmboken.

Wallander skakade långsamt på huvudet.

– Det behöver ju inte ha varit samme man, sa han.

– Ändå vill jag påstå att mycket talar för det. Hur många människor smyger omkring i främmande trädgårdar om nätterna i Ystad? Dessutom for nattpatrullerna omkring och letade. Jag har talat med en som var med ute i natt. Vid flera tillfällen var dom inne på Timmermansgatan. En trädgård var alltså en bra plats att gömma sig på.

Wallander insåg att Martinsson hade rätt.

– En psalmbok, sa han. Vem i helvete bär omkring på en psalmbok mitt i natten?

– Och tappar den i en trädgård efter att ha slagit ner en polis, lade Martinsson till.

– Låt Nyberg ta hand om boken, sa Wallander. Och tacka familjen Simovic för hjälpen.

När han var på väg ut från Martinssons rum kom han att tänka på en sak.

– Vem är det som har hand om tipsinlämningen?

– Hansson. Men den tycks inte ha kommit igång på allvar än.

– Om den nånsin gör det, sa Wallander tveksamt.

Wallander for ner till konditoriet vid busstorget och åt några smörgåsar. Psalmboken var ett gåtfullt fynd som lika lite som något annat på ett logiskt sätt kunde placeras in i utredningen av fotografens död. Wallander kände hur villrådig han egentligen var. De letade i blindo efter något hållbart att gå efter.

Efter besöket på konditoriet for Wallander upp till Lavendelvägen. Återigen var det Karin Fahlman som öppnade. Men den här gången låg Elisabeth Lamberg inte och vilade. Hon satt i vardagsrummet och väntade när Wallander kom in. På nytt slogs han av hennes blekhet. Han fick en känsla av att den kom någonstans inifrån och dessutom hade rötter långt tillbaka i tiden, inte bara var en reaktion på att hennes man blivit mördad.

Wallander satte sig mitt emot henne. Hon såg forskande på honom.

– Vi har fortfarande inte kommit närmare nån lösning, började Wallander.

– Jag förstår att ni gör så gott ni kan, svarade hon.

Wallander undrade hastigt för sig själv vad hon egentligen menade. Var det en dold kritik av polisens arbete? Eller menade hon det uppriktigt?

– Det här är andra gången jag besöker dig, sa han. Men vi kan nog utgå från att det inte blir den sista. Nya frågor dyker hela tiden upp.

– Jag ska naturligtvis svara så gott jag kan.

– Den här gången har jag inte bara kommit för att ställa frågor, fortsatte Wallander. Jag behöver också få möjlighet att gå igenom din mans tillhörigheter.

Hon nickade men sa ingenting.

Wallander hade bestämt sig för att gå rakt på sak.

– Hade din man några skulder?

– Inte vad jag vet. Huset var betalt. Han gjorde aldrig några nyinvesteringar i ateljén utan att veta att han kunde amortera ner lånen på kort tid.

– Kan han ha haft några lån som du inte kände till?

– Naturligtvis kan han ha haft det. Det har jag redan förklarat. Vi levde under samma tak. Men skilda liv. Och han var mycket hemlighetsfull.

Wallander grep tag i det sista hon hade sagt.

– På vilket sätt var han hemlighetsfull? Det har jag fortfarande inte riktigt lyckats förstå.

Hon såg inträngande på honom.

– Vad är en hemlighetsfull människa? Kanske man hellre bör säga att han var en sluten människa? Man visste aldrig om han verkligen menade det han sa. Eller tänkte nåt helt annat. Jag kunde stå strax intill honom och ha en känsla av att han befann sig nånstans mycket långt borta. Jag kunde aldrig avgöra om han verkligen menade det när han log. Jag kunde aldrig vara säker på vem han egentligen var.

– Det måste ha varit en svår situation, sa Wallander. Men det kan knappast alltid ha varit så?

– Han förändrades mycket. Det började redan när Matilda föddes.

– För 24 år sen?

– Kanske inte alldeles meddetsamma. Låt mig säga för 20 år sen. I början trodde jag det var sorg. Över Matildas öde. Sen visste jag inte längre. Innan det blev värre.

– Värre?

– För ungefär sju år sen.

– Vad hände då?

– Jag vet faktiskt inte.

Wallander stannade upp och gjorde ett kort återtåg.

– Om jag förstår det rätt så skedde nåt för sju år sen? Nåt som dramatiskt förändrade honom.

– Ja.

– Har du ingen aning alls om vad det var?

– Kanske. Varje vår brukade han låta expediten ta hand om affären under 14 dagar. Då deltog han i nån bussresa ner i Europa.

– Men du var inte med?

– Han ville vara ensam. Jag hade heller ingen lust. Ville jag komma bort reste jag tillsammans med mina väninnor. Åt helt andra håll.

– Vad var det alltså som hände?

– Den gången hade resan gått till Österrike. Och när han kom hem var han helt förändrad. Verkade både upprymd och sorgsen på en och samma gång. När jag försökte fråga honom fick han ett av dom få raseriutbrott jag har upplevt.

Wallander hade börjat föra anteckningar.

– När hände det här mer exakt?

– 1981. I februari eller mars. Bussresan ordnades från Stockholm. Men Simon steg på i Malmö.

– Du kan händelsevis inte påminna dig vad resebyrån hette?

– Jag tror det var Markresor. Han åkte nästan alltid med dom.

Wallander stoppade anteckningsblocket i fickan efter att ha skrivit upp namnet.

– Nu skulle jag gärna vilja se mig omkring, sa han. Framför allt naturligtvis i hans rum.

– Han hade två. Ett sovrum och ett arbetsrum.

Båda låg i souterrängplanet. Wallander kastade bara en hastig blick in i sovrummet och öppnade garderobsdörren. Hon stod bakom honom och såg på det han gjorde. Sedan fortsatte de till det rymliga arbetsrummet. Väggarna var täckta med bokhyllor. Där fanns en stor skivsamling, en väl nersutten läsfåtölj och ett stort skrivbord.

Wallander slogs plötsligt av en tanke.

– Var din man religiös? frågade han.

– Nej, svarade hon förvånat. Det kan jag inte tänka mig.

Wallander strök med blicken över bokryggarna. Där fanns skönlitteratur på flera språk. Men också fackböcker i olika ämnen. Flera hyllmeter bestod helt och hållet av litteratur om astronomi. Wallander satte sig vid skrivbordet. Nyckelknippan hade han fått av Nyberg. Han låste upp den första lådan. Lambergs hustru hade satt sig i läsfåtöljen.

– Om du vill vara i fred så går jag gärna ut, sa hon.

– Det är inte nödvändigt, svarade Wallander.

Det tog honom ett par timmar att gå igenom arbetsrummet. Hela tiden satt hon i stolen och följde honom med blicken. Han hittade ingenting som förde honom eller utredningen vidare.

Något hände på en resa till Österrike för ungefär sju år sedan, tänkte han. Frågan är bara vad.

Klockan hade blivit närmare halv sex innan han gav upp. Simon Lambergs liv tycktes ha varit hermetiskt tillslutet. Hur han än sökte hittade han inte någon ingång. De gick upp till bottenvåningen igen. Karin Fahlman rörde sig i bakgrunden. Allt var som tidigare mycket tyst.

– Hittade du vad du sökte? frågade Elisabeth Lamberg.

– Jag vet inte vad jag söker annat än en ledtråd som kan ge oss en aning om motiv och om vem som har dödat din man. Det har jag inte funnit ännu.

Wallander tog farväl och for tillbaka till polishuset. Vinden var fortfarande byig. Han frös och undrade, för vilken gång i ordningen visste han inte, när våren skulle komma.

Utanför polishuset mötte han åklagaren Per Åkeson. De gick in i receptionen. Han gav Åkeson en sammanfattning av spaningsläget.

– Ni har alltså inga direkta spår att gå efter? sa han när Wallander tystnat.

– Nej, svarade Wallander. Ännu pekar ingenting åt nåt bestämt håll. Kompassnålen snurrar vilt.

Åkeson försvann ut genom dörrarna. I korridoren stötte Wallander på Svedberg. Det var just honom han ville ha tag på. De gick in i Wallanders rum, och Svedberg satte sig i den dåliga besöksstolen. Ena armstödet hotade att lossna.

– Du borde skaffa dig en ny stol, sa han.

– Tror du det finns pengar till det?

Wallander hade sitt anteckningsblock framför sig på bordet.

– Två saker vill jag be dig om, sa han. Dels att du försöker ta reda på om det finns en resebyrå i Stockholm som heter Markresor. Simon Lamberg for med dom till Österrike i två veckor i februari eller mars 1981. Ta reda på vad du kan om den bussresan. Om du kunde gräva fram en passagerarlista efter alla dessa år vore det naturligtvis det bästa som kunde hända.

– Varför är det viktigt?

– Nåt hände under den där resan. Änkan var mycket tydlig på den punkten. Simon Lamberg var inte densamme när han kom tillbaka.

Svedberg noterade hans önskemål.

– En sak till, sa han sedan. Vi borde ta reda på var dottern finns, Matilda. Hon bor på en institution för gravt handikappade. Men vi vet inte var.

– Frågade du inte om det?

– Jag kom faktiskt inte ihåg det. Smällen i natt tog kanske hårdare än jag trodde.

– Jag ska ta reda på det, sa Svedberg och reste sig.

I dörren krockade han nästan med Hansson som var på väg in.

– Jag tror att jag har kommit på nåt, sa denne. Jag har gått och letat i minnet. Simon Lamberg hade naturligtvis aldrig några problem med rättvisan. Men ändå tyckte jag mig komma ihåg honom från nåt sammanhang.

Wallander och Svedberg väntade spänt. De visste båda att Hansson emellanåt kunde visa prov på gott minne.

– Jag kom just på vad det var, fortsatte han. För nåt år sen skrev Lamberg några brev med klagomål på polisen. Han ställde dom till Björk, fast nästan inget hade med Ystadspolisen att göra. Bland annat var han missnöjd med hur dåligt vi utredde olika våldsbrott. Ett gällde Kajsa Stenholm som misslyckats med det där fallet i Stockholm som fick sin upplösning här nere förra våren, när Bengt Alexandersson mördades. Det höll ju du i. Jag tänkte att det kanske i alla fall kan förklara att ditt ansikte var närvarande i hans konstiga fotoalbum.

Wallander nickade. Hansson kunde ha rätt. Men det förde dem ändå inte vidare.

Känslan av villrådighet var mycket stark inom honom.

De hade helt enkelt ingenting påtagligt att gå efter.

Gärningsmannen var fortfarande bara en undflyende skugga.

På mordutredningens tredje dag hade vädret slagit om. När Wallander vaknade utvilad vid halv sextiden lyste solen in i sovrummet. Termometern utanför köksfönstret visade sju plusgrader. Kanske våren nu äntligen hade kommit på allvar.

Wallander betraktade sitt ansikte i badrumsspegeln. Den vänstra kinden var svullen och blåfärgad. När han försiktigt lossade plåstret intill hårfästet började det genast blöda. Han letade reda på ett nytt plåster och satte på det. Sedan kände han med tungan på den provisoriskt lagade tanden. Fortfarande hade han inte vant sig. Han duschade och klädde sig. Berget av smutskläder gjorde att han irriterat gick ner i tvättstugan och antecknade sig för en tid medan kaffet bryggdes. Han begrep inte hur det kunde samlas så mycket smutskläder på så kort tid. Normalt var det Mona som höll i tvätten. Det högg till i honom när han tänkte på henne. Sedan satte han sig vid köksbordet och läste tidningen. Mordet på Lamberg fick stort utrymme. Björk hade uttalat sig och Wallander nickade gillande medan han läste. Han uttryckte sig väl. Sa som det var, spekulerade inte.

Kvart över sex lämnade Wallander lägenheten och körde upp till polishuset. Eftersom alla i spaningsgruppen hade mycket att göra hade de bestämt att träffas först mot slutet av arbetsdagen.

Den systematiska kartläggningen av Simon Lamberg, hans vanor, ekonomi, umgänge, förflutna krävde tid. Själv hade Wallander bestämt sig för att ta reda på om det kunde ligga något i de rykten som Gunnar Larsson hade talat om. Att Simon Lamberg skulle ha varit en man som rört sig i den illegala spelvärlden. Han hade bestämt sig för att utnyttja en gammal kontakt han hade. Han skulle resa till Malmö och tala med en man han inte hade träffat på nästan fyra år. Men han visste var han med största sannolikhet skulle kunna få tag på honom. Han gick in i receptionen, bläddrade igenom de telefonlappar som fanns där och bestämde sig för att ingenting var särskilt viktigt. Sedan fortsatte han in till Martinsson som alltid var morgontidig. Han satt framför sin dator och höll på med en sökning.

– Hur går det? frågade Wallander.

Martinsson skakade på huvudet.

– Simon Lamberg måste ha varit det närmaste en oförvitlig medborgare man kan komma, sa han. Inte en fläck, inte en parkeringsbot. Ingenting.

– Ryktena säger att han spelade, sa Wallander, dessutom illegalt, och att han hade oreglerade skulder. Det tänker jag ägna förmiddagen åt att forska i. Jag åker in till Malmö.

– Vilket väder vi har fått, sa Martinsson utan att ta blicken från skärmen.

– Ja, svarade Wallander. Det är inte utan att man kan börja hoppas igen.

Wallander for mot Malmö. Temperaturen hade stigit ytterligare. Han njöt av tanken på den förvandling som landskapet nu skulle genomgå. Men det dröjde inte många minuter förrän tankarna återvände till den mordutredning han hade ansvaret för. Fortfarande saknade de en riktning. De hade inget uppenbart motiv. Simon Lambergs död var obegriplig. En fotograf som levde ett stillsamt liv. Som hade genomgått tragedin att få en gravt handikappad dotter. Som dessutom i praktiken levde åtskild från sin hustru. Ingenting i detta talade dock för att någon skulle ha behov av att med ursinnig kraft krossa hans huvud.

Något hade dessutom inträffat på en bussresa till Österrike sju år tidigare. Något som på ett avgörande sätt hade förändrat Lamberg.

Wallander såg ut över landskapet medan han körde. Han undrade vad det var i bilden av Lamberg som han inte genomskådade. Det vilade något oskarpt över hela gestalten. Hans liv, hans karaktär var egendomligt undanglidande.

Wallander kom till Malmö strax före åtta. Han for raka vägen till parkeringshuset på baksidan av hotell Savoy. Sedan använde han sig av den direkta ingången till hotellet. Han gick in i matsalen.

Den man han sökte satt för sig själv vid ett bord längst in i lokalen. Han var fördjupad i en morgontidning. Wallander gick fram till bordet. Mannen ryckte till och såg upp.

– Kurt Wallander, sa han. Är du så hungrig att du måste åka in till Malmö för att äta frukost?

– Din logik är som vanligt egendomlig, svarade Wallander och satte sig ner.

Han hällde upp en kopp kaffe. Samtidigt tänkte han på första gången han träffade Peter Linder, den man som satt på andra sidan bordet. Det hade varit för mer än tio år sedan, vid mitten av 1970-talet. Wallander hade då precis börjat arbeta i Ystad. De hade slagit till mot en illegal spelklubb som inrättats på en enslig belägen gård utanför Hedeskoga. Det hade varit uppenbart för alla att Peter Linder var mannen bakom verksamheten. De stora vinsterna hade hamnat hos honom. Men vid den efterföljande rättegången hade Linder blivit frikänd. Ett koppel av advokater hade lyckats slå hål på det mål åklagaren hade förberett och Linder lämnade domstolen som en fri man. Ingen kom åt de pengar han hade tjänat, eftersom ingen lyckades ta reda på var de fanns. Några dagar efter frikännandet hade han överraskande kommit upp till polishuset och bett att få tala med Wallander. Han hade beklagat sig över den behandling som han tyckte sig ha blivit utsatt för av det svenska rättsväsendet. Wallander hade blivit arg.

– Alla vet att det var du som låg bakom, hade han sagt.

– Javisst var det jag, hade Peter Linder svarat. Men det lyckades åklagaren aldrig bevisa tillräckligt bra för att få mig fälld. Det innebär dessutom inte att jag har förverkat min rätt att besvära mig över dålig behandling.

Peter Linders fräckhet hade gjort Wallander stum. Under något år var han sedan försvunnen ur Wallanders liv. Men en dag hade det kommit ett anonymt brev till Wallander med tips om en annan spelklubb som fanns i Ystad. Den här gången hade de fått männen bakom verksamheten fällda. Wallander hade hela tiden vetat att det var Peter Linder som skrivit det anonyma brevet. Eftersom han vid sitt första besök av någon anledning hade meddelat Wallander att »han alltid åt frukost på Savoy«, hade Wallander sökt upp honom där. Med ett leende hade han förnekat att han skrivit brevet. Men båda hade vetat.

– Jag läser i tidningarna om att fotografer lever farligt i Ystad, sa Peter Linder.

– Inte farligare än nån annanstans.

– Och spelklubbarna?

– Tror jag att vi för närvarande är befriade ifrån.

Peter Linder log. Hans ögon var mycket blå.

– Jag kanske bör överväga att etablera mig i Ystadstrakten igen. Vad anser du?

– Vad jag tycker vet du, sa Wallander. Och kommer du tillbaka en gång till sätter vi dit dig.

Peter Linder skakade på huvudet. Han log. Det retade Wallander. Men han visade ingenting.

– Jag har faktiskt kommit hit för att tala med dig om fotografen som blivit mördad.

– Jag använder mig bara av en hovfotograf som finns här i Malmö. Han tog bilder på Sofiero under gamle kungens tid. En utmärkt fotograf.

– Du behöver bara svara på mina frågor, avbröt Wallander.

– Är det här ett förhör?

– Nej. Men jag är dum nog att tro att du kanske kan hjälpa mig. Och ännu dummare som tror att du faktiskt är beredd att göra det.

Peter Linder slog inbjudande ut med armarna.

– Simon Lamberg, fortsatte Wallander. Fotografen. Det gick rykten om honom, att han var en spelare, som satsade stort. Dessutom inblandad i illegala sammanhang. Både här och i Köpenhamn. Därtill oreglerade lån. En man djupt nere i skuldfällan. Allt enligt ryktet.

– För att ett rykte ska vara intressant måste det bestå av minst 50 procent sanning, sa Peter Linder filosofiskt. Gör det det?

– Det hoppades jag att du skulle kunna svara på. Har du hört talas om honom?

Peter Linder tänkte efter.

– Nej, sa han sedan. Och skulle bara hälften av dom där ryktena stämma så skulle jag ha vetat vem han var.

– Kan det tänkas att du av nåt skäl skulle ha missat honom?

– Nej, svarade Peter Linder. Det kan absolut inte tänkas.

– Du är med andra ord allvetande?

– Om det som rör sig i den illegala spelvärlden i södra Sverige vet jag allt. Dessutom vet jag nåt lite om klassisk filosofi och morisk arkitektur. Men därutöver nästan ingenting.

Wallander protesterade inte. Han visste att Peter Linder en gång hade gjort en häpnadsväckande rask karriär inom universitetsvärlden. Sedan hade han en dag, utan förvarning, vandrat ut ur akademierna och på kort tid etablerat sig som spelklubbsägare.

Wallander drack upp kaffet.

– Om du hör nåt så vore jag tacksam för ett av dina anonyma brev, sa han.

– Jag ska höra mig för i Köpenhamn, svarade Peter Linder. Men jag tvivlar på att jag kommer att hitta nåt att erbjuda dig.

Wallander nickade. Han reste sig hastigt. Så långt som till att ta Peter Linder i hand kunde han inte tänka sig att gå.

Vid tiotiden var Wallander tillbaka i polishuset. Några poliser drack kaffe i vårvärmen utanför. Wallander tittade in i Svedbergs rum. Han var ute. Samma med Hansson. Det var bara Martinsson som oförtrutet arbetade vidare vid sin dataskärm.

– Hur gick det i Malmö? frågade han.

– Ryktena är tyvärr inte sanna, svarade Wallander.

– Tyvärr?

– Det hade gett oss ett motiv. Spelskulder, torpeder. Allt vad vi behöver.

– Svedberg lyckades via handelsregistret ta reda på att Markresor inte existerar längre. Dom gick ihop med ett annat företag för fem år sen. Och häromåret gick det också omkull. Han trodde det skulle vara omöjligt att hitta några gamla passagerarlistor. Men han trodde det skulle vara tänkbart att spåra chauffören. Om han lever än.

– Var finns han nu?

– Jag vet inte.

– Var är Hansson och Svedberg?

– Svedberg rotar omkring i Lambergs ekonomi. Hansson pratar med grannar. Nyberg grälar med en tekniker som har slarvat bort ett fotavtryck.

– Kan man verkligen tappa bort ett avtryck av en fot?

– Man kan ju mista en psalmbok i en trädgård.

Martinsson har rätt, tänkte Wallander. Allt kan tappas bort.

– Har det kommit in några tips? frågade han sedan.

– Ingenting annat än familjen Simovic med psalmboken. Plus en del som kan avskrivas på en gång. Men det kan ju komma mer. Folk brukar ta lite tid på sig.

– Bankdirektör Backman?

– Pålitlig. Men hade inte sett nåt mer än det vi redan vet.

– Och städerskan? Hilda Waldén?

– Ingenting där heller.

Wallander lutade sig mot dörrposten.

– Vem fan är det som har slagit ihjäl honom? Vad kan han ha haft för motiv?

– Vem byter kanal på radion? sa Martinsson. Och vem springer runt på stan mitt i natten med en psalmbok i fickan?

Frågorna förblev tills vidare obesvarade. Wallander gick in till sitt rum. Han kände sig rastlös och orolig. Mötet med Peter Linder hade inneburit att de inte kunde hoppas på att finna lösningen på mordet någonstans i den illegala spelvärlden. Vad återstod? Wallander satte sig vid skrivbordet och försökte göra en ny sammanfattning för sig själv. Det tog honom över en timme. Han läste igenom det han skrivit. Mer och mer lutade han åt att den man som hade dödat Lamberg måste ha blivit insläppt i affären. Med säkerhet hade det varit någon som Lamberg kände och hade förtroende för. Någon som sannolikt inte ens hans änka visste vem det var. Han blev avbruten i sina tankar av att Svedberg knackade på dörren.

– Gissa var jag har varit, sa han.

Wallander skakade på huvudet. Han var inte på humör för gissningar.

– Matilda Lamberg vistas på ett vårdhem strax utanför Rydsgård, sa han. Eftersom det var så nära tänkte jag att jag lika gärna kunde åka dit.

– Du har alltså träffat Matilda?

Svedberg blev genast allvarlig.

– Det var förfärligt, sa han. Hon är oförmögen till allt.

– Du behöver inte berätta, sa Wallander. Jag tror jag förstår ändå.

– Det hände nåt egendomligt, fortsatte Svedberg. Jag talade med föreståndarinnan. En vänlig kvinna som är en av dessa tysta hjältinnor som finns i vår värld. Jag frågade henne hur ofta Simon Lamberg kom på besök.

– Vad svarade hon?

– Han hade aldrig varit där. Inte en enda gång. Under alla dessa år.

Wallander sa ingenting. Han kände sig illa berörd.

– Elisabeth Lamberg brukade komma en gång i veckan. Oftast på lördagarna. Men det var inte det som var egendomligt.

– Utan vad då?

– Föreståndarinnan sa att det också kom en annan kvinna på besök. Oregelbundet. Men hon dök upp ibland. Ingen visste vad hon hette. Ingen visste vem hon var.

Wallander rynkade pannan.

En okänd kvinna.

Plötsligt var känslan mycket stark. Han visste inte var den kom ifrån. Men han var ändå övertygad. Här hade de äntligen fått upp ett spår.

– Bra, sa han. Mycket bra. Försök samla ihop folk till ett möte.

Klockan halv tolv hade Wallander spaningsgruppen runt sig. De kom från olika håll och alla tycktes fulla av den nya energi som utgick från det vackra vädret. Wallander hade just innan mötet fått ett preliminärt utlåtande från rättsläkaren. Simon Lamberg kunde antas ha dött någon gång före midnatt. Slaget mot bakhuvudet hade utdelats med stor kraft och varit omedelbart dödande. Eftersom man i krossåret funnit metallflagor som mycket lätt kunnat identifieras som en mässingslegering, kunde man nu också börja försöka föreställa sig mordvapnet. En mässingsstatyett eller något ditåt. Wallander hade genast ringt Hilda Waldén och frågat om det funnits något mässingsföremål i ateljén. Hennes svar hade varit nekande. Wallander hade fått det besked han önskade. Mannen som kommit för att döda Simon Lamberg hade haft mordvapnet med sig. Det i sin tur innebar att mordet varit planerat. Det var ingenting som hade uppstått ur ett gräl eller någon annan plötslig impuls.

I spaningsgruppen var detta ett viktigt konstaterande. De visste nu att de letade efter en gärningsman som hade handlat överlagt. Varför han hade återkommit visste de dock inte. Det troligaste var att han hade glömt något. Men Wallander kunde inte komma ifrån tanken att det kanske fanns någon annan orsak, som de ännu inte upptäckt.

– Vad skulle det vara? frågade Hansson. Om han inte hade glömt nåt? Kom han för att lägga dit nåt?

– Vilket i sin tur också kan tyda på glömska, sa Martinsson.

De gick långsamt och metodiskt igenom allt som de dittills lyckats kartlägga. Det mesta var dock ännu mycket oklart. De väntade på många svar, eller hade själva ännu inte lyckats samordna olika informationer. Men Wallander ville redan nu ha allting på bordet. Han visste av erfarenhet att de olika poliserna i en spaningsgrupp behövde få tillgång till samma information samtidigt. En av hans egna värsta polisiära synder var att han ofta höll saker för sig själv. Med åren hade han dock lyckats bättra sig något.

– Fingrar och skor har vi ganska många av, sa Nyberg när Wallander som vanligt börjat med att ge honom ordet. Vi har dessutom en bra tumme på psalmboken. Om den passar med nåt av avtrycken vi tagit inne i ateljén vet jag inte än.

– Kan man säga nåt om psalmboken? undrade Wallander.

– Den ger intryck av att vara välanvänd. Men det finns inget namn i den. Inte heller nån stämpel som visar att den tillhör nån viss kyrka eller församling.

Wallander nickade och såg på Hansson.

– Vi är inte riktigt färdiga med grannarna än, började denne. Men ingen vi hittills talat med har hört eller sett nåt ovanligt. Inget nattligt tumult inne i ateljén. Ingenting ute på gatan. Ingen kan heller påminna sig ha sett nån som rört sig utanför butiken på ett uppseendeväckande sätt den kvällen eller tidigare. Alla bedyrar dessutom att Simon Lamberg var en älskvärd människa. Men reserverad.

– Har det flutit in några andra tips?

– Det kommer hela tiden per telefon. Men ingenting som omedelbart verkar intressant.

Wallander frågade om de brev som Lamberg hade skrivit, där han klagat på polisens arbete.

– Dom finns på centralt håll nånstans i Stockholm. Man håller på att plocka fram dom. Det var ju bara ett som marginellt rörde vårt distrikt.

– Jag har svårt att värdera det där albumet, sa Wallander. Om det är viktigt eller inte. Det kan förstås bero på att jag själv fanns med. I början tyckte jag det var obehagligt. Nu vet jag inte längre.

– Andra sitter hemma vid sina köksbord och utformar nidskrifter om olika makthavare, sa Martinsson. Simon Lamberg var fotograf. Han skrev inte. Framkallningsrummet var hans symboliska köksbord.

– Du kan ha rätt. Vi får återkomma när vi förhoppningsvis vet mer.

– Lamberg var en sammansatt person, sa Svedberg. Vänlig och tillbakadragen. Men också nåt annat. Det är bara det att vi inte kan formulera vad detta andra egentligen innebär.

– Inte än, sa Wallander. Men bilden kommer att klarna. Det gör den alltid.

Wallander berättade sedan själv om sitt besök i Malmö och samtalet med Peter Linder.

– Jag tror vi kan avskriva ryktena om Lamberg som spelare, slutade han. Det verkar inte ha varit nåt annat än just rykten.

– Jag förstår inte att du kan ha nåt förtroende för vad den mannen säger, invände Martinsson.

– Han är klok nog att veta när han ska tala sanning, sa Wallander. Han är klok nog att inte ljuga i onödan.

Sedan var det Svedbergs tur. Han talade om resebyrån i Stockholm som inte längre fanns, men han menade bestämt att det skulle vara möjligt att lokalisera den chaufför som kört resan till Österrike i mars 1981.

– Markresor använde sig av ett bussbolag i Alvesta, sa han. Och det företaget finns i alla fall kvar. Det har jag tagit reda på.

– Kan det verkligen vara viktigt? frågade Hansson.

– Kanske, svarade Wallander. Eller kanske inte. Men Elisabeth Lamberg var bestämd. Hennes man hade varit mycket förändrad när han kom tillbaka.

– Han kanske hade blivit förälskad, föreslog Hansson. Är det inte sånt som händer på charterresor?

– Till exempel det, sa Wallander och undrade hastigt om något sådant hänt Mona på Kanarieöarna året innan.

Han vände sig till Svedberg igen.

– Ta reda på chauffören. Det kan hända att det ger oss nåt.

Svedberg berättade sedan om sitt besök hos Matilda Lamberg. En känsla av beklämning spred sig i rummet när de fick veta att Simon Lamberg aldrig någonsin hade besökt sin handikappade dotter. Att en okänd kvinna då och då hade kommit på besök möttes av mindre intresse. Wallander var dock fortfarande övertygad om att det kunde vara ett spår. Han hade inga tankar om på vilket sätt hon kunde passa in i bilden. Men han tänkte inte släppa henne förrän han visste vem hon var.

Till sist gick de igenom den allmänna bilden av Simon Lamberg. För varje steg de tog förstärktes intrycket av en man som levt ett välordnat liv. Det fanns inga mörka fläckar vare sig i hans ekonomi eller någon annanstans i hans medborgerliga existens. Wallander påminde om att någon snarast borde göra ett besök hos den förening för amatörastronomer i Lund där Lamberg varit medlem. Hansson åtog sig det.

Martinsson höll på med sina datasökningar. Han kunde bara bekräfta sina tidigare iakttagelser. Att Simon Lamberg aldrig hade haft något med polisen att göra.

Klockan hade blivit över ett. Wallander avslutade mötet.

– Det är här vi befinner oss, sa han. Vi har fortfarande inget motiv, eller nån klar indikation på vem gärningsmannen kan vara. Det viktigaste är dock att vi nu kan vara säkra på att det hela var planerat. Mördaren hade sitt vapen med sig. Det gör att vi kan stryka alla tidigare funderingar på att det var ett inbrott som slog fel.

Var och en gick till sitt. Wallander hade bestämt sig för att resa ut till det vårdhem där Matilda Lamberg fanns. Han gruvade sig redan över vad han skulle komma att möta. Sjukdom, lidande och livslånga handikapp var något som Wallander aldrig hade klarat särskilt bra att konfronteras med. Men han ville veta mer om den okända kvinnan. Han lämnade Ystad och körde Svartevägen mot Rydsgård. Havet lockade på hans vänstra sida. Han vevade ner rutan och körde långsamt.

Plötsligt började han tänka på Linda, sin 18-åriga dotter. Just nu befann hon sig i Stockholm. Hon vacklade mellan olika tankar om vad hon skulle ägna sin framtid åt. Tapetserare eller sjukgymnast, eller till och med skådespelare. Hon bodde tillsammans med en väninna i en andrahandslägenhet på Kungsholmen. Riktigt vad hon levde av hade Wallander inte helt klart för sig. Men han visste att hon då och då serverade på olika restauranger. När hon inte befann sig i Stockholm bodde hon hos Mona i Malmö. Och då kom hon ofta men oregelbundet till Ystad och hälsade på honom.

Han märkte att han blev orolig. Samtidigt fanns det så mycket i hennes karaktär som han tyckte sig sakna för egen del. Innerst inne tvivlade han inte på att hon skulle klara att staka ut en väg i livet. Men oron fanns där ändå. Den kunde han inte göra något åt.

Wallander stannade till i Rydsgård och åt en sen lunch på Gästgivargården. Fläskkotletter. Vid bordet bakom honom pågick en högljudd diskussion mellan några lantbrukare om fördelar och nackdelar med en ny typ av gödselspridare. Wallander åt. Försökte koncentrera sig helt på maten. Det var något som Rydberg hade lärt honom. När han åt skulle han bara tänka på det som låg på tallriken. Efteråt skulle han känna det som om huvudet hade vädrats ut, som ett hus som öppnats efter att ha stått tillbommat länge.

Vårdhemmet låg i närheten av Rynge. Wallander följde Svedbergs vägbeskrivning och hade inga svårigheter att hitta rätt.

Hon var ute i trädgården när han kom. Hon stod böjd över en av rabatterna och när han lyssnade över staketet tyckte han sig kunna höra att hon nynnade. Djupare eller långvarigare tycktes inte sorgen eller förlusten av hennes man vara. När Wallander öppnade grinden hörde hon honom och rätade på ryggen. Hon hade en liten spade i handen. Hon kisade i solljuset.

– Jag är ledsen att jag kommer tillbaka och stör redan nu, sa Wallander. Men jag har en fråga som inte kan vänta.

Hon lade ifrån sig spaden i en korg som stod vid hennes sida.

– Ska vi gå in?

– Det är inte nödvändigt.

Hon pekade på några fällstolar som stod intill. De satte sig.

– Jag har talat med föreståndarinnan på det vårdhem där Matilda befinner sig, började Wallander. Jag åkte dit.

– Träffade du Matilda?

– Jag hade tyvärr mycket ont om tid.

Han ville inte säga som det var. Att det för honom var en nästan oöverstiglig svårighet att konfronteras med gravt handikappade människor.

– Vi talade om den okända kvinna som brukat besöka henne.

Elisabeth Lamberg hade satt på sig ett par mörka solglasögon. Han kunde inte nå hennes blick.

– När vi talade om Matilda förra gången sa du aldrig nåt om den här kvinnan. Det förvånar mig. Det gör mig nyfiken. Det förefaller mig dessutom egendomligt.

– Jag trodde inte att det var viktigt.

Wallander tvekade om hur hårt eller direkt han kunde gå fram. Trots allt hade hennes man blivit brutalt mördad bara några dagar tidigare.

– Det är inte så att du vet vem den där kvinnan är? Men att du av nåt skäl inte vill tala om henne?

Hon tog av sig solglasögonen och såg på honom.

– Jag vet inte vem hon är. Jag har försökt ta reda på det. Men jag har inte lyckats.

Han svängde in på gårdsplanen och steg ur bilen. Anläggningen bestod av en blandning av gamla och nybyggda hus. Han gick in genom huvudentrén. Någonstans ifrån hördes ett gällt skratt. En kvinna höll på att vattna blommor. Wallander gick fram till henne och bad att få tala med föreståndarinnan.

– Det är jag, sa kvinnan och log. Jag heter Margareta Johansson. Och vem du är vet jag redan. Så ofta som man har sett dig i tidningarna.

Hon fortsatte att vattna blommorna. Wallander försökte att inte låtsas om hennes kommentar om honom.

– Ibland måste det vara förfärligt att vara polis, fortsatte hon.

– Det kan jag hålla med om, svarade Wallander. Men jag skulle nog heller inte vilja leva i det här landet om det inte fanns några poliser.

– Det är säkert rätt, sa hon och ställde ifrån sig vattenkannan. Jag antar att du har kommit hit på grund av Matilda Lamberg?

– Egentligen inte för hennes skull. Utan för den kvinna som brukar besöka henne. Hon som inte är hennes mor.

Margareta Johansson såg på honom. Ett hastigt stråk av oro drog över hennes ansikte.

– Har hon nåt med mordet på pappan att göra?

– Det är knappast troligt. Men jag undrar ändå över vem hon är.

Margareta Johansson pekade på en halvöppen dörr till ett kontorsrum.

– Vi kan sätta oss där inne.

Hon frågade om Wallander ville ha kaffe. Han tackade nej.

– Matilda får inte många besök, sa hon. När jag kom hit för 14 år sen hade hon redan varit här i sex år. Det var bara hennes mamma som hälsade på. Kanske nån annan släkting vid sällsynta tillfällen. Matilda märker ju knappast om hon får besök. Hon är blind och hör dåligt och hon reagerar inte på mycket som händer omkring henne. Men vi vill ändå att dom som vistas här i många år, kanske hela livet, ska få besök. Kanske det ytterst handlar om en känsla av att dom trots allt hör till? I den stora gemenskapen.

– När började den här kvinnan komma på besök?

Margareta Johansson tänkte efter.

– För sju, åtta år sen.

– Hur ofta kommer hon?

– Det har alltid varit mycket oregelbundet. Ibland har det gått ett halvår mellan gångerna.

– Och hon har aldrig sagt sitt namn?

– Aldrig. Bara att hon kommit för att besöka Matilda.

– Jag antar att du har berättat det här för Elisabeth Lamberg?

– Ja.

– Hur har hon reagerat?

– Med förvåning. Hon har också frågat vem kvinnan är. Bett oss ringa och säga till så fort hon har kommit hit. Problemet är bara att den här kvinnans besök alltid varit mycket korta. Elisabeth Lamberg har aldrig hunnit fram innan hon varit borta igen.

– Hur har hon kommit hit?

– Med bil.

– Som hon har kört själv?

– Det har jag faktiskt aldrig tänkt på. Kanske har det suttit nån annan i bilen. Som ingen har lagt märke till.

– Jag antar att det inte heller finns nån som sett vilken typ av bil det har varit? Eller till och med lagt registreringsnumret på minnet?

Margareta Johansson skakade på huvudet.

– Kan du beskriva kvinnan för mig?

– Hon är mellan 40 och 50 år gammal. Smal, inte särskilt lång. Enkelt men smakfullt klädd. Ljust, kortklippt hår. Osminkat ansikte.

Wallander antecknade.

– Är det nåt annat som du lagt märke till hos henne?

– Nej.

Wallander reste sig.

– Vill du inte träffa Matilda? frågade hon.

– Jag hinner tyvärr inte, svarade Wallander undvikande. Men jag kommer sannolikt hit igen. Och jag vill att du genast ringer till polisen i Ystad om den där kvinnan kommer tillbaka. När var hon här senast?

– För ett par månader sen.

Hon följde honom ut på gårdsplanen. Ett vårdbiträde kom förbi med en rullstol. Där skymtade Wallander en förkrympt ung pojke under en filt.

– Alla mår bättre när våren kommer, sa Margareta Johansson. Det märks till och med på våra patienter som ofta är helt instängda i sina egna världar.

Wallander tog adjö och gick till sin bil. Han hade just startat motorn när telefonen ringde inne på Margareta Johanssons expedition. Hon ropade att det var Svedberg. Wallander gick in och tog luren.

– Jag har fått tag på chauffören, sa Svedberg. Det gick lättare än jag vågat hoppas på. Han heter Anton Eklund.

– Bra, sa Wallander.

– Det blir ännu bättre. Gissa vad han berättade? Att han brukade spara passagerarlistorna från sina resor. Och att han har fotografier från den här resan.

– Tagna av Simon Lamberg?

– Hur kunde du veta det?

– Jag gjorde som du bad mig. Jag gissade.

– Han bor dessutom i Trelleborg. Numera är han pensionär. Men vi var välkomna att besöka honom.

– Det ska vi absolut göra. Så fort som möjligt.

Men innan dess hade Wallander ett annat besök att tänka på. Ett som inte kunde vänta.

Från Rynge tänkte han åka raka vägen till Elisabeth Lamberg. Han hade en fråga han genast ville ha svar på.

– Vad har du gjort för att få reda på det?

– Det enda jag har kunnat. Bett personalen att ringa så fort hon kommit dit. Det har dom också gjort. Men jag har aldrig hunnit fram i tid.

– Du kunde naturligtvis också ha bett personalen att inte släppa in henne? Eller gett besked om att hon inte fick besöka Matilda utan att uppge sitt namn?

Elisabeth Lamberg såg undrande på honom.

– Hon sa sitt namn. Första gången hon var där. Berättade inte föreståndarinnan det?

– Nej.

– Hon hade presenterat sig som Siv Stigberg. Och sagt att hon bodde i Lund. Men det finns ingen person med det namnet där. Det har jag undersökt. Jag har letat igenom telefonkataloger över hela landet. Det finns en Siv Stigberg i Kramfors. Och en annan i Motala. Jag har till och med varit i kontakt med dom. Ingen av dom begrep vad jag talade om.

– Hon uppgav alltså falskt namn? Det var därför Margareta Johansson inte sa nånting.

– Ja. På nåt annat sätt kan jag inte förstå det.

Wallander tänkte efter. Han trodde nu att hon talade sanning.

– Det hela är mycket märkligt. Jag förstår fortfarande inte varför du inte berättade det här redan från början.

– Jag inser nu att jag borde ha gjort det.

– Du måste ha grubblat över vem hon är? Varför hon gjort dom här besöken?

– Naturligtvis har jag gjort det. Det var också därför jag sa till föreståndarinnan att hon skulle få lov att fortsätta att besöka Matilda. En dag skulle jag hinna fram i tid.

– Vad gör hon när hon är där?

– Hon stannar bara en kort stund. Ser på Matilda. Men hon säger aldrig nånting. Trots att Matilda uppfattar när man talar till henne.

– Frågade du aldrig din man om henne?

Hennes röst var fylld med bitterhet när hon svarade.

– Varför skulle jag ha gjort det? Han intresserade sig inte för Matilda. Hon var en människa som inte fanns.

Wallander reste sig ur fällstolen.

– Jag har ändå fått svar på min fråga, sa han.

Han for raka vägen till polishuset. En känsla av att det var bråttom var plötsligt mycket stark inom honom. Det hade redan blivit sen eftermiddag. Svedberg fanns på sitt rum.

– Då åker vi till Trelleborg, sa han i dörren. Har du chaufförens adress?

– Anton Eklund bor i en lägenhet mitt inne i stan.

– Det är kanske bäst att du ringer och hör om han är hemma?

Svedberg letade reda på telefonnumret. Eklund svarade nästan genast.

– Vi är välkomna, sa Svedberg när han hade avslutat det korta samtalet.

De for i hans bil som var bättre än Wallanders. Han körde fort och bestämt. För andra gången denna dag färdades Wallander längs Strandvägen västerut. Wallander berättade om sitt besök på vårdhemmet och hos Elisabeth Lamberg.

– Jag kommer inte ifrån känslan av att den där kvinnan är viktig, sa han. Och att hon definitivt har med Simon Lamberg att göra.

De for vidare under tystnad. Wallander njöt frånvarande av utsikten. För ett ögonblick slumrade han också till. Det gjorde inte längre ont i kinden även om den fortfarande var missfärgad. Tungspetsen hade också börjat vänja sig vid den provisoriska lagningen.

Svedberg behövde bara fråga en gång för att hitta till Anton Eklunds adress i Trelleborg. Det var ett rött flervånings tegelhus mitt i centrum. Eklund bodde på första våningen. Han hade sett dem komma och väntade med öppen dörr. Han var en storvuxen man med grått hårsvall. När han tog Wallander i hand kramade han så hårt att det nästan gjorde ont. Han bjöd dem att stiga in i den lilla lägenheten. Kaffe var framdukat. Wallander fick genast ett intryck av att Eklund bodde för sig själv i lägenheten. Den var välstädad men gav honom ändå en känsla av att där levde en ensam man. Han fick sin tanke bekräftad så fort de hade satt sig ner.

– Jag blev ensam för tre år sen, sa han. Min hustru dog. Det var då jag flyttade hit. Ett enda år fick vi tillsammans som pensionärer. En morgon låg hon död i sängen.

Ingen av dem sa någonting. Det fanns heller ingenting att säga. Eklund lyfte upp fatet med kaffebröd. Wallander tog en bit sockerkaka.

– I mars 1981 kör du en bussresa till Österrike, började han. Markresor är arrangör. Du utgår från Norra Bantorget i Stockholm och slutmålet är Österrike.

– Vi skulle till Salzburg och Wien. 32 passagerare, en reseledare och jag. Bussen var en Scania, alldeles ny.

– Jag trodde bussresorna till kontinenten tog slut på 60-talet, sa Svedberg.

– Det gjorde dom också, sa Eklund. Men dom kom tillbaka. Markresor kan tyckas vara ett dumt namn på en resebyrå. Men dom tänkte rätt. Det fanns en grupp människor som absolut inte ville upp i luften och slungas till ett avläget semestermål. Det fanns människor som verkligen ville resa. Och då får man hålla sig kvar på marken.

– Jag har förstått det så att du sparade dina passagerarlistor, sa Wallander.

– Det blev en mani, sa Eklund. Jag bläddrar i dom ibland. Många av passagerarna minns man inte alls. Andra namn framkallar olika minnen. Dom flesta goda, en del vill man kanske helst glömma.

Han reste sig och hämtade ett plastfodral som låg på en hylla. Han räckte det till Wallander. Där fanns en lista med 32 namn. Nästan genast upptäckte han namnet Lamberg. Han gick långsamt igenom de övriga namnen. Inget hade hittills varit synligt i utredningen. Av de 32 passagerarna kom mer än hälften från Mellansverige. Där fanns vidare ett par från Härnösand, en kvinna från Luleå samt sju personer från södra Sverige. Från Halmstad, Eslöv och Lund. Wallander räckte över listan till Svedberg.

– Du sa att du hade fotografier från resan? Som Lamberg hade tagit?

– Eftersom han var fotograf utnämndes han till resans hovleverantör. Han tog nästan alla bilder. Dom som ville ha kopior antecknade sig på en lista. Alla fick vad dom hade beställt. Han höll det han hade lovat.

Eklund lyfte på en tidning. Där under låg ett kuvert med fotografier.

– Jag fick den här bunten gratis av Lamberg. Det var han själv som plockat ihop dom. Det är inte jag som valt ut dom.

Wallander bläddrade långsamt igenom högen. Det var sammanlagt nitton bilder. Han anade redan att Lamberg inte skulle vara synlig, eftersom det var han som stått bakom kameran. Men på den näst sista bilden fanns han med på en gruppbild. På baksidan var antecknat att bilden tagits på en rastplats mellan Salzburg och Wien. Även Eklund var med. Wallander antog att Lamberg hade använt självutlösare. Han gick igenom bilderna ännu en gång. Studerade detaljer och ansikten. Plötsligt märkte han att ett kvinnoansikte dök upp gång på gång. Hon såg alltid rakt in i kameran. Och hon log. När Wallander betraktade hennes ansikte fick han en känsla av att det var något bekant med det, utan att han kunde säga vad det var.

Han bad Svedberg se på bilderna.

– Vad minns du av Lamberg från den där resan?

– Till en början la jag inte mycket märke till honom. Men sen blev det ju betydligt mer dramatiskt.

Svedberg såg hastigt upp från bilderna.

– På vilket sätt? frågade Wallander.

– Man kanske inte ska tala om sånt här, sa Eklund tveksamt.

Nu när han är död. Men han fick ihop det med en av damerna som var med på resan. Och det var inte alldeles enkelt.

– Varför inte?

– Därför att hon var gift. Och hennes man var med.

Wallander lät svaret långsamt sjunka in.

– Det var en sak till, sa Eklund. Som nog inte gjorde saken bättre.

– Vad var det?

– Det var en prästfru. Mannen var präst.

Eklund pekade ut honom för dem på en av bilderna. Psalmboken flimrade förbi i Wallanders huvud. Han kände att han blev svettig. Han kastade en blick på Svedberg. Han fick en känsla av att denne gjort samma reflexion som han själv.

Wallander grep bunten med bilder. Tog fram ett där den okända kvinnan log mot kameran.

– Är det hon? frågade han.

Eklund såg på bilden och nickade.

– Det är hon. Kan man tänka sig. En prästfru från en församling utanför Lund.

Wallander såg på Svedberg igen.

– Hur slutade det hela?

– Det vet jag inte. Och jag är inte ens säker på att prästen upptäckte vad som pågick bakom hans rygg. På mig gav han intryck av att vara väldigt världsfrånvänd. Men hela situationen under resan var mycket olustig.

Wallander såg på bilden av kvinnan. Plötsligt visste han vem hon var.

– Vad hette den här prästfamiljen?

– Wislander. Han hette Anders och hon Louise.

Svedberg studerade passagerarlistan och skrev upp deras adress.

– Vi skulle behöva låna med oss dom här bilderna, sa Wallander. Du får naturligtvis tillbaka dom.

Eklund nickade.

– Jag hoppas jag inte har sagt för mycket, sa han.

– Tvärtom. Du har varit till stor hjälp.

De tog avsked, tackade för kaffet och gick ut på gatan.

– Den här kvinnan stämmer överens med beskrivningen av kvinnan som besöker Matilda Lamberg, sa Wallander. Jag vill ha en bekräftelse nu genast på att det verkligen är hon. Varför hon besöker Matilda vet jag inte. Men det får bli en senare fråga.

De skyndade till bilen och lämnade Trelleborg. Innan de for ringde dock Wallander till Ystad från en telefonkiosk och fick efter visst besvär tag på Martinsson. Han förklarade hastigt vad som hade hänt och bad Martinsson ta reda på om Anders Wislander fortfarande var präst i någon församling utanför Lund.

De skulle komma in till polishuset så fort de hade varit i Rynge.

– Tror du att det kan vara hon? frågade Svedberg efteråt.

Wallander satt länge tyst innan han svarade.

– Nej, sa han sedan. Men det skulle kanske kunna vara han.

Svedberg kastade en blick på honom.

– En präst?

Wallander nickade.

– Varför inte? Präster är präster. Men ändå bara människor. Visst kan det vara en präst. Finns det förresten inte många mässingsföremål i en kyrka?

De stannade till helt kort i Rynge. Föreståndarinnan kunde genast identifiera den okända kvinnan på den bild Wallander visade fram. Sedan fortsatte de till polishuset i Ystad och gick raka vägen in till Martinsson. Där fanns också Hansson.

– Anders Wislander är fortfarande präst utanför Lund, sa Martinsson. Men just nu är han sjukskriven.

– Varför det? frågade Wallander.

– På grund av en personlig tragedi.

Wallander såg forskande på honom.

– Vad är det som har hänt?

– Hans fru dog för drygt en månad sen.

Det blev tyst i rummet.

Wallander höll andan. Han visste ingenting med bestämdhet. Ändå kände han sig nu säker. De skulle finna lösningen, eller åtminstone en del av den, hos prästen Anders Wislander i Lund. Nu anade han ett sammanhang.

Wallander tog med sig sina kollegor in i sammanträdesrummet. Någonstans ifrån hade också Nyberg kommit. Wallander var under mötet mycket bestämd i sin uppfattning. Tills vidare skulle allt annat bli liggande. Nu gällde en total koncentration på Anders Wislander och hans döda hustru. Under kvällen försökte de ta reda på så mycket som möjligt om de två. Wallander hade begärt att de skulle gå försiktigt fram, vara så diskreta som möjligt. När Hansson hade föreslagit att de redan samma kväll skulle kontakta Wislander hade Wallander varit bestämt avvisande. Det kunde vänta till dagen efter. Nu skulle de först se till att de hade så mycket som möjligt på fötterna.

Det var i och för sig inte mycket de kunde få klarlagt. Snarare handlade det om att gå igenom det de redan visste och lade Anders och Louise Wislander som ett raster över de kända omständigheterna kring Simon Lambergs död.

En hel del kunde de trots allt konstatera. Svedberg lyckades med hjälp av en journalist han kände leta reda på en nekrolog över Louise Wislander i Sydsvenska Dagbladet. Där framgick att hon varit 47 år när hon dog. »Efter långt och tåligt buret lidande«, stod det i nekrologen. De diskuterade fram och tillbaka vad det egentligen betydde. Hon hade dock knappast begått självmord. Kanske hade det varit cancer. I en dödsannons såg de att det fanns två barn bland de sörjande. De diskuterade länge och ingående om de redan nu skulle ta kontakt med kollegorna i Lund. Wallander var först tveksam men sedan alltmer bestämd. Det var för tidigt.

Strax efter åtta på kvällen bad han Nyberg att göra något som normalt inte tillhörde hans arbetsuppgifter. Men Wallander vände sig till honom, eftersom han tyckte att han behövde de andra kollegorna runt sig. Nyberg skulle ta reda på om Wislanders hemadress gick till en villa eller en lägenhet. Nyberg försvann. De satte sig för att ha en förnyad genomgång. Någonstans ifrån hade pizza blivit beställd. Medan de åt försökte Wallander ställa samman en bild där Anders Wislander var gärningsmannen.

Invändningarna var många. Den påstådda kärlekshistorien mellan Simon Lamberg och Louise Wislander låg många år tillbaka i tiden. Dessutom var hon död. Varför skulle Anders Wislander reagera först nu? Fanns det överhuvudtaget något som talade för att han kunde vara en våldsman? Wallander insåg att alla dessa invändningar hade fog för sig. Han vacklade själv utan att dock ge upp sin övertygelse om att de trots allt befann sig nära en lösning.

– Det enda vi ska göra är att tala med Wislander, sa han. Och det ska vi göra i morgon. Sen får vi se.

Nyberg kom tillbaka. Han kunde då meddela att Wislander bodde i en villa som tillhörde Svenska kyrkan. Eftersom han var sjukskriven antog Wallander att de skulle finna honom i bostaden. Innan de skildes på kvällen bestämde han sig för att ta med Martinsson nästa dag. Fler än två behövde de inte vara.

Vid midnatt körde han hem genom vårnatten. Tog vägen förbi Sankta Gertruds torg. Allt var mycket stilla. En känsla av tristess och trötthet drog förbi inom honom. Världen tycktes för ett ögonblick bara bestå av sjukdom och död. Och tomheten efter Mona. Men sedan tänkte han på att våren nu hade kommit. Han ruskade av sig olusten. Dagen efter skulle de träffa Wislander. Då skulle det visa sig om de kommit närmare lösningen eller inte.

Han satt uppe länge. Tänkte att han hade lust att ringa både till Linda och till Mona. Vid ett-tiden på natten kokade han några ägg som han åt stående vid diskbänken. Innan han gick till sängs betraktade han sitt ansikte i badrummets spegel. Kinden var fortfarande missfärgad. Han upptäckte också att han borde klippa sig.

Under natten sov han oroligt. Redan klockan fem steg han upp. Medan han väntade på att Martinsson skulle komma sorterade han berget av smutskläder och dammsög lägenheten. Han drack flera koppar kaffe och ställde sig ofta vid köksfönstret och tänkte på nytt igenom alla omständigheter kring Simon Lambergs död.

Klockan åtta gick han ner på gatan och väntade. Det skulle bli ännu en vacker vårdag. Martinsson var som vanligt punktlig. Wallander satte sig i bilen. De for mot Lund.

– Jag har för en gångs skull sovit dåligt, sa Martinsson. Det brukar jag inte göra. Men det var som om jag fick föraningar i går kväll.

– Föraningar om vad då?

– Jag vet inte.

– Det är säkert bara vårkänslor.

Martinsson kastade en blick på honom.

– Vad för sorts vårkänslor?

Wallander svarade inte. Muttrade bara något ohörbart.

De kom till Lund strax före halv tio. Martinsson hade som vanligt kört ryckigt och okoncentrerat. Men han hade tydligen lagt in vägbeskrivningen i sitt huvud. Han kom rakt på gatan i villakvarteret där Wislander bodde. De körde förbi huset som hade nummer 19 och parkerade bilen utom synhåll.

– Då går vi, sa Wallander. Låt mig sköta allt pratande.

Villan var stor. Wallander gissade att den var från början av seklet. När de gick in genom grinden märkte han att trädgården var ovårdad. Han såg att Martinsson lade märke till samma sak. Wallander ringde på dörren. Undrade vad som väntade. Han ringde igen. Ingen öppnade. Nya signaler. Samma reaktion. Ingenting. Wallander bestämde sig snabbt.

– Vänta här. Inte vid huset. Men ute på gatan. Hans kyrka ligger inte långt härifrån. Jag lånar din bil.

Wallander hade skrivit upp kyrkans namn. På en karta hade Svedberg kvällen innan visat var den låg. Det tog honom fem minuter att köra dit. Kyrkan verkade övergiven. Han tänkte att han hade tagit miste. Anders Wislander fanns inte där. Men när han kände på kyrkporten var den olåst. Han steg in i det dunkla vapenhuset och drog igen porten bakom sig. Allt var mycket tyst. Ljuden utifrån trängde inte igenom de tjocka murarna. Wallander gick in mot det stora kyrkorummet. Där var det ljusare. Solen sken in genom de målade fönstren.

Wallander såg att det satt någon på den första bänkraden, närmast altarringen. Han rörde sig sakta framåt längs mittgången. Det var en man som satt där, framåtböjd, som försänkt i bön. Först när Wallander hade kommit ända fram såg han upp. I samma ögonblick kände Wallander igen honom. Det var Anders Wislander. Ansiktet var detsamma som på den enda av Eklunds bilder där han förekommit. Han var orakad och ögonen var blanka. Wallander hade redan börjat känna olust. Han ångrade nu att han inte hade tagit med sig Martinsson.

– Anders Wislander? frågade han.

Mannen såg allvarligt på honom.

– Vem är du?

– Jag heter Kurt Wallander och är polis. Jag skulle gärna vilja prata med dig.

Wislanders röst var plötsligt gäll och otålig när han svarade.

– Jag har sorg. Du stör mig. Lämna mig i fred.

Wallander kände hur olusten ökade. Mannen som satt i bänken verkade nära en bristningsgräns.

– Jag vet att din hustru är död, sa han. Det är det jag vill tala med dig om.

Wislander reste sig så häftigt upp att Wallander ryggade. Nu var han säker på att Wislander var helt ur balans.

– Du stör mig och du går inte trots att jag ber dig. Alltså måste jag lyssna på vad du har att säga, sa han. Vi kan gå in i sakristian.

Wislander gick före och tog till vänster vid altarringen. Wallander såg på hans ryggtavla att han var oväntat kraftig. Men det kunde varit den man han försökt springa ikapp och som redan slagit ner honom.

Det fanns ett litet bord och några stolar inne i sakristian. Wislander satte sig ner och pekade på den andra stolen. Wallander drog ut den från bordet. Samtidigt undrade han hur han skulle börja. Wislander betraktade honom med sina blanka ögon. Wallander kastade en blick ut i rummet. På ett annat bord stod två stora ljusstakar. Wallander stirrade på dem utan att först komma på vad det var som hade fångat hans uppmärksamhet. Sedan såg han att en av dem var annorlunda. En av ljusarmarna fattades. Och ljusstaken var av mässing. Han såg på Wislander. Insåg att denne redan visste vad Wallander hade sett. Ändå kom attacken helt oförberett för honom. Med något som liknade ett rytande kastade sig Wislander över Wallander. Han högg fingrarna runt hans hals, och hans kraft, eller hans galenskap, var mycket stor. Wallander kämpade emot. Hela tiden skrek Wislander osammanhängande. Men Wallander uppfattade att det handlade om Simon Lamberg, om fotografen som måste dö. Sedan började Wislander i sin förvirring att utgjuta sig om Apokalypsens ryttare. Hela tiden kämpade Wallander för att slita sig loss. Med en våldsam ansträngning lyckades han. Men Wislander var över honom igen, som ett djur som slogs för sitt liv. De hade under brottningen kommit till bordet där ljusstakarna stod. Wallander lyckades komma åt en av dem och slå den i ansiktet på Wislander som genast sjönk ihop. Ett ögonblick trodde Wallander att han hade slagit ihjäl honom. På samma sätt som Lamberg hade blivit dödad. Men sedan märkte han att Wislander andades.

Wallander sjönk ner på stolen och försökte återfå andan. Han märkte att han var sönderriven i ansiktet. Den lagade tanden hade nu gått sönder för tredje gången.

Wislander låg på golvet. Långsamt började han komma till liv igen. Samtidigt hörde Wallander hur kyrkporten öppnades.

Han gick ut ur sakristian för att möta Martinsson som anat oråd och ringt efter en taxi inne hos Wislanders granne.

Allt hade gått mycket fort. Men Wallander visste att det nu var över. Han hade också känt igen den man som slagit ner honom i Ystad. Han hade känt igen honom utan att han egentligen någonsin hade sett hans ansikte. Men det var han. Det rådde inget tvivel om den saken.

Några dagar senare samlade Wallander sina kollegor i sammanträdesrummet på polishuset. Det var på eftermiddagen. Ett fönster stod öppet. Vårvärmen tycktes nu definitivt ha kommit för att stanna. Wallander hade för tillfället avslutat sina förhör med Anders Wislander. Denne var nu i så dålig psykisk form att en läkare hade avrått honom från att fortsätta. Men för Wallander var bilden nu klar. Han hade samlat sina kollegor för att ge dem en sammanfattning av det som hade skett.

– Allt är mörkt och dystert och tragiskt, började han. Men Simon Lamberg och Louise Wislander hade fortsatt att träffas i hemlighet efter den där bussresan. Och hennes make hade ingenting vetat. Förrän helt nyligen, strax innan Louise dog. Hon hade en tumör på levern. På sin dödsbädd hade hon bekänt sin otrohet. Wislander hade då drabbats av nåt som inte kan beskrivas som annat än galenskap. Dels av sorg över hustruns död, dels av ursinne och förtvivlan över hennes svek. Han hade börjat bevaka Lamberg. I hans hjärna var Lamberg också skuld till att hustrun nu var död. Han sjukskrev sig och tillbringade nästan all sin tid här i Ystad. Han bevakade fotoateljén. Bodde på ett av småhotellen här i stan. Han följde också efter städerskan, Hilda Waldén. En lördag bröt han sig in i hennes lägenhet, tog nycklarna och kopierade dom. Innan hon kom tillbaka hade han lagt tillbaka dom igen. Så tog han sig in i ateljén och slog ihjäl Lamberg med ljusstaken. I sin förvirring trodde han sen att Lamberg fortfarande levde. Han återvände faktiskt för att slå ihjäl honom en gång till. Psalmboken tappade han när han gömde sig i trädgården. Att han slog på radion och ändrade kanalinställning är en egendomlig detalj. Han hade fått för sig att han skulle kunna höra Guds röst där i radion. Och att Gud skulle ge honom syndernas förlåtelse för det han gjort. Men allt han fick in var en kanal som sände rockmusik. Bilderna var helt och hållet Lambergs verk. Dom hade ingenting med mordet att göra. Han närde nog ett förakt mot politiker och andra maktens män. Dessutom var han alltså missnöjd med polisens arbete. Han var en kverulant. En liten man som behärskade världen genom att deformera ansikten. Men det här löser i alla fall det hela. Jag kan inte hjälpa att jag tycker synd om Wislander. Hans värld störtade samman. Han förmådde inte stå emot.

Det blev tyst i rummet.

– Varför besökte Louise Lambergs handikappade dotter? frågade Hansson.

– Jag har undrat över det, svarade Wallander. Kanske Simon Lamberg och hon under den där bussresan hade mötts i en passion som hade religiösa inslag? Kanske höll dom på med nån sorts förböner för Matilda? Åkte Louise sen till vårdhemmet för att se efter om deras förböner hade haft nån effekt? Kanske ansåg hon att Matilda var ett offer för hennes föräldrars tidigare syndiga liv? Det här får vi aldrig veta. Lika lite som vi får veta vad som egentligen knöt dom där två udda personerna tillsammans. Det finns alltid hemliga rum där vi inte lyckas tränga in. Och väl är kanske det.

– Man kan gå ett steg vidare, sa Rydberg. Om man tänker på Wislander. Kanske berodde hans egentliga raseri på att Lamberg framför allt förfört hans hustru religiöst. Inte erotiskt. Man kan fråga sig om det bara är den vanliga svartsjukan som spelat in i det här fallet.

Det blev tyst igen. Sedan fortsatte de att tala om Lambergs bilder.

– På sitt sätt måste väl han också ha varit galen, sa Hansson. Att ägna sin lediga tid åt att deformera fotografier av kända människor.

– Kanske förklaringen är helt annorlunda? föreslog Rydberg.

Kanske det finns människor i dag som känner sig så maktlösa att dom inte längre deltar i det vi brukar kalla det demokratiska samtalet. Utan i stället ägnar sig åt riter. Om det är så är det illa ställt med demokratin i vårt land.

– Jag har inte tänkt på den möjligheten, sa Wallander. Men du kan naturligtvis ha rätt. Och då håller jag med dig. Då har det verkligen börjat knaka i Sverige.

Mötet var slut. Wallander kände sig trött och nedstämd. Trots det vackra vädret. Och han saknade Mona.

Sedan såg han på klockan. Kvart över fyra.

Han skulle till tandläkaren igen.

För vilken gång i ordningen visste han inte längre.

Pyramiden

Prolog

Flygplanet kom in över Sverige på låg höjd strax väster om Mossby Strand. Dimman var tät utanför kusten men lättade närmare land. Konturen av en strandlinje och de första husen kom hastigt mot piloten. Men han hade redan gjort resan många gånger. Han flög på klocka och kompass. Så fort han kommit in över den svenska gränsen, identifierat Mossby strand och ljusen längs vägen mot Trelleborg, gjorde han en tvär gir åt nordost och sedan ytterligare en gir mot öster. Flygplanet som var en Piper Cherokee var följsamt. Han lade sig på en bana som var noga uträknad. En luftled som gick som en osynlig rågång över ett område i Skåne där husen var få. Det var strax före klockan fem på morgonen den 11 december 1989. Runt honom rådde nästan kompakt mörker. Varje gång han flög om natten tänkte han på sina första år som pilot, när han flugit styrman åt ett grekiskt bolag som i lönndom om nätterna transporterat ut tobak från det dåvarande Sydrhodesia som omgetts av politiska sanktioner. Det var 1966 och 1967. Mer än 20 år sedan. Men minnet lämnade honom inte. Det var då han lärt sig att en skicklig pilot kunde flyga även om natten, med ett minimum av hjälpmedel och under total radiotystnad.

Planet flög nu så lågt att piloten inte vågade pressa det längre ner. Han började undra om han skulle bli tvungen att vända utan att ha kunnat uträtta sitt ärende. Det hände ibland. Säkerheten kom alltid i första hand och sikten var fortfarande dålig. Men plötsligt, precis innan piloten var tvungen att fatta sitt beslut, lättade dimman. Han såg på klockan. Om två minuter skulle han se ljusen där han skulle göra sitt nersläpp. Han vände sig om och ropade till mannen som satt på den enda stol som lämnats kvar i kabinen.

– Två minuter!

Mannen där bak i mörkret lyste med en ficklampa mot sitt ansikte och nickade.

Piloten spanade ut i mörkret. En minut kvar nu, tänkte han. Och det var då han upptäckte strålkastarna som bildade en fyrkant med två hundra meters sida. Han ropade till mannen där bak att göra sig beredd. Sedan lade han sig i en vänstersväng och närmade sig den upplysta fyrkanten från väster. Han kände det kalla vinddraget och den lätta skakningen i flygkroppen när mannen där bak i mörkret öppnade dörren i flygplanet. Därefter lade han handen på strömbrytaren till signallampan som visade rött sken bak i kabinen. Han hade dragit ner på farten så mycket som var möjligt. Så tryckte han på grönt och visste att mannen där bakom knuffade ut den gummiklädda cisternen. Det kalla vinddraget upphörde när dörren stängdes. Då hade piloten redan lagt om kursen till sydost. Han log för sig själv. Cisternen hade landat nu, någonstans mellan strålkastarna. Någon fanns där för att hämta den. Strålkastarna skulle släckas och lastas in i en bil och sedan skulle mörkret vara lika kompakt och ogenomträngligt som tidigare. En perfekt operation, tänkte han. Den nittonde i ordningen.

Han såg på klockan. Om nio minuter skulle de passera ut över kusten och lämna Sverige igen. Efter ytterligare tio minuter skulle han stiga några hundra meter. Han hade en termos med kaffe intill sätet. Det skulle han dricka medan de flög över havet. Klockan åtta skulle han ha satt ner flygplanet på sin privata landningsbana utanför Kiel, tagit sin bil och redan vara på väg till Hamburg där han bodde.

Flygplanet krängde till. Sedan ännu en gång. Piloten såg på instrumenten. Allt verkade normalt. Motvinden var inte särskilt kraftig, det var heller ingen turbulens. Så krängde planet till igen, det var kraftigare den här gången. Piloten arbetade med rodret. Men planet hade lagt sig på vänstersidan. Han försökte korrigera utan att lyckas. Fortfarande visade instrumenten normala värden. Med sin stora erfarenhet visste han dock att något inte var som det skulle. Planet gick inte att räta upp. Trots att han ökade hastigheten hade det börjat tappa höjd. Han försökte tänka alldeles lugnt. Vad kunde ha hänt? Han undersökte alltid planet innan han lyfte. När han kommit till hangaren vid ett-tiden på natten hade han ägnat över en halvtimme åt att besiktiga det, gå igenom alla listor som mekanikern gett honom, och sedan hade han följt alla föreskrifter på checklistan innan han lyfte.

Han kunde inte räta upp planet. Nervridningen av flygplanskroppen fortsatte. Nu visste han att det var allvarligt. Han ökade hastigheten ytterligare och arbetade med skevrodren. Mannen där bak i mörkret ropade och frågade vad som hade hänt. Piloten svarade inte. Han hade inget svar. Om han inte lyckades balansera upp planet skulle de störta inom några få minuter. Precis innan de nådde havet. Han arbetade med bultande hjärta nu. Men ingenting hjälpte. Så kom ett kort ögonblick av ursinne och uppgivenhet. Sedan fortsatte han att arbeta med sina spakar och fotroder tills allt var över.

Flygplanet slog i marken med våldsam kraft klockan nitton minuter över fem på morgonen den 11 december 1989 och fattade omedelbart eld. Men de två männen i planet märkte inte hur deras kroppar började brinna. De hade dött, sprängts i bitar, när planet träffade marken.

Dimman hade då åter kommit rullande in från havet. Det var 4 plusgrader och nästan vindstilla.

I.

Wallander vaknade strax efter sex på morgonen den 11 december. I samma ögonblick han slog upp ögonen började klockan på nattduksbordet ringa. Han stängde av den och låg sedan och tittade ut i mörkret. Sträckte på ben och armar, spärrade ut tår och fingrar. Det hade blivit en vana hos honom, att känna efter om natten hade gett honom några krämpor. Han svalde för att känna efter att ingen infektion hade smugit sig in i luftrören. Han hade ibland tänkt att han långsamt höll på att bli inbillningssjuk. Men även den här morgonen verkade allt vara som det skulle. Dessutom kände han sig för en gångs skull ordentligt utsövd. Kvällen innan hade han gått och lagt sig redan klockan tio och somnat nästan genast. Om han väl somnade så sov han. Men blev han liggande vaken så kunde det ta många timmar innan han äntligen lyckades komma till ro.

Han steg upp och gick ut i köket. Termometern utanför fönstret visade plus sex grader. Eftersom han visste att den visade fel räknade han ut att han denna dag mötte världen i fyra plusgrader. Han såg upp mot himlen. Stråk av dimma drog förbi ovanför hustaken. Ännu hade det inte fallit någon snö i Skåne denna vinter. Men den kommer, tänkte han. Förr eller senare så kommer snöovädren.

Han kokade kaffe och bredde några smörgåsar. Som vanligt var hans kylskåp i det närmaste tomt. Innan han gått till sängs kvällen före hade han skrivit en inköpslista som låg på köksbordet. Medan han väntade på att kaffet skulle bli klart gick han på toaletten. När han kom tillbaka till köket skrev han upp att han också skulle köpa toalettpapper. Och en ny borste till toaletten. Medan han åt frukost bläddrade han igenom Ystads Allehanda som han hämtat i tamburen. Han stannade upp först när han kommit till de sista sidorna med annonser. Någonstans i hans bakhuvud fanns en vag längtan efter ett hus på landet. Där han kunde gå rakt ut på morgonen och pissa i gräset, där han kunde ha en hund, och kanske, även om den drömmen var den mest avlägsna, ett duvslag. Det fanns några hus till salu. Men inga som verkade intressanta för honom. Sedan upptäckte han att några labradorvalpar var till salu i Rydsgård. Jag får inte börja i fel ände, tänkte han. Först hus, sedan hund. Inte tvärtom. Då blir det bara problem, med de egendomliga arbetstider jag har, så länge jag inte bor ihop med någon som kan hjälpa till med att gå ut med den. Det var nu två månader sedan Mona definitivt hade lämnat honom. Innerst inne vägrade han fortfarande att acceptera det som hänt. Samtidigt visste han inte vad han skulle göra för att få henne att komma tillbaka.

Klockan sju var han klar att gå. Han valde den tröja han brukade ha på sig när det var mellan plus minus noll och åtta plusgrader. Han hade tröjor för olika temperaturer och var noga när han valde. Han avskydde att frysa i den skånska fuktvintern och blev irriterad så fort han började svettas. Han tyckte det påverkade hans förmåga att tänka klart. Sedan bestämde han sig för att gå till fots till polishuset. Han behövde röra på sig. När han kom ut märkte han att det blåste en svag vind från havet. Promenaden från lägenheten på Mariagatan tog honom tio minuter

Medan han gick funderade han på den dag som låg framför honom. Om inget särskilt inträffat under natten, vilket var hans ständiga morgonbön, skulle han hålla förhör med en misstänkt narkotikalangare som tagits in dagen innan. Dessutom fanns det ständigt högar på hans bord med pågående utredningar som han borde göra något åt. Exporten av stulna lyxbilar till Polen var ett av hans mest tröstlösa evighetsärenden.

Han gick in genom polishusets glasdörr och nickade åt Ebba som satt i receptionen. Han såg att hon hade varit och permanentat sig.

– Vacker som vanligt, sa han.

– Man får göra så gott man kan, svarade hon. Men du borde akta dig så att du inte går upp i vikt. Frånskilda män gör ofta det.

Wallander nickade. Han visste att hon hade rätt. Efter skilsmässan från Mona åt han alltmer oregelbundet och slarvigt. Varje dag föresatte han sig att bryta sina ovanor utan att hittills ha lyckats. Han gick till sitt rum, hängde av sig jackan och satte sig vid skrivbordet.

I samma ögonblick ringde telefonen. Han lyfte på luren. Det var Martinsson. Wallander var inte förvånad. De två var Ystads morgonpiggaste kriminalpoliser.

– Jag tror vi måste åka ut mot Mossby, sa Martinsson.

– Vad är det som har hänt?

– Ett flygplan har störtat.

Wallander kände hur det högg till i bröstet. Hans första tanke var att det handlade om något plan som legat på inflygning eller just lyft från Sturup. Då var det en katastrof, kanske med många döda.

– Ett litet sportplan, fortsatte Martinsson.

Wallander andades ut samtidigt som han förbannade Martinsson som inte gett honom ett ordentligt besked redan från början.

– Det kom larm för en stund sen, fortsatte Martinsson. Brandkåren är redan där. Tydligen har planet brunnit.

Wallander nickade in i telefonluren.

– Jag kommer, sa han. Vilka mer har vi inne?

– Inga, vad jag vet. Men ordningspolisen är förstås redan där.

– Då åker du och jag först.

De möttes ute i receptionen. Just när de skulle gå kom Rydberg in genom dörren. Han hade reumatism och såg blek ut. Wallander berättade hastigt vad som hade hänt.

– Åk före ni, svarade Rydberg. Jag måste gå på toaletten innan jag gör nånting annat.

Martinsson och Wallander lämnade polishuset och gick till Martinssons bil.

– Han såg dålig ut, sa Martinsson.

– Han är dålig, svarade Wallander. Reumatism. Och sen är det nånting annat också. Nåt med urinvägarna, tror jag.

De for kustvägen mot väster.

– Ge mig detaljerna, sa Wallander medan han såg ut över havet. Fortfarande strök sönderslitna dimmoln över vattnet.

– Det finns inga detaljer, svarade Martinsson. Planet störtade nån gång vid halvsextiden. Det var en lantbrukare som ringde. Tydligen är nerslagsplatsen strax norr om Mossby, ute på en åker.

– Vet vi hur många som fanns i planet?

– Nej.

– Sturup måste ha skickat ut larm om att ett plan saknats. Om planet störtat i Mossby måste piloten haft kontakt med flygledarna i Sturup.

– Det var också min tanke, sa Martinsson. Därför kontaktade jag tornet på Sturup precis innan jag ringde in till dig.

– Vad sa dom?

– Dom hade inget plan som saknades.

Wallander såg förvånat på Martinsson.

– Vad betyder det?

– Jag vet inte, sa Martinsson. Egentligen ska det väl vara omöjligt. Att flyga i Sverige utan att det finns en färdplan och löpande kontakt med olika flygledare.

– Hade Sturup inte mottagit nåt larm? Piloten måste väl ha ropat upp tornet om han fått problem? Trots allt brukar det ju ta några sekunder innan ett plan går i backen?

– Jag vet inte, svarade Martinsson. Jag vet inte mer än det jag har sagt.

Wallander skakade på huvudet. Sedan undrade han vad som väntade honom. Han hade varit med om ett flyghaveri tidigare, även då handlade det om ett mindre plan. Piloten hade varit ensam. Planet hade störtat norr om Ystad. Piloten hade bokstavligt slitits i stycken. Men planet hade inte brunnit.

Wallander såg med obehag fram mot vad som väntade honom. Dagens morgonbön hade varit förgäves.

När de kom fram till Mossby Strand svängde Martinsson till höger. Han pekade genom framrutan. Wallander hade redan sett rökpelaren som steg mot himlen.

Några minuter senare var de framme. Planet hade slagit ner mitt i en leråker, ungefär hundra meter från en gård. Wallander antog att det var någon där som hade slagit larm. Brandkåren höll fortfarande på att spruta skum mot planet. Martinsson tog ut ett par gummistövlar ur bakluckan. Wallander betraktade missmodigt sina egna skor, ett par kängor, nästan helt nya. Sedan halkade de ut i leran. Den man som ledde släckningsarbetet hette Peter Edler. Wallander hade träffat honom många gånger i samband med olika bränder. Han tyckte bra om honom. De hade lätt att samarbeta. Förutom de två brandbilarna och en ambulans fanns där en polisbil. Wallander nickade åt Peters som var en av ordningspoliserna. Sedan vände han sig till Peter Edler.

– Vad har vi? sa han.

– Två döda, svarade Edler. Jag vill varna dig för att det inte är nån vacker syn. Det blir så när människor brinner upp i bensin.

– Du behöver inte varna mig, svarade Wallander. Jag vet hur det brukar se ut.

Martinsson stod bredvid Wallander.

– Ta reda på vem som slog larm, sa Wallander. Förmodligen nån i gården där borta. Få fram dom klockslag som finns. Och sen måste nån tala allvar med tornet på Sturup.

Martinsson nickade och travade iväg mot gården. Wallander gick närmare planet. Det låg på vänster sida, djupt nerborrat i leran. Vänster vinge var avsliten intill flygkroppen och hade splittrats i delar som låg utspridda över åkern. Höger vinge satt fortfarande kvar vid flygkroppen men hade brutits av längst ut på vingtippen. Wallander såg att det var ett enmotorigt plan. Propellern var böjd och hade skurit djupt ner i leran. Han gick långsamt runt planet. Det var svartbränt och hade täckts av skum. Han vinkade till sig Edler.

– Kan man ta bort skummet? frågade han. Brukar inte flygplan ha någon sorts beteckningar på kroppen och under vingarna?

– Jag tror vi låter skummet vara kvar en stund till, sa Edler. Man vet aldrig med bensin. Det kan finnas rester kvar i tankarna.

Wallander visste att det bara var att lyda Edler. Han gick närmare och kikade in i planet. Edler hade haft rätt. De två kropparna var helt förkolnade. Några ansiktsdrag gick inte att urskilja. Han gick runt planet ytterligare en gång. Sedan klafsade han vidare ut i leran där den största biten av den avslitna vingen låg. Han satte sig på huk. Några siffror eller bokstavskombinationer kunde han inte urskilja. Fortfarande var det mycket mörkt. Han ropade till sig Peters och bad om en ficklampa. Sedan studerade han vingen noga. Skrapade med fingertopparna på undersidan. Vingen verkade ommålad. Kunde det betyda att någon velat täcka över flygplanets identitet?

Han reste sig upp. Nu gick han för fort fram igen. Det här var Nybergs och de övriga teknikernas sak att reda ut. Han betraktade frånvarande Martinsson som med bestämda steg var på väg bort mot den gård som låg intill åkern. Några bilar med nyfikna hade stannat vid en kärrväg. Peters och hans kollega höll på att övertala dem att köra vidare. Ytterligare en polisbil hade kommit, med Hansson, Rydberg och Nyberg. Wallander gick bort och hälsade. Förklarade kort vad som hade hänt och bad Hansson spärra av.

– Du har två döda kroppar inne i planet, upprepade Wallander till Nyberg som skulle ansvara för den första tekniska undersökningen.

Sedan skulle det tillsättas en haverikommission med uppgift att utreda vad som hade orsakat olyckan. Men den skulle Wallander inte behöva befatta sig med.

– Jag tycker det ser ut som om den avslitna vingen är övermålad, sa han. Som om nån velat ha bort alla möjligheter att identifiera planet.

Nyberg nickade stumt. Han sa aldrig något i onödan.

Rydberg hade dykt upp bakom Wallander.

– Man ska inte behöva trampa omkring i lera när man är i min ålder, sa han. Och den här jävla reumatismen.

Wallander kastade en hastig blick på Rydberg.

– Du behövde inte ha åkt ut hit, sa han. Det här klarar vi ändå. Sen får haverikommissionen ta över.

– Jag är inte död än, svarade Rydberg irriterat. Fast fan vet...

Han avslutade aldrig meningen. I stället stegade han fram till planet, böjde sig ner och kikade in.

– Det här får bli tänder, sa han. Nåt annat lär man inte kunna identifiera dom på.

Wallander gav Rydberg en översikt. De arbetade bra tillsammans, behövde aldrig ge varandra några omständliga förklaringar. Dessutom var det Rydberg som hade lärt Wallander mycket av det han nu visste om arbetet som brottsutredare sedan grunden lagts under åren i Malmö med Hemberg, som tragiskt omkommit i en trafikolycka året innan. Wallander hade frångått sin vana att aldrig gå på begravningar och åkt in till jordfästningen i Malmö. Men efter Hemberg hade Rydberg varit hans förebild. De hade arbetat många år tillsammans nu. Wallander hade ofta tänkt att Rydberg måste vara en av de skickligaste brottsutredarna i Sverige. Ingenting undgick honom, ingen hypotes var för märklig för att inte Rydberg skulle undersöka den. Hans förmåga att avläsa en brottsplats förvånade ständigt Wallander som hela tiden girigt sög i sig alla kunskaper.

Rydberg var ensamstående. Han hade inte mycket umgänge och tycktes heller inte vilja ha det. Wallander var fortfarande efter alla år osäker på om Rydberg egentligen hade några intressen förutom sitt arbete.

Det hände att de under varma försommarkvällar satt på Rydbergs balkong och drack whisky. Oftast under en behaglig tyst-nad, som då och då avbröts av någon kommentar om arbetet på polishuset.

– Martinsson försöker skapa klarhet i klockslagen, sa Wallan-der. Sen anser jag att vi måste reda ut varför tornet på Sturup inte slog larm.

– Du menar, varför piloten inte slog larm, rättade Rydberg honom.

– Han kanske inte hann?

– Det tar inte många sekunder att ropa ut sin nöd, sa Rydberg. Men du har naturligtvis rätt. Flygplanet måste ha legat i nån godkänd luftled. Om det inte flög olagligt naturligtvis.

– Olagligt?

Rydberg ryckte på axlarna.

– Du vet vilka rykten som går, sa han. Folk som hör flygplans-buller om nätterna. Lågtflygande, nersläckta plan som smyger fram här i gränstrakterna. Åtminstone var det så under kalla kri-get. Det kanske inte är helt över än. Vi får in rapporter ibland om misstänkt spionverksamhet. Sen kan man ju undra om all nar-kotika kommer in till Sydsverige bara över Sundet. Men vi kla-rar ju aldrig att ta reda på vad det är för sorts plan. Eller om det bara är inbillning. Fast flyger man tillräckligt lågt undgår man försvarets radar. Och flygledarnas.

– Jag åker och pratar med Sturup, sa Wallander.

– Fel, sa Rydberg. Det gör jag. Med ålderns rätt lämnar jag den här leran till dig.

Rydberg försvann. Det hade nu börjat ljusna. En av tekniker-na gick och tog bilder av flygplanet ur olika vinklar. Peter Edler hade lämnat över släckningsansvaret och åkt tillbaka till Ystad med en av brandbilarna.

Wallander såg att Hansson stod och pratade med några jour-nalister nere på kärrvägen. Han var glad att slippa. Sedan upp-täckte han att Martinsson kom trampande i leran. Wallander gick honom till mötes.

– Du hade rätt, sa Martinsson. Det bor en ensam gubbe därinne. Robert Haverberg. I sjuttioårsåldern, ensam med nio hundar. Det luktade rent ut sagt för jävligt där inne.

– Vad sa han?

– Han hade hört flygplansbullar. Sen blev det tyst. Och sen återkom bullret. Men då lät det mera som ett vinande. Sen small det.

Wallander tänkte att Martinsson emellanåt hade mycket svårt att ge klara och entydiga besked.

– Vi tar det igen, sa Wallander. Robert Haverberg hörde buller?

– Ja.

– När var det?

– Han hade just vaknat. Nån gång vid femtiden.

Wallander rynkade pannan.

– Men planet störtade ju först en halvtimme senare?

– Det sa jag också. Men han var säker på sin sak. Först hade han hört buller från ett passerande flygplan. På låg höjd. Sen blev det tyst. Han kokade kaffe. Och då återkom ljudet och smällen.

Wallander tänkte efter. Det Martinsson sagt var uppenbart viktigt.

– Hur lång tid gick det emellan det att han hörde ljudet första gången och smällen?

– Vi kom fram till att det gått ungefär 20 minuter.

Wallander betraktade Martinsson.

– Hur förklarar du det?

– Jag vet inte.

– Verkade gubben redig?

– Ja. Dessutom hade han god hörsel.

– Har du en karta i bilen? frågade Wallander.

Martinsson nickade. De gick till kärrvägen där Hansson fortfarande stod och pratade med journalisterna. En av dem upptäckte Wallander och närmade sig. Wallander vinkade avvärjande.

– Jag har inget att säga, ropade han.

De satte sig i Martinssons bil och vecklade upp en karta. Wallander betraktade den under tystnad. Samtidigt tänkte han på vad Rydberg hade sagt. Om plan som befann sig på olagliga flygningar, utanför luftleder och flygledare.

– Man skulle kunna tänka sig följande, sa Wallander. Ett plan kommer in över kusten på låg höjd, passerar förbi här och försvinner. För att sen återkomma strax efteråt. Och då går det rakt i backen.

– Du menar att det skulle ha gjort ett nersläpp nånstans? Och sen vänt? frågade Martinsson.

– Ungefär så.

Wallander vek ihop kartan.

– Vi vet för lite. Rydberg är på väg till Sturup. Sen måste vi försöka identifiera dom som fanns i planet. Och planet självt. Mer kan vi inte göra just nu.

– Jag har alltid varit flygrädd, sa Martinsson. Inte blir det bättre av att man får se sånt här. Men värre ändå är att Teres pratar om att bli flygare.

Teres var Martinssons dotter. Dessutom hade han en son. Martinsson var mycket familjekär. Han oroade sig ständigt för att något skulle hända och ringde hem flera gånger om dagen. Oftast åkte han också hem för att äta lunch. Ibland kunde Wallander känna avund över kollegans till synes problemfria äktenskap.

– Säg till Nyberg att vi far nu, sa han till Martinsson.

Wallander satt i bilen och väntade. Landskapet runt honom var grått och ödsligt. Han rös till. Livet går, tänkte han. Jag har just fyllt 42 år. Kommer jag att sluta som Rydberg? En ensam gubbe med reumatism?

Wallander ruskade bort tankarna.

Martinsson återkom och de for tillbaka till Ystad.

Klockan elva reste sig Wallander för att gå till det förhörsrum där en misstänkt narkotikalangare vid namn Yngve Leonard Holm satt och väntade. I samma ögonblick gick dörren upp och Rydberg steg in. Han brydde sig aldrig om att knacka. Han satte sig i Wallanders besöksstol. Som alltid gick han rakt på sak.

– Jag talade med en flygledare som hette Lycke, sa han. Han påstod att han kände dig.

– Jag har talat med honom nån gång. I vilket sammanhang minns jag inte.

– Hur som helst var han mycket bestämd, fortsatte Rydberg. Nåt enmotorigt flygplan hade inte fått nån klarering att passera Mossby klockan fem i morse. Dom hade heller inte haft nån kontakt med nån pilot som sänt ut nåt nödanrop. Radarskärmarna hade varit tomma. Inga märkliga signaler som tydde på oannonserade flygplan. Enligt Lycke existerar inte det plan som störtade. Dom har redan gjort anmälan både till försvaret och gud vet vilka andra myndigheter. Tullen förmodligen.

– Du hade alltså rätt, sa Wallander. Nån var ute och flög i olovliga ärenden.

– Det vet vi inte, invände Rydberg. Nån flög olovligt. Men om det dessutom var i olovligt ärende kan vi inte svara på.

– Vem ger sig ut och flyger i mörkret utan att ha en mycket speciell anledning?

– Det finns så många tokdårar, sa Rydberg. Det borde du väl veta.

Wallander såg granskande på honom.

– Det där tror du inte själv på?

– Naturligtvis inte, svarade Rydberg. Men innan vi vet vilka dom var eller känner till flygplanets identitet kan vi inte göra nånting. Det här måste hamna hos Interpol. Jag sätter en bra slant på att planet kom utifrån.

Rydberg lämnade rummet.

Wallander tänkte igenom vad han hade sagt.

Sedan reste han sig, tog sina papper och gick till det rum där

Yngve Leonard Holm satt och väntade tillsammans med sin advokat.

Klockan var exakt en kvart över elva när Wallander tryckte igång bandspelaren och började sitt förhör.

2.

Efter en timme och tio minuter slog Wallander av bandspelaren. Han hade fått nog av Yngve Leonard Holm. Både av hans attityd och det faktum att de skulle bli tvungna att släppa honom. Wallander var övertygad om att mannen som satt på andra sidan av bordet hade gjort sig skyldig till upprepade och grova narkotikabrott. Men det fanns inte en åklagare i världen som skulle anse att deras förundersökning höll inför en domstol. Minst av allt Per Åkeson som Wallander nu skulle lämna sin sammanfattning till.

Yngve Leonard Holm var 37 år gammal. Han var född i Ronneby men mantalsskriven i Ystad sedan mitten av 1980-talet. Han uppgav sig vara ambulerande försäljare av pocketböcker, företrädesvis »Manhattanserien«, på olika sommarmarknader. De sista åren hade han deklarerat för obetydliga inkomster. Samtidigt hade han låtit uppföra en stor villa i ett bostadsområde strax intill polishuset. Villan var taxerad till miljonbelopp. Holm påstod sig ha finansierat husbygget med större spelvinster, både från Jägersro och Solvalla samt dessutom från travbanor i Tyskland och Frankrike. Några kvitton på spelvinsterna hade han naturligtvis inte. De hade tyvärr förkommit i samband med en brand som lämpligt inträffat i den husvagn där han förvarade sin privata bokföring. Det enda kvitto han kunnat visa fram var ett på en mindre spelvinst på 4 993 kronor som utfallit några veckor tidigare. Möjligen, tänkte Wallander, kunde det tyda på att Holm visste en del om hästar. Men något mer gick knappast att utläsa ur detta. Egentligen borde Hansson ha suttit här i mitt ställe. Han är också intresserad av trav. De kunde ha pratat hästar med varandra.

Ingenting av detta förändrade Wallanders övertygelse att Holm var den sista länken i en kedja som förde in och sålde betydande mängder narkotika i södra Skåne. Indicierna var överväldigande. Men gripandet av Holm hade varit mycket illa organiserat. Ett tillslag skulle ha skett på två ställen samtidigt. Dels mot Holms villa, dels mot hans lagerlokal för sommarmarknadernas pocketböcker som låg inrymd i ett industriområde i Malmö. Det hade varit en samordnad aktion mellan polisen i Ystad och kollegorna i Malmö.

Men någonting hade gått fel från början. Lagerlokalen hade varit tom, så när som på en ensam låda med gamla tummade Manhattanböcker. Holm hade suttit i sin villa och sett på teve när de ringde på dörren. En ung kvinna hade legat slingrad kring hans fötter och masserat hans tår medan poliserna sökte igenom huset. Där hade de naturligtvis inte funnit något. En av narkotikahundarna som hämtats in från tullen hade länge sniffat på en näsduk de hittat i en papperskorg. Den kemiska analysen hade bara kunnat slå fast att den möjligen kunde ha varit i kontakt med ett narkotikapreparat. På något sätt hade tydligen Holm blivit förvarnad om aktionen. Wallander tvivlade inte heller på att mannen både var intelligent och skicklig på att dölja sina förehavanden.

– Du kommer att få gå, sa han. Men misstankarna mot dig kvarstår. Eller rättare sagt, jag är övertygad om att du bedriver storhandel med narkotika i Skåne. Förr eller senare tar vi dig.

Advokaten som liknade en liten vessla sträckte på sig.

– Det här behöver min klient inte finna sig i, sa han. Det är personangrepp utan täckning i lagen.

– Naturligtvis är det det, svarade Wallander. Ni kan naturligtvis lämna in en stämning mot mig.

Holm som var orakad och verkade utled på hela situationen hindrade sin advokat från att fortsätta.

– Polisen gör bara sitt jobb, sa han. Tyvärr begick ni ett misstag genom att misstänka mig. Jag är en enkel medborgare som kan ganska mycket om travhästar och pocketböcker. Ingenting annat. Jag stöder dessutom Rädda Barnen regelbundet.

Wallander lämnade rummet. Holm skulle gå hem och få sina fötter masserade. Narkotikan skulle fortsätta att strömma in i Skåne. Vi kommer aldrig att vinna den här striden, tänkte Wallander medan han gick genom korridoren. Den enda möjligheten vi har är att de nya generationerna ungdomar tar avstånd från det hela.

Klockan hade blivit halv ett. Han märkte att han var hungrig. Nu ångrade han att han inte tagit bilen på morgonen. Det hade börjat regna, såg han genom fönstret. Regn som var snöblandat. Tanken på att gå hela vägen till centrum och tillbaka för att äta tilltalade honom inte. Han drog ut en skrivbordslåda och letade reda på en meny till en pizzeria som levererade på beställning. Han ögnade igenom menyn utan att kunna bestämma sig. Till sist blundade han och tryckte pekfingret på måfå mot menyn. Han ringde och beställde den pizza som ödet bestämt åt honom. Sedan ställde han sig vid fönstret och såg ut mot vattentornet på andra sidan vägen.

Telefonen ringde. Han satte sig vid skrivbordet och svarade. Det var hans far som ringde från Löderup.

– Jag trodde vi hade bestämt att du skulle komma hit i går kväll? sa fadern.

Wallander suckade tyst.

– Vi hade inte bestämt nånting.

– Jo, det minns jag bestämt, envisades fadern. Det är du som börjar bli glömsk. Jag trodde poliser hade rapportblock. Kan du inte skriva upp där att du ska arrestera mig? Då kanske du minns.

Wallander orkade inte bli arg.

– Jag tittar över i kväll, sa han. Men vi hade *inte* bestämt att jag skulle komma i går kväll.

– Det är möjligt att jag tar fel, svarade fadern plötsligt förvånansvärt milt.

– Jag kommer vid sjutiden, sa Wallander. Just nu har jag mycket att göra.

Han lade på. Min far bedriver en utstuderad känslomässig utpressning, tänkte Wallander. Och det värsta i det hela är att han hela tiden lyckas.

Pizzabudet kom. Wallander betalade och tog med sig kartongen till matrummet. Per Åkeson satt vid ett bord och åt gröt. Wallander satte sig mitt emot.

– Jag trodde du skulle komma över och prata om Holm, sa Åkeson.

– Det ska jag också. Men han har fått gå.

– Jag blir inte förvånad. Tillslaget var ovanligt dåligt organiserat.

– Det får du tala med Björk om, sa Wallander. Jag var inte inblandad.

Åkeson saltade till Wallanders förvåning på gröten.

– Om tre veckor går jag på tjänstledighet, sa han.

– Det har jag inte glömt, svarade Wallander.

– Det blir en ung dam som ersätter mig. Anette Brolin heter hon. Från Stockholm.

– Jag kommer att sakna dig, sa Wallander. Dessutom undrar jag hur det ska gå med en kvinnlig åklagare.

– Varför skulle det vara några problem?

Wallander ryckte på axlarna.

– Fördomar, antar jag.

– Ett halvår går fort. Dessutom måste jag erkänna att det ska bli skönt att komma bort ett tag. Jag behöver tänka.

– Jag trodde du skulle vidareutbilda dig?

– Det ska jag också. Men det hindrar ju inte att jag samtidigt funderar över framtiden. Ska jag fortsätta att vara åklagare hela livet? Eller finns det nånting annat jag hellre borde ägna mig åt?

– Du kan ju lära dig segla och bli vagabond till sjöss.

Åkeson skakade energiskt på huvudet.

– Inget sånt. Men jag funderar på att söka mig utomlands. Kanske till nåt sammanhang där man verkligen känner att man gör nytta. Kanske kunde jag vara med och bygga upp ett fungerande rättssystem nånstans där det inte finns nåt? I Tjeckoslovakien kanske.

– Jag hoppas du skriver och berättar, sa Wallander. Jag funderar ju också på framtiden, om jag ska vara polis till pensionen. Eller nånting annat.

Pizzan var smaklös. Åkeson tycktes däremot äta sin gröt med god aptit.

– Hur är det med det där flygplanet? frågade Åkeson.

Wallander berättade det han visste.

– Det låter märkligt, sa Åkeson när Wallander talat till punkt. Kan det vara knark?

– Det kan det säkert, svarade Wallander och ångrade samtidigt att han inte frågat Holm om han hade ett flygplan. Hade han råd att bygga en villa kunde han mycket väl ha råd att hålla sig med ett privat flygplan. Inkomsterna från narkotikaförsäljning kunde nå upp till svindlande belopp.

De ställde sig samtidigt vid diskhon och gjorde rent sina tallrikar. Wallander hade lämnat halva sin pizza. Skilsmässan påverkade fortfarande hans matlust.

– Holm är en skurk, sa Wallander. Förr eller senare tar vi honom.

– Jag är inte så säker på det, svarade Åkeson. Men naturligtvis hoppas jag du har rätt.

Strax efter ett var Wallander tillbaka på sitt rum igen. Han funderade på om han skulle ringa till Mona i Malmö. Linda bodde hemma hos henne just nu. Det var henne Wallander ville tala med. Det hade gått nästan en vecka sedan de talats vid senast. Hon var nitton år och allmänt vilsen. Det senaste budet var att hon åter börjat fundera på att arbeta med att klä om möbler. Wallander misstänkte att hon skulle hinna ändra sig många gånger ännu.

Wallander ringde i stället in till Martinsson och bad honom komma. Tillsammans gick de igenom det som hade hänt på morgonen. Det var Martinsson som skulle skriva rapporten.

– Det har ringt folk från både Sturup och försvaret, sa han.

Det är nåt underligt med det där planet. Det tycks helt enkelt inte ha existerat. Och du verkar ha rätt i att vingarna och flygplanskroppen varit övermålade.

-- Vi får se vad Nyberg kommer fram till, sa Wallander.

– Kropparna är i Lund, fortsatte Martinsson. Enda sättet att identifiera dom är via tänderna. Kropparna var så svårt brända att dom föll i bitar när dom skulle läggas på bårarna.

– Med andra ord får vi avvakta, sa Wallander. Jag tänkte föreslå Björk att du får vara vår representant i haverikommissionen. Har du nåt emot det?

– Alltid lär jag mig nåt nytt, svarade Martinsson.

När Wallander åter blivit ensam blev han sittande och tänkte på skillnaden mellan sig själv och Martinsson. Wallanders ambition hade alltid varit att bli en bra brottsutredare. Det hade han också lyckats med. Men Martinsson hade andra ambitioner. För honom hägrade nog snarast rollen som polismästare inom en inte alltför avlägsen framtid. Att göra bra ifrån sig på fältet var bara ett steg i hans karriär.

Wallander släppte tanken på Martinsson, gäspade och drog håglöst till sig den pärm som låg överst i traven på bordet. Det retade honom fortfarande att han inte frågat Holm om flygplanet. Åtminstone för att få se hans reaktion. Men nu låg väl Holm hemma i sin bubbelpool. Eller så satt han och åt en god lunch på Continental med sin advokat.

Pärmen framför Wallander blev liggande oöppnad. Han bestämde sig för att han lika gärna kunde tala med Björk om Martinsson och haverikommissionen. Så var den saken ur världen. Han gick längs korridoren till den ände där Björk hade sitt rum. Dörren stod öppen. Björk var just på väg att gå.

– Har du tid? frågade Wallander.

– Några minuter. Jag ska iväg till en kyrka och hålla tal.

Wallander visste att Björk ständigt höll föredrag i de mest oväntade sammanhang. Tydligen älskade han att framträda inför folk, något som Wallander själv tyckte direkt illa om. Press-

konferenser var för honom en ständig plåga. Wallander berätta-
de om morgonens händelser men Björk var redan informerad.
Han hade inget att invända mot att Martinsson utsågs till poli-
sens representant i haveriutredningen.

– Jag antar att planet inte blev nerskjutet, sa Björk.

– Ingenting talar hittills mot att det var en olycka, svarade
Wallander. Men det är definitivt nåt som är oklart med den där
flygningen.

– Vi gör det vi ska, sa Björk och markerade att samtalet var
slut. Men vi lägger inte ner mer möda än vad som är nödvändigt.
Vi har tillräckligt med arbete som det är.

Björk försvann i ett moln av after shave. Wallander lommade
tillbaka till sitt rum. På vägen tittade han in till Rydberg och Hans-
son. Ingen av dem var inne. Han hämtade kaffe och ägnade sedan
några timmar åt att gå igenom en misshandelshistoria som inträf-
fat veckan innan i Skurup. Det hade tillkommit nya uppgifter som
borde innebära att mannen som slagit sin svägerska kunde åtalas
för misshandel. Wallander ställde samman materialet och be-
stämde sig för att lämna över det till Åkeson dagen efter.

Klockan hade blivit kvart i fem. Polishuset verkade egendom-
ligt övergivet denna dag. Wallander bestämde sig för att hämta
sin bil och sedan åka och handla. Han skulle hinna komma i tid
till sin far klockan sju. Var han inte där på slaget skulle fadern
brista ut i långa tirader av anklagelser om hur illa hans son be-
handlade honom.

Wallander tog jackan och gick hemåt. Snöslasket hade till-
tagit. Han fällde upp kapuschongen. När han satte sig i bilen
kände han efter att han hade inköpslistan i fickan. Bilen var svår-
startad och han skulle snart bli tvungen att byta. Men var skulle
han få pengar till det? Han fick igång motorn och skulle just läg-
ga in växeln när en tanke slog honom. Trots att han insåg att det
han ville göra var meningslöst blev nyfikenheten för stark. Han
beslöt sig för att vänta med att handla. I stället svängde han ut på
Österleden och for i riktning mot Löderup.

Den tanke som slagit honom var mycket enkel. I ett hus strax bortom Strandskogen bodde en pensionerad flygledare som Wallander hade lärt känna några år tidigare. Linda hade varit vän med hans yngsta dotter. Wallander tänkte att han skulle kunna ge svar på en fråga som Wallander gått och burit på ända sedan han stått invid det havererade flygplanet och lyssnat på Martinssons referat av samtalet med Haverberg.

Wallander svängde in på gårdsplanen till det hus där Herbert Blomell bodde. När Wallander stigit ur bilen såg han denne stå på en stege utanför huset i färd med att laga en stupränna. Han nickade vänligt när han såg vem det var och klättrade försiktigt nerför stegen.

– I min ålder kan ett lårbensbrott vara ödesdigert, sa han. Hur står det till med Linda?

– Bra, svarade Wallander. Hon är hos Mona i Malmö.

De gick in och satte sig i köket.

– Det störtade ett flygplan utanför Mossby i morse, sa Wallander.

Blomell nickade. Han pekade på en radioapparat som stod i fönstret.

– Det var en Piper Cherokee, fortsatte Wallander. Ett enmotorigt plan. Jag vet att du inte bara har varit flygledare i dina dar. Du har haft flygcertifikat också.

– Jag har faktiskt flugit en Cherokee några gånger, svarade Blomell. Ett bra plan.

– Om jag satte mitt finger på en karta, sa Wallander, och sen gav dig en kompassriktning. Och 10 minuter. Hur långt skulle du kunna flyga planet då?

– Enkel matematik, sa Blomell. Har du en karta?

Wallander skakade på huvudet. Blomell reste sig och försvann. Några minuter senare kom han tillbaka med en kartrulle. De bredde ut den på köksbordet. Wallander letade reda på den åker som måste ha varit nerslagsplatsen.

– Om man tänker sig att planet kommit rakt in från kusten.

Motorbuller hörs just här vid ett bestämt klockslag. Högst tjugo minuter senare återkommer det. Vi kan naturligtvis inte veta om piloten hållit samma kurs hela tiden. Men låt oss utgå från det. Hur långt har han då hunnit på halva tiden? Innan han vänt?

– Cherokeen ligger på ungefär 250 kilometer i timmen, sa Blomell. Om den har normallast.

– Det vet vi inte.

– Då utgår vi från maximal last och normal motvind.

Blomell räknade tyst i huvudet. Sedan pekade han på en punkt norr om Mossby. Wallander såg att det var i närheten av Sjöbo.

– Ungefär så här långt, sa Blomell. Men det finns naturligtvis många osäkerhetsmoment i den här beräkningen.

– Ändå vet jag betydligt mer nu än för en stund sen.

Wallander trummade tankfullt med fingrarna mot köksbordet.

– Varför störtar ett flygplan? frågade han sedan.

Blomell såg undrande på honom.

– Det finns inte två olyckor som är helt lika, sa han. Jag brukar läsa amerikanska tidskrifter som refererar olika haveriutredningar. Det kan finnas återkommande orsaker. Felaktigheter i planets elsystem. Eller nåt annat. Men till slut är det ändå ett speciellt skäl till att en viss olycka inträffar. Och det är nästan alltid en missbedömning av en pilot som fäller utslaget.

– Varför störtar en Cherokee? frågade Wallander.

Blomell skakade på huvudet.

– Motorn kan ha skurit. Dåligt underhåll. Du får vänta och se vad haverikommissionen kommer fram till.

– Flygplanets identifieringskod var övermålad, både på flygplanskroppen och under vingarna, sa Wallander. Vad betyder det?

– Att det var nån som inte ville lämna några spår, sa Blomell. Det finns naturligtvis en svart marknad för flygplan som för allting annat.

– Jag trodde det svenska luftrummet var vattentätt, sa Wallander. Men flygplan kan alltså smita igenom?

– Det finns ingenting här i världen som är absolut säkert, svarade Blomell. Det kommer det heller aldrig att finnas. Dom som har pengar nog och skäl till det kan alltid ta sig in över en gräns och sen försvinna spårlöst igen.

Blomell ville bjuda på kaffe. Men Wallander tackade nej.

– Jag ska besöka min far i Löderup, sa han. Kommer jag för sent blir det ett himla liv.

– Ensamheten är en förbannelse när man blir gammal, sa Blomell. Jag längtar efter mitt flygledartorn så det värker. Jag drömmer nätterna igenom hur jag lotsar flygplan genom luftlederna. Och när jag vaknar snöar det och allt jag kan ta mig för är att reparera en stupränna.

De skildes ute på gården. Wallander stannade till vid en livsmedelsaffär i Herrestad och handlade. När han körde därifrån svor han till. Trots att det stått på listan hade han ändå glömt att köpa toalettpapper.

Han kom till faderns hus i Löderup tre minuter i sju. Snöfallet hade då upphört. Men molnen hängde tunga över landskapet. Wallander såg att det lyste i det uthus där fadern hade sin ateljé. Han andades in den friska luften medan han gick över gårdsplanen. Dörren stod på glänt, fadern hade hört bilen komma. Han satt vid sitt staffli, med en gammal hatt på huvudet och de närsynta ögonen tätt intill den målning han just hade börjat med. Doften av thinner ingav alltid Wallander samma hemkänsla. Det är vad som finns kvar av min barndom, hade han ofta tänkt. Doften av thinner.

– Du är punktlig, sa fadern utan att se på honom.

– Jag kommer alltid i tid, svarade Wallander medan han flyttade på några tidningar från en stol och satte sig ner.

Fadern höll på med en av de målningar som innehöll en tjäder. Just när Wallander klev in i ateljén lade han över en mall på duken och målade en nertonad skymningshimmel. Wallander betraktade honom med en plötslig känsla av innerlighet. Han är den siste i generationen före mig, tänkte han. När farsan går bort är det jag som står först i kön.

Fadern lade undan penslarna och mallen och reste sig.

De gick in i huset. Fadern kokade kaffe och ställde fram supglas. Wallander tvekade. Men sedan nickade han. Ett glas kunde han ta.

– Poker, sa Wallander. Du är skyldig mig fjorton kronor sen sist.

Fadern betraktade honom noga.

– Jag tror att du spelar falskt, sa han. Men jag har fortfarande inte kommit på hur du gör.

Wallander häpnade.

– Menar du att jag skulle spela falskt mot min egen far?

För en gångs skull retirerade fadern.

– Nej, sa han. Det tror jag kanske ändå inte. Men jag tyckte du vann ovanligt mycket senast.

Samtalet dog ut. De drack kaffe. Fadern sörplade som vanligt. Wallander tyckte lika illa om det som han alltid gjort.

– Jag ska resa bort, sa fadern plötsligt. Långt bort.

Wallander väntade på en fortsättning som aldrig kom.

– Vart då? frågade han till slut

– Till Egypten.

– Egypten? Vad ska du göra där? Jag trodde det var till Italien du ville resa.

– Egypten *och* Italien. Du hör aldrig på vad jag säger.

– Vad ska du göra i Egypten?

– Jag ska se sfinxen och pyramiderna. Tiden börjar bli knapp. Ingen vet hur länge jag lever. Men jag vill se pyramiderna och Rom innan jag dör.

Wallander skakade på huvudet.

– Vem ska du åka med?

– Jag flyger med Egypt Air om några dagar. Direkt till Kairo. Jag bor på ett mycket fint hotell som heter Mena House.

– Men ska du åka ensam? Har du köpt en charterresa? Du kan väl inte mena allvar med dom där idéerna, sa Wallander vantroget.

Fadern sträckte sig efter några biljetter som låg i köksfönstret. Wallander ögnade igenom dem och insåg att det fadern sagt var sant. Han skulle resa på reguljärbiljett från Köpenhamn till Kairo den 14 december.

Wallander lade ifrån sig biljetterna på bordet.

För en gångs skull blev han helt mållös.

Kvart över tio for Wallander hem från Löderup. Molntäcket hade då börjat spricka upp. När han gick till bilen märkte han att det hade börjat bli kallare. Vilket i sin tur skulle betyda att hans Peugeot skulle bli än mer svårstartad än vanligt. Men det var egentligen inte bilen som upptog hans tankar, utan det faktum att han inte lyckats övertala sin far att låta bli resan till Egypten. Eller åtminstone vänta till något tillfälle då antingen han själv eller hans syster kunde göra honom sällskap.

– Du är nästan 80 år, hade Wallander envisats. Då reser man inte runt i världen hur som helst.

Men hans argument hade varit ihåliga. Det var inga uppenbara fel på faderns hälsa. Även om han klädde sig konstigt ibland hade han en förunderlig förmåga att anpassa sig till olika situationer och nya människor han mötte. När Wallander dessutom hade insett att det ingick transfer från flygplatsen till hotellet som låg alldeles intill pyramiderna, hade hans oroliga invändningar långsamt avtagit. Vad det var som drev hans far till Egypten, sfinxen och pyramiderna visste han inte. Men han kunde heller inte neka till att fadern faktiskt för många år sedan, när Wallander ännu var liten, vid flera tillfällen hade berättat för honom om de märkliga skapelser som fanns på Gizeplatån strax utanför Kairo.

Sedan hade de spelat poker. Eftersom fadern slutat på plus hade han varit riktigt belåten när Wallander tackade för sig.

Wallander stannade med handen på bildörrens handtag och drog in nattluften.

Jag har en märklig far, tänkte han. Det är i alla fall något jag aldrig kan komma ifrån.

Wallander hade lovat att köra honom till Malmö på morgonen den 14. Han hade noterat telefonnumret till Mena House, där hans far skulle bo. Eftersom fadern naturligtvis inte slösat bort några pengar i onödan på att teckna en reseförsäkring skulle Wallander be Ebba ordna det dagen efter.

Bilen startade motvilligt och han for mot Ystad. Det sista han såg var ljuset i köksfönstret. Fadern brukade sitta uppe till långt in på natten i köket innan han lade sig. Om han inte återvände ut i ateljén och gjorde ännu några penseldrag på en av sina tavlor. Wallander tänkte på det Blomell hade sagt tidigare på kvällen, att ensamheten var en förbannelse för gamla människor. Men hans far levde i alla fall inte sitt liv på något annorlunda sätt sedan han blivit äldre. Han fortsatte att måla sina tavlor som om ingenting egentligen hade förändrats, vare sig runt honom eller med honom själv.

Strax efter elva var Wallander tillbaka på Mariagatan. När han låste upp ytterdörren upptäckte han att någon skjutit in ett brev genom brevinkastet. Han öppnade kuvertet och visste redan från vem det var. Emma Lundin, sjuksköterska på Ystads sjukhus. Wallander insåg att han lovat ringa henne redan dagen innan. Hon brukade passera hans hus på väg hem till Dragongatan. Nu undrade hon bara om något hänt. Varför hade han inte ringt? Wallander fick dåligt samvete. Han hade träffat henne en månad tidigare. Av en tillfällighet hade de börjat prata inne på postkontoret på Hamngatan. Sedan hade de stött ihop några dagar senare i en livsmedelsaffär och efter bara några dagar varit invecklade i ett förhållande, som inte var särskilt passionerat från någondera sidan. Emma var ett år yngre än Wallander och frånskild med tre barn. Wallander hade insett att förhållandet betydde mer för henne än för honom själv. Utan att riktigt våga hade han försökt dra sig ur. Nu när han stod i tamburen visste han mycket väl varför han inte hade ringt. Han hade helt enkelt inte haft någon lust att träffa henne. Han lade brevet på köksbordet och tänkte att han måste avsluta förhållandet. Det hade ingen framtid, inga förutsättningar. De hade alltför lite att tala om, alltför lite tid för varandra. Och Wallander visste att det egentligen var något helt annat han sökte, någon helt annan. Någon som på allvar skulle kunna ersätta Mona. Om den kvinnan överhuvudtaget fanns. Men framför allt var det Monas återkomst han drömde om.

Han klädde av sig och satte på sig sin gamla, slitna badrock. Insåg igen att han glömt köpa toalettpapper och letade reda på en gammal telefonkatalog som han lade in på toaletten. Sedan ställde han in de matvaror han köpt i Herrestad i kylskåpet. Telefonen ringde. Klockan var kvart över elva. Han hoppades att inget allvarligt hade hänt som skulle tvinga honom att klä på sig igen. Det var Linda. Han blev alltid lika glad över att höra hennes röst.

– Var har du varit? frågade hon. Jag har ringt hela kvällen.

– Du kunde ha gissat, svarade han. Och du kunde ha ringt till farfar. Det är där jag har varit.

– Det tänkte jag inte på, sa hon. Du brukar ju aldrig besöka honom.

– Brukar inte jag?

– Det är vad han säger i alla fall.

– Han säger så mycket. Han ska förresten åka till Egypten om några dagar och titta på pyramiderna.

– Vad roligt. Tänk om man kunde ha åkt med.

Wallander sa ingenting. Sedan lyssnade han på hennes mångordiga berättelse om vad hon gjort de senaste dagarna. Han gladde sig åt att hon nu tydligen på nytt bestämt sig för att satsa på en karriär som tapetserare. Han antog att Mona inte var hemma eftersom hon brukade bli irriterad när Linda pratade så mycket och så länge i telefon. Samtidigt kände han ett styng av svartsjuka. Trots att de nu var skilda kunde han inte förlika sig med tanken att hon träffade andra män.

Samtalet slutade med att Linda lovade att träffa honom i Malmö och vinka av sin farfar inför resan till Egypten.

Klockan hade passerat midnatt. Eftersom Wallander var hungrig gick han tillbaka till köket. Det enda han orkade laga till var en tallrik med havregrynsgröt. Halv ett kröp han i säng och somnade nästan genast.

På morgonen den 12 december hade temperaturen sjunkit till fyra minusgrader. Wallander satt i köket strax före sju när telefonen ringde. Det var Blomell.

– Jag hoppas jag inte väckte dig, sa han.

– Jag var uppe, svarade Wallander med kaffekoppen i handen.

– En tanke slog mig sen du hade farit, fortsatte Blomell. Jag är naturligtvis inte polis. Men jag tyckte ändå att jag kunde ringa.

– Säg vad du tänkte!

– Jag menar bara att om nån hörde bullret utanför Mossby så måste planet ha kommit på mycket låg höjd. Det bör ju innebära att även andra har hört det. På det sättet kanske du kan lista ut vart det tog vägen. Och kanske till och med hitta nån som hört ett flygplan vända i luften och återvända samma väg det kommit. Om nån till exempel har hört det med bara några minuters mellanrum kanske man kan räkna ut inom vilken radie planet vände.

Wallander insåg att Blomell naturligtvis hade rätt. Han borde ha tänkt tanken själv. Men det sa han inte.

– Vi håller på med det, svarade han i stället.

– Det var bara det, sa Blomell. Hur mådde din pappa?

– Han berättade att han ska resa till Egypten.

– Låter som en bra idé.

Wallander svarade inte.

– Det är kallare, slutade Blomell. Vintern är på väg.

– Snart har vi snöstormarna över oss, svarade Wallander.

Han återvände till köket. Tänkte på det Blomell hade sagt. Martinsson eller någon annan kunde ta kontakt med kollegorna i Tomelilla och Sjöbo. Kanske också Simrishamn för säkerhets skull. Möjligen gick det att lokalisera flygplanets kurs och slutmål genom att leta efter människor som varit morgontidiga och hört buller i bästa fall i två omgångar. Några mjölkbönder fanns

väl kvar som var på benen så dags på dygnet? Men frågan kvar-
stod: Vad hade de två männen haft för sig på sin flygning? Och
varför hade planet saknat identifiering?

Wallander bläddrade hastigt igenom tidningen. Labradorvalp-
arna var fortfarande till salu. Men det fanns inget hus som fång-
ade hans uppmärksamhet.

Strax före åtta steg Wallander in genom polishusets dörr. Den
här dagen hade han den tröja som han använde ner till fem mi-
nusgrader. Han bad Ebba teckna en reseförsäkring för hans far.

– Det har alltid varit min dröm, sa hon. Att resa till Egypten
och se pyramiderna.

Alla tycks vara avundsjuka på min far, tänkte Wallander när
han hämtade kaffe och gick till sitt rum. Ingen verkar särskilt
överraskad ens. Det är bara jag som oroar mig för att någonting
ska hända. Att han ska villa bort sig i öknen, kanske.

Martinsson hade lagt in en rapport på hans bord om haveriet
dagen innan. Wallander ögnade igenom den och tänkte att Mar-
tinsson fortfarande var alldeles för mångordig. Hälften hade va-
rit nog. Rydberg hade vid något tillfälle sagt honom att det som
inte kunde uttryckas kortfattat som ett telegram antingen var
illa tänkt eller alldeles fel. Wallander hade alltid försökt göra
sina utredningsrapporter så klara och kortfattade som möjligt.
Han ringde in till Martinsson och berättade om sitt samtal med
Björk dagen innan. Martinsson verkade nöjd. Sedan föreslog
Wallander att de borde träffas allihop. Det Blomell hade sagt var
värt att ta fasta på. Halv nio hade Martinsson lyckats hitta Hans-
son och Svedberg. Men Rydberg hade fortfarande inte kommit.
De samlades i ett av mötesrummen.

– Är det nån som sett till Nyberg? frågade Wallander.

I samma ögonblick kom denne in i rummet. Som alltid verka-
de han utvakad. Håret stod på ända. Han satte sig på sin vanliga
plats, en bit ifrån de andra.

– Rydberg verkar dålig, sa Svedberg medan han kliade sig på
flinten med en blyertspenna.

– Han *är* dålig, svarade Hansson. Han har ischias.

– Reumatism, rättade Wallander. Det är en jävla skillnad.

Sedan vände han sig till Nyberg.

– Vi har undersökt vingarna, sa denne. Och tvättat bort brand-kårens skum och försökt pussla ihop bitar från flygplanskrop-pen. Siffror och bokstäver var inte bara övermålade. Dom var för säkerhets skull bortskrapade innan. Men det hade bara lyck-ats delvis, så det var väl därför dom tog till målarfärgen. Dom som satt i det där planet hade verkligen bestämt sig för att dom inte ville bli spårade.

– Jag antar att det finns ett nummer på motorn, sa Wallander. Och det kan väl inte tillverkas lika många flygplan som bilar.

– Vi håller på att ta kontakt med Piperfabriken i USA, sa Mar-tinsson.

– Det finns ytterligare några frågor som vi måste få besvarade, fortsatte Wallander. Hur långt kan ett sånt här flygplan flyga på en tank? Är det vanligt med extratankar? Finns det nån gräns för hur mycket drivmedel ett plan av den här typen kan ha?

Martinsson skrev.

– Jag ska ta reda på det, sa han.

Dörren öppnades och Rydberg kom in.

– Jag har varit på sjukhuset, sa han kort. Och där tar det alltid en väldig tid.

Wallander kunde se att han hade ont men sa ingenting.

I stället lade han fram sin tanke om att försöka hitta andra som hört bullret. Han skämdes en aning över att han inte gav Blomell äran för den goda idén.

– Det blir som under kriget, kommenterade Rydberg. När varenda skåning gick och lyssnade efter flygplan.

– Det är möjligt att det inte ger nånting, sa Wallander. Men vi kan ju höra med kollegorna i dom andra distrikten. Personligen har jag svårt att tro att det kan ha varit nånting annat än en knarktransport. Ett nersläpp nånstans.

– Vi bör tala med Malmö, sa Rydberg. Om dom märker att

tillgången på nåt sätt dramatiskt ökar kan det hänga ihop. Jag kan ringa dom.

Ingen hade något att invända. Wallander avslutade mötet strax efter nio.

Resten av förmiddagen använde han till att slutföra arbetet med misshandelshistorien i Skurup och presentera materialet för Per Åkeson. Under lunchen gick han ner på stan, åt en grillad special och köpte toalettpapper. Han passade även på att besöka systembolaget och handla en flaska whisky och två flaskor vin. Just när han skulle gå stötte han ihop med Sten Widén som var på väg in. Wallander märkte genast att han luktade sprit och såg härjad ut.

Sten Widén var en av Wallanders allra äldsta vänner. De hade mötts för många år sedan, förenade av det gemensamma intresset för operamusik. Sten Widén arbetade hos sin far ute i Stjärnsund där de hade en hästgård för galopphästar. Under de senaste åren hade de träffats allt mindre. Wallander hade hållig sig undan sedan han insett att Sten Widén drack alltmer okontrollerat.

– Det var länge sen, sa Sten Widén.

Wallander ryggade inför hans andedräkt. Där dolde sig mycken gammal fylla.

– Du vet hur det är, sa Wallander. Det går i vågor.

Sedan utväxlade de några allmänna fraser. Båda ville skiljas så fort som möjligt. För att träffas under annorlunda, förberedda omständigheter. Wallander lovade att ringa.

– Jag har en ny häst i träning, sa Sten Widén. Hon hade ett så dåligt namn så jag drev igenom ett byte.

– Vad heter hon nu?

– Traviata.

Sten Widén log. Wallander nickade. Sedan gick dom var och en åt sitt håll.

Han gick hem till Mariagatan med sina påsar. Klockan kvart över två var han tillbaka på polishuset igen. Fortfarande verkade det lika ödsligt. Wallander fortsatte att bearbeta sina pappershögar. Efter misshandeln i Skurup väntade ett inbrott i centrala Ystad, på Pilgrimsgatan. Någon hade slagit sönder ett fönster mitt på dagen och tömt huset på diverse värdeföremål. Wallander skakade på huvudet när han läste igenom Svedbergs rapport. Det var obegripligt att ingen av grannarna sett någonting.

Börjar rädslan sprida sig även i Sverige? tänkte han. Rädslan att hjälpa polisen med de mest elementära iakttagelser. Om det är så är tillståndet betydligt värre än jag hittills har velat tro..

Wallander stretade med materialet och gjorde anteckningar om förhör som måste hållas, om sökningar i register som borde ske. Men han hade inga illusioner om att de skulle kunna lösa inbrottet utan en stor portion tur eller tillförlitliga vittnesuppgifter.

Strax före fem kom Martinsson in i rummet. Wallander upptäckte plötsligt att denne hade börjat anlägga mustasch. Men han sa ingenting.

– Sjöbo hade faktiskt nåt att säga, började Martinsson. En gubbe hade varit ute och letat efter en bortsprungen tjurkalv hela natten. Gud vet hur han trodde sig kunna hitta nånting i mörkret. Men han hade ringt in till polisen i Sjöbo under förmiddagen och meddelat att han sett några konstiga ljus och hört motorbuller strax efter fem.

– Konstiga ljus? Vad menade han med det?

– Jag har bett kollegorna i Sjöbo att prata ordentligt med den där mannen. Fridell hette han, förresten.

Wallander nickade.

– Ljus och motorbuller. Det kan bekräfta tesen om ett nersläpp.

Martinsson vecklade ut en karta på Wallanders skrivbord. Han pekade. Wallander såg att det låg inom det område som Blomell hade ringat in.

– Bra arbetat, sa Wallander. Vi får se om det ger nåt.

Martinsson vek ihop kartan.

– Det är hemskt om det är sant, sa han. Om vi verkligen är så oskyddade. Att vilket flygplan som helst kan komma in över vår gräns och släppa ner narkotika utan att bli upptäckt.

– Vi måste nog vänja oss, svarade Wallander. Men jag håller naturligtvis med dig.

Martinsson gick. En stund senare lämnade Wallander polishuset. När han kommit hem lagade han för en gångs skull en ordentlig middag. Halv åtta hade han slagit sig ner med en kopp kaffe framför teven för att se på Rapport. Just när huvudnyheterna började annonseras ringde telefonen. Det var Emma. Hon var just på väg att lämna sjukhuset. Wallander tänkte att han egentligen inte visste hur han ville ha det. Ännu en kväll ensam. Eller med Emma på besök. Utan att vara övertygad om att han ville träffa henne frågade han om hon hade lust att komma förbi. Hon sa ja. Wallander visste att det betydde att hon skulle stanna till en stund efter midnatt. Då skulle hon klä på sig och gå hem. För att stärka sig inför mötet drack Wallander två glas whisky. Han hade duschat medan han väntade på att potatisen skulle bli färdig. I hast bytte han lakan i sängen och slängde in de gamla i den garderob som redan var full med smutstvätt.

Emma kom strax före åtta. När Wallander hörde henne i trappan ångrade han sig. Varför lyckades han inte avsluta deras förhållande när det inte hade någon framtid?

Hon kom, hon log och Wallander bjöd in henne. Hon hade brunt hår, vackra ögon och var kortvuxen. Han hade satt på musik som han visste att hon tyckte om. De drack vin och strax före elva gick de till sängs. Wallander tänkte på Mona.

Efteråt somnade de båda. Ingen av dem sa någonting. Wallander märkte just innan han föll i sömn att han höll på att få huvudvärk. Han vaknade till när hon klädde sig. Men han låtsades sova fortfarande. När ytterdörren slagit igen gick han upp och drack vatten. Sedan återvände han till sängen, tänkte ytterligare en stund på Mona, och somnade på nytt.

Djupt inne i drömmarna började telefonen ringa. Genast vaknade han. Lyssnade. Signalerna fortsatte. Han kastade en blick på klockan på nattduksbordet. Kvart över två. Det innebar att någonting hade hänt. Han lyfte på luren samtidigt som han satte sig upp i sängen.

Det var en av de nattarbetande poliserna som hette Näslund som ringde.

– Det brinner på Möllegatan, sa Näslund. Alldeles i hörnet av Lilla Strandgatan.

Wallander försökte se kvarteret framför sig.

– Vad är det som brinner?

– Systrarna Eberhardssons sybehörsaffär.

– Då är det väl i första hand brandkåren och ordningspolisen som ska rycka ut?

Näslund tvekade innan han svarade.

– Dom är redan där. Det verkar som om huset har exploderat. Och systrarna bor ju på övervåningen.

– Har ni fått ut dom?

– Det verkar inte så.

Wallander behövde inte tänka efter. Han visste att han bara hade en sak att göra.

– Jag kommer, sa han. Vem har du ringt till mer?

– Rydberg.

– Honom kunde du väl ha låtit sova. Ta ut Svedberg och Hansson.

Wallander lade på luren. Såg på klockan igen. Sjutton minuter över två. Medan han klädde sig tänkte han på vad Näslund hade sagt. En sybehörsaffär som hade sprängts i luften. Det lät osannolikt. Och det var allvarligt om de två ägarinnorna inte hade lyckats rädda sig.

När Wallander kom ner på gatan märkte han att han hade glömt bilnycklarna. Han svor till och sprang tillbaka uppför trapporna. Han märkte att han blev andfådd. Jag borde börja spela badminton med Svedberg igen, tänkte han. Jag klarar inte fyra trappor utan att tappa andan.

Halv tre stannade Wallander på Hamngatan. Hela området

var avspärrat. Han kände brandlukten innan han ens hade öppnat bildörren. Elden och röken steg högt mot skyn. Brandkåren hade alla sina bilar ute. För andra gången på två dagar träffade Wallander Peter Edler.

– Det ser illa ut, ropade Edler för att överrösta allt oväsen.

Huset var helt övertänt. Brandmännen höll just på att spruta vatten på de omkringliggande husen för att elden inte skulle sprida sig.

– Systrarna? ropade Wallander.

Edler skakade på huvudet.

– Ingen har kommit ut, svarade han. Om dom var hemma så ligger dom därinne. Vi har ett ögonvittne som sa att huset bara flög i luften. Det började tydligen brinna överallt på en och samma gång.

Edler försvann för att fortsätta att dirigera släckningsarbetet. Hansson dök upp vid Wallanders sida.

– Vem fan tänder på en sybehörsaffär? frågade han.

Wallander skakade på huvudet.

Han hade inget svar.

Han tänkte på de två systrarna som drivit sin sybehörsaffär i alla de år han bott i Ystad. En gång hade han och Mona köpt ett blixtlås där, till en av Wallanders kostymer.

Nu var systrarna borta.

Och hade Peter Edler inte alldeles fel så handlade detta om en brand som anlagts för att systrarna skulle dö.

4.

Denna Lucianatt 1989 vakade Wallander in med andra ljus som flammade än Lucias. Han var kvar på brandplatsen ända till gryningen. Då hade han i tur och ordning skickat hem Svedberg och Hansson. När Rydberg dök upp hade Wallander sagt åt också honom att han inte behövde vara där. Nattkylan och hettan från elden var inget för hans reumatism. Rydberg hade fått en kort information om att de två systrarna som ägde affären med största sannolikhet hade blivit innebrända, och sedan gått hem. Peter Edler hade bjudit Wallander på kaffe. Wallander hade suttit i förarhytten på en av brandbilarna och grubblat över varför han inte lika gärna hade gått hem och lagt sig att sova i stället för att stanna här och vänta på att elden skulle bli släckt. Han lyckades inte hitta något bra svar. Med en känsla av obehag tänkte han tillbaka på kvällen innan. Erotiken mellan honom och Emma Lundin var alldeles utan passion. Knappast mer än en förlängning av det intetsägande samtal de fört tidigare under kvällen.

Jag kan han inte ha det så här längre, tänkte han plötsligt. Något måste hända i mitt liv. Snart, mycket snart. De två månaderna som gått sedan Mona definitivt lämnat honom kändes som två år.

I gryningen var elden släckt. Huset var nerbrunnet till grunden. Nyberg hade kommit. De väntade på att Peter Edler skulle ge klartecken att Nyberg kunde gå in bland brandresterna tillsammans med brandkårens egna tekniker.

Plötsligt hade Björk dykt upp, som vanligt oklanderligt klädd, omgiven av en doft av rakvatten som till och med lyckades tränga igenom brandlukten.

– Sorgligt när det brinner, sa han. Jag hör att ägarna dött.

– Det vet vi inte än, svarade Wallander. Men ingenting talar tyvärr emot det.

Björk såg på klockan.

– Jag kan tyvärr inte stanna, sa han. Jag har frukostmöte med Rotary.

Björk försvann.

– Han kommer att föreläsa ihjäl sig, sa Wallander.

Nyberg såg undrande på honom.

– Undrar vad han säger om polisen och vårt arbete, sa Nyberg. Har du hört honom tala nån gång?

– Aldrig. Men jag misstänker att han inte berättar om sina bedrifter bakom skrivbordet.

De stod tysta och väntade. Wallander kände sig frusen och trött. Fortfarande var hela kvarteret avstängt, men en journalist från Arbetet hade lyckats ta sig igenom avspärrningarna. Wallander kände honom från tidigare. Han var en av de journalister som faktiskt brukade skriva det Wallander sa, så han fick reda på det lilla de visste. Att de fortfarande inte kunde bekräfta om någon blivit innebränd. Journalisten lät sig nöja och försvann.

Det gick ytterligare nästan en timme innan Peter Edler kunde ge klartecken. När Wallander gett sig av hemifrån på natten hade han varit klok nog att sätta på sig gummistövlar och de steg nu försiktigt in i den nerbrunna bråten där bjälkar och rester av nerfallna väggar låg i vattensörjan. Nyberg och några av brandmännen letade sig försiktigt fram bland brandresterna. Efter mindre än fem minuter stannade de. Nyberg nickade åt Wallander att komma.

Kropparna av två personer låg på några meters avstånd från varandra. De var sönderbrända till oigenkännlighet. Wallander tänkte att han nu upplevde samma syn för andra gången inom loppet av 48 timmar. Han skakade på huvudet.

– Systrarna Eberhardsson, sa han. Vad var det dom hette i förnamn?

– Anna och Emilia, svarade Nyberg. Men vi vet inte än att det verkligen är dom.

– Vilka skulle det annars vara? sa Wallander. Det var bara dom som bodde i huset.

– Vi kommer att få veta, svarade Nyberg. Men det tar förstås några dagar.

Wallander vände sig om och återvände till gatan. Peter Edler stod och rökte.

– Röker du? frågade Wallander. Det visste jag inte.

– Inte särskilt ofta, svarade Edler. Bara när jag är mycket trött.

– Det måste bli en grundlig utredning av den här branden, sa Wallander.

– Jag ska naturligtvis inte föregripa utredningen, svarade Edler. Men det här var en mordbrand. Ingenting annat. Fast man kan naturligtvis fråga sig varför nån vill ta livet av två gamla fröknar.

Wallander nickade. Han visste att Peter Edler var ett ytterst kompetent brandbefäl.

– Två gamla tanter, sa Wallander. Som sålde knappar och blixtlås.

Nu fanns det inte längre något enda skäl för Wallander att vara kvar. Han lämnade brandplatsen, tog sin bil och for hem. Han åt frukost och konfererade med termometern om vilken tröja han skulle ha. Det blev samma som dagen innan. Tjugo minuter över nio parkerade han utanför polishuset. Martinsson kom samtidigt. Ovanligt sent för att vara han, tänkte Wallander. Martinsson gav honom förklaringen utan att han behövde fråga efter den.

– Min systerdotter som är femton år kom hem i natt och var berusad, sa han dystert. Det har inte hänt tidigare.

– Nån gång ska vara den första, sa Wallander.

Han saknade aldrig tiden hos ordningspolisen, då Lucia alltid var en stökig historia, och han påminde sig att Mona ringt några år tidigare och klagat över att Linda kommit hem och spytt efter just en Lucianatt. Hon hade varit mycket upprörd. Den gången hade Wallander till sin egen förvåning sett mera avspänt på det hela. Det försökte han också säga till Martinsson medan de gick mot polishuset. Men denne verkade oemottaglig. Wallander gav upp och tystnade.

De stannade till i receptionen. Ebba kom fram till dem.

– Är det sant det jag hör? frågade hon. Att stackars Anna och Emilia har brunnit inne?

– Det verkar inte bättre, svarade Wallander.

Ebba skakade på huvudet.

– Jag har köpt knappar och sytråd hos dom sen 1951, sa hon. Alltid lika vänliga. Om man behövde nåt extra skaffade dom det. Och det kostade inte mer för det. Vem i herrans namn har velat ta livet av två gamla damer som har en sybehörsaffär?

Ebba är den andra som frågar samma sak, tänkte Wallander. Först Peter Edler. Nu Ebba.

– Är det en pyroman som går lös? frågade Martinsson. I så fall har han valt en ovanligt lämplig natt att sätta igång.

– Vi får vänta och se, svarade Wallander. Har det kommit fram nåt mer om flygplanet som störtade?

– Inte så vitt jag vet. Men Sjöbo skulle tala med den där mannen som letade efter sin bortsprungna tjurkalv.

– Ring de andra distrikten för säkerhets skull, påminde Wallander. Det kan hända att fler har rapporterat buller. Så många flygplan som är uppe under natten kan det knappast finnas.

Martinsson gick. Ebba gav Wallander ett papper.

– Reseförsäkringen åt din far, sa hon. Lyckliga människa som slipper det här vädret och får se pyramiderna.

Wallander tog papperet och gick till sitt rum. När han hängt av sig jackan ringde han till Löderup. Han fick inget svar trots att han lät mer än femton signaler gå fram. Fadern befann sig väl ute i ateljén. Wallander lade på. Undrar om han minns att han ska resa i morgon? tänkte han. Och att jag ska hämta honom klockan halv sju?

Samtidigt gladde sig Wallander åt att han skulle få några timmar tillsammans med Linda. Det brukade alltid göra honom på bra humör.

Wallander drog till sig den pappershög som han lämnat dagen innan, om inbrottet på Pilgrimsgatan. Men han blev sittande i andra tankar. Tänk om de hade fått en pyroman på halsen? De hade varit förskonade från det under senare år.

Han tvingade sig att börja arbeta med inbrottet men redan halv elva ringde Nyberg.

– Jag tror du ska komma hit, sa han. Till brandplatsen.

Wallander visste att Nyberg inte skulle ha ringt om det inte varit viktigt. Att börja ställa frågor i telefonen skulle vara tidsspillan.

– Jag kommer, sa han och avslutade samtalet.

Han tog jackan och lämnade polishuset. Det tog honom bara några minuter med bil ner till centrum. Det avspärrade området hade minskat. Men fortfarande dirigerades en del av trafiken kring Hamngatan om.

Nyberg stod och väntade invid ruinen där det fortfarande rök. Han gick rakt på sak.

– Det är inte bara mordbrand, sa han. Det är mord.

– Mord?

Nyberg gjorde tecken åt honom att följa med. De två kropparna hade nu frilagts inne i ruinen. De satte sig på huk intill den ena av dem och Nyberg pekade på kraniet med en penna.

– Skotthål, sa Nyberg. Hon har blivit skjuten. Om det nu är en av systrarna. Men det får vi väl utgå ifrån.

De reste sig och gick till den andra kroppen.

– Samma sak här, sa han och pekade. Ett skott i nacken.

Wallander skakade vantroget på huvudet.

– Skulle nån ha skjutit dom?

– Det ser inte bättre ut. Dessutom är det rena avrättningen. Två nackskott.

Wallander hade svårt att ta till sig det Nyberg sa. Det var för verklighetsfrämmande, för brutalt. Samtidigt visste han att Nyberg aldrig sa någonting han inte var säker på.

De gick tillbaka ut på gatan. Nyberg höll upp en liten plastpåse framför Wallander.

– Vi har hittat den ena kulan, sa han. Den satt kvar i kraniet. Den andra har gått ut genom pannan och har smält i hettan. Men rättsläkarna måste naturligtvis undersöka det här ordentligt.

Wallander såg på Nyberg medan han försökte tänka.

– Vi har alltså ett dubbelmord som nån försökt dölja genom en mordbrand, sa han.

Nyberg skakade på huvudet.

– Det stämmer inte. En person som avrättar människor med nackskott vet med största säkerhet att eld alltid lämnar skeletten kvar. Trots allt talar vi inte om en kremeringsugn.

Wallander insåg att Nyberg hade kommit på något viktigt.

– Vad är alternativet?

– Att mördaren har velat dölja nånting annat.

– Vad kan man vilja dölja i en sybehörsaffär?

– Det är det ditt jobb att ta reda på, svarade Nyberg.

– Jag samlar ihop en spaningsgrupp, sa Wallander. Klockan ett börjar vi.

Han såg på klockan. Den var elva.

– Kan du vara med?

– Jag är naturligtvis inte klar med det här, sa Nyberg. Men jag kommer.

Wallander återvände till sin bil. Han var fylld av en känsla av overklighet. Vem kunde ha motiv för att avrätta två gamla damer som sålt nålar och tråd och ett och annat blixtlås? Det gick utanpå allt han hittills varit med om.

När han kom tillbaka till polishuset gick han raka vägen till Rydbergs rum. Det var tomt. Wallander hittade honom i matrummet där han satt och tuggade på en skorpa och drack te. Wallander satte sig vid bordet och berättade om Nybergs upptäckt.

– Det var inte bra, sa Rydberg när Wallander tystnat. Inte bra alls.

Wallander reste sig.

– Klockan ett ses vi, sa han. Tills vidare låter vi Martinsson koncentrera sig på flygplanet. Men Hansson och Svedberg ska vara där. Och försök få med Åkeson. Har vi nånsin varit med om nåt liknande?

Rydberg tänkte efter.

– Inte som jag kan minnas. Det var en galning som högg en yxa i huvudet på en servitör för tjugo år sen. Motivet var en obetald skuld på 30 kronor. Men annars vet jag inte.

Wallander dröjde sig kvar vid bordet.

– Nackskott, sa han. Det är inte särskilt svenskt.

– Vad är det som är svenskt? frågade Rydberg. Det finns inga gränser längre. Vare sig för flygplan eller grova brottslingar. En gång låg Ystad i utkanten av nånting. Det som hände i Stockholm hände inte här. Inte ens sånt som inträffade i Malmö var särskilt vanligt i en småstad som Ystad. Men den tiden är snart förbi.

– Vad händer då?

– Den nya tiden kommer att behöva andra sorters poliser, framför allt ute på fältet, sa Rydberg. Men såna som du och jag, såna som fortfarande kan tänka, kommer det alltid att vara behov av.

De slog följe genom korridoren. Rydberg gick långsamt. De skildes utanför Rydbergs dörr.

– Klockan ett, sa Rydberg. Dubbelmord på två gamla gummor. Ska vi kalla det så? Fallet med gummorna?

– Jag tycker inte om det här, sa Wallander. Jag begriper inte varför nån vill skjuta ihjäl två hedervärda gamla damer.

– Det är kanske där vi måste börja, sa Rydberg tankfullt. Med att undersöka om dom verkligen var så hedervärda som alla tycks tro.

Wallander blev förvånad.

– Vad är det du antyder nu?

– Ingenting, sa Rydberg och log plötsligt. Möjligen att du drar för snabba slutsatser ibland.

Wallander ställde sig vid fönstret i sitt rum och betraktade frånvarande några duvor som flaxade runt vattentornet. Rydberg har naturligtvis rätt, tänkte han. Som vanligt. Om det inte finns vittnen, om vi inte får in några iakttagelser från utomstående är det där vi måste börja: Vilka var dom egentligen, Anna och Emilia?

Klockan ett var de samlade i mötesrummet. Hansson hade försökt få tag på Björk utan att lyckas lokalisera honom. Men däremot hade Per Åkeson kommit.

Wallander redogjorde för upptäckten att de två kvinnorna blivit mördade. En förstämning spred sig genast i rummet. Alla hade tydligen vid något tillfälle varit inne i sybehörsaffären. Sedan gav Wallander ordet till Nyberg.

– Vi håller på att gräva i sörjan, sa han. Men hittills har vi inte hittat nåt som verkar anmärkningsvärt.

– Brandorsaken? sa Wallander.

– Det är för tidigt att säga, svarade Nyberg. Men enligt grannarna så hördes en kraftig smäll. Nån beskrev det som en dämpad explosion. Och sen var huset övertänt inom loppet av nån minut.

Wallander såg sig runt i rummet.

– Eftersom det inte föreligger nåt omedelbart motiv måste vi börja ta reda på det vi kan om dom här systrarna. Stämmer det som jag tror, att dom inte hade några nära släktingar? Båda var ensamstående. Hade dom heller aldrig varit gifta? Hur gamla var dom egentligen? Jag minns dom som gummor redan när jag flyttade hit.

Svedberg svarade att han var övertygad om att Anna och Emilia aldrig hade varit gifta och inte heller hade några barn. Men han skulle ta reda på allt mer i detalj.

– Bankkonton, sa Rydberg som hittills inte yttrat sig. Hade dom pengar? Undanstoppade i madrasser eller på bank? Det går rykten om såna saker. Kan det ha varit orsaken till morden?

– Det förklarar knappast avrättningsmetoden, sa Wallander. Men vi måste ta reda på det. Vi måste veta.

De fördelade de sedvanliga arbetsuppgifterna mellan sig. Det var alltid samma metodiska och tidskrävande uppgifter som måste utföras i början av en utredning. När klockan blivit kvart över två hade Wallander bara en punkt kvar.

– Vi måste tala med pressen, sa han. Det här kommer att intressera massmedia. Björk ska naturligtvis vara närvarande. Men jag vore glad om jag kunde få slippa.

Till allas förvåning erbjöd sig Rydberg att tala med journalisterna. Normalt var han lika lite trakterad som Wallander själv av sådana framträdanden.

De bröt upp från mötet. Nyberg återvände till brandplatsen. Wallander och Rydberg dröjde sig kvar i mötesrummet.

– Jag tror vi måste sätta vårt hopp till allmänheten, sa Rydberg. Mer än i vanliga fall. Det är alldeles klart att det måste ha funnits ett motiv för att döda dom här systrarna. Och jag har svårt att tänka mig nåt annat än pengar.

– Det har vi varit med om tidigare, svarade Wallander. Folk som inte har ett öre men som ändå blir utsatta för överfall eftersom det ryktats att dom har pengar.

– Jag har en del känningar, sa Rydberg. Jag ska undersöka lite vid sidan av.

De lämnade mötesrummet.

– Varför sa du ja till att ta presskonferensen? frågade Wallander.

– För att du skulle slippa för en gångs skull, svarade Rydberg och gick in i sitt rum.

Wallander lyckades få tag på Björk som var hemma och hade migrän.

– Vi hade tänkt oss en presskonferens klockan fem i dag, sa

han. Det hade naturligtvis varit bra om du kunde vara med.

– Jag kommer, svarade Björk. Migrän eller inte.

Spaningsmaskineriet rullade långsamt men metodiskt igång. Wallander besökte ytterligare en gång brandplatsen och talade med Nyberg som stod till knäna i all bråte. Sedan återvände han till polishuset. Men när presskonferensen började höll han sig borta. Vid sextiden var han hemma. Den här gången svarade hans far när Wallander ringde.

– Jag har redan packat, svarade fadern.

– Det får jag verkligen hoppas, sa Wallander. Jag är där halv sju. Glöm inte passet och biljetterna.

Resten av kvällen använde Wallander till att ställa samman vad de hittills visste om det som hade hänt under natten. Han ringde också hem till Nyberg och frågade hur arbetet hade gått.

Nyberg meddelade att det gick långsamt. De skulle fortsätta dagen efter så fort det blivit ljust. Wallander ringde också till polishuset och frågade den som hade vakten om det hade kommit in några tips. Men där var ingenting som han bedömde som anmärkningsvärt.

Vid midnatt gick Wallander till sängs. För att vara säker på att vakna i tid dagen efter beställde han telefonväckning.

Han hade svårt att somna trots att han var mycket trött.

Tanken på de två systrarna som blivit avrättade oroade honom.

Innan han till sist somnade hade han lyckats jaga upp sig till övertygelsen att det skulle bli en både lång och svår utredning. Om de inte hade turen att snubbla på en lösning redan från början.

Dagen efter steg han upp klockan fem. Precis halv sju svängde han in på gårdsplanen i Löderup.

Hans far satt på sin resväska ute på gården och väntade.

5.

De reste till Malmö i mörker. Trafiken från resten av Skåne in mot Malmö dit många dagligen pendlade hade ännu inte börjat på allvar. Hans far hade klätt sig i kostym och bar en egendomlig tropikhjälm på huvudet. Wallander hade aldrig sett den tidigare och anade att fadern hittat den på någon marknad eller i en lumpbod. Men han sa ingenting. Han frågade inte ens om fadern kommit ihåg biljetterna och passet.

– Nu reser du, var allt han sa.

– Ja, svarade fadern. Nu blir det äntligen av.

Wallander märkte att hans far inte ville prata. Det gav honom möjlighet att koncentrera sig på körningen och tänka sina egna tankar. Han var orolig över det som hänt i Ystad. Wallander försökte begripa skeendet. Varför någon med berått mod sköt två gamla kvinnor i nacken. Men det var blankt. Där fanns inga sammanhang, inga förklaringar. Bara denna brutala och obegripliga avrättning.

När de svängde in vid den lilla parkeringsplatsen vid flygbåtsterminalen stod Linda redan där och väntade. Wallander märkte att han inte riktigt tyckte om att hon började med att hälsa på sin farfar i stället för sin far. Hon kommenterade hans tropikhjälm, tyckte att den klädde honom.

– Jag önskar jag hade haft en lika fin mössa att visa fram, sa Wallander när han kramade om sin dotter. Till hans lättnad var hon själv denna morgon ovanligt lite uppseendeväckande klädd. Vilket ofta hade hänt och alltid störde honom. Nu slog det honom plötsligt att det kanske var något som hon ärvt av sin farfar. Eller åtminstone låtit sig inspireras av.

De följde fadern in i terminalbyggnaden. Wallander betalade hans biljett. När han gått ombord stod de ute i mörkret och såg båten försvinna ut genom hamninloppet.

– Jag hoppas jag blir som han när jag blir gammal, sa Linda.

Wallander svarade inte. Att bli som sin far var något Wallander fruktade mer än något annat.

De åt frukost tillsammans på Centralstationens restaurang. Wallander hade som vanligt ingen matlust så tidigt på morgonen. Men för att Linda inte skulle börja diskutera om hur han misskötte sig fyllde han en tallrik med olika pålägg och åt några rostade brödskivor.

Han betraktade sin dotter som pratade nästan oavbrutet. Vacker i traditionell och banal mening var hon knappast. Men hon hade något bestämt och självständigt i sitt sätt att vara. Hon tillhörde inte de unga kvinnor som gick in för att till varje pris behaga alla de män som råkade korsa deras spår. Vem hon hade ärvt sin pratsamhet av kunde han inte svara på. Både han själv och Mona var snarast tystlåtna. Men han tyckte om att lyssna på henne. Det gjorde honom alltid på gott humör. Hon fortsatte att prata om att bli tapetserare. Berättade vilka möjligheter som fanns, vilka svårigheterna var, förbannade det faktum att lärlingssystemet nästan helt hade försvunnit, och överraskade honom slutligen med att tänka sig en framtid där hon satte upp en egen verkstad i Ystad.

– Det är synd att varken du eller mamma har pengar, sa hon. Då kunde jag ha rest till Frankrike och lärt mig.

Wallander insåg att hon på inget vis anklagade honom för att inte vara förmögen. Ändå tog han det så.

– Jag kan skriva under på ett lån, sa han. Det tror jag nog en enkel polisman är betrodd med.

– Lån ska betalas tillbaka, svarade hon. Dessutom är du faktiskt kriminalkommissarie.

Sedan talade de om Mona. Wallander lyssnade, inte utan belåtenhet, på hennes klagomål på Mona, som kontrollerade sin dotter i allt hon företog sig.

– Dessutom tycker jag inte om Johan, sa hon till slut.

Wallander såg undrande på henne.

– Vem är det?

– Hennes nya karl.

– Jag trodde hon hade ett förhållande med nån som hette Sören?

– Det tog slut. Nu heter han Johan och äger två grävmaskiner.

– Och honom tycker du inte om?

Hon ryckte på axlarna.

– Han är så bullrig. Dessutom tror jag aldrig han har läst en enda bok i sitt liv. På lördagarna kommer han hem och har köpt Fantomen. En vuxen man. Tänk dig det!

Wallander kände en ögonblicklig lättnad över att han själv aldrig köpte serietidningar. Det hände att Svedberg köpte Stålmannen, visste han. Någon gång hade han bläddrat i ett nummer för att försöka återfinna känslan från barndomen, men den infann sig aldrig.

– Det låter inte bra, sa han. Jag menar, att du och Johan inte går ihop.

– Det är inte så mycket fråga om oss, svarade hon. Det är mer fråga om att jag inte begriper vad mamma ser hos honom.

– Flytta hem till mig, sa Wallander impulsivt. Ditt rum finns där på Mariagatan. Det vet du.

– Jag har faktiskt tänkt på det, sa hon. Men jag tror inte det skulle vara så bra.

– Varför inte?

– Ystad är för litet. Jag skulle bli galen av att bo där. Senare kanske, när jag blivit äldre. Det finns städer där man helt enkelt inte kan bo när man är ung.

Wallander förstod vad hon menade. Även för frånskilda män i 40-årsåldern kunde en stad som Ystad kännas trång.

– Du själv då? frågade hon.

– Vad menar du?

– Vad tror du? Kvinnor, förstås.

Wallander grimaserade. Han märkte att han inte ens hade lust att tala om Emma Lundin.

– Du borde sätta in en annons, föreslog hon. »Man i sina bästa år söker kvinna.« Du skulle få många svar.

– Säkert, svarade Wallander. Och sen skulle det ta fem minuter innan vi bara stirrade på varandra med glasartad blick och insåg att vi hade absolut ingenting att säga varandra.

Hon överraskade honom igen.

– Du måste ju ha nån att ligga med, sa hon. Det är inte bra att du går och suktar.

Wallander hajade till. Något sådant hade hon aldrig sagt till honom tidigare.

– Jag har det jag behöver, svarade han undvikande.

– Kan du inte berätta?

– Det är inte mycket att säga. En sjuksköterska. Hon är en väldigt bra människa. Problemet är bara att hon tycker mer om mig än vad jag tycker om henne.

Linda frågade inte mer. Wallander märkte att han genast börjat undra över hennes eget sexualliv. Men blotta tanken fyllde honom med så många motstridiga känslor att han inte ville ställa några frågor alls om det.

De satt i restaurangen ända tills klockan blivit över tio. Sedan ville han köra henne hem, men hon hade ärenden att uträtta. De skildes vid parkeringsplatsen. Wallander gav henne tre hundra kronor.

– Det behöver du inte, sa hon.

– Det vet jag. Men ta dom i alla fall.

Sedan såg han henne försvinna in mot staden. Tänkte att det var hans familj. En dotter som sökte sin väg. Och en far som just nu satt i ett flygplan på väg mot det varma Egypten. Till båda hade han komplicerade förhållanden. Det var inte bara fadern som kunde bli tvär, det gällde även Linda.

Halv tolv var han tillbaka i Ystad. Under återresan hade han haft lättare att tänka på det som nu väntade honom. Mötet med Linda hade gett honom förnyad energi. Bredast tänkbara front, sa han till sig själv. Det är den väg vi måste gå. Han stannade till vid infarten till Ystad och åt en hamburgare. Samtidigt lovade han sig att det skulle vara sista gången för i år. När han kom in i polishusets reception kallade Ebba på honom. Hon såg lite spänd ut.

– Björk vill tala med dig, sa hon.

Wallander hängde av sig jackan i sitt rum. Sedan gick han till Björk och blev genast insläppt. Björk reste sig bakom skrivbordet.

– Jag måste uttrycka mitt stora missnöje, sa han.

– Med vad då?

– Att du reser till Malmö i privata ärenden när vi står mitt inne i en svår mordutredning. Som du dessutom antas ha ansvaret för.

Wallander trodde inte sina öron. Björk stod faktiskt och skällde ut honom. Det hade aldrig hänt tidigare, även om Björk många gånger hade haft betydligt bättre skäl än nu. Wallander tänkte på alla de tillfällen när han agerat alltför självständigt i någon utredning utan att informera de andra.

– Det var mycket olyckligt, avslutade Björk. Det blir naturligtvis ingen formell reprimand. Men det var som sagt omdömeslöst.

Wallander stirrade på Björk. Sedan vände han sig om och gick, utan att säga ett ord. Men när han kommit halvvägs till sitt rum vände han och gick tillbaka, slet upp dörren till Björks rum och sa sammanbitet:

– Jag tar ingen skit från dig. Bara så du vet det. Ge mig en formell reprimand om du vill. Men stå inte och prata skit. Det tar jag inte.

Sedan gick han. Han märkte att han blivit svettig. Men han ångrade sig inte. Utbrottet hade varit nödvändigt. Och han oroade sig inte alls för några följder. Hans position på polishuset var stark.

Han hämtade kaffe i matrummet och satte sig sedan vid sitt

skrivbord. Han visste att Björk varit i Stockholm och gått på någon chefskurs. Förmodligen har han lärt sig att man borde skälla ut sina medarbetare med jämna mellanrum för att främja klimatet på arbetsplatsen, tänkte Wallander. Men i så fall valde han fel person att börja med.

Sedan undrade han vem som viskat i Björks öra att Wallander använt förmiddagen till att köra sin far till Malmö.

Det fanns flera möjligheter. Wallander kunde inte minnas för vilka han berättat om faderns resa till Egypten

Det enda han var säker på var att det inte varit Rydberg. Denne betraktade Björk som ett nödvändigt administrativt ont. Knappast något mer. Och han var hela tiden lojal mot dem han arbetade ihop med. Även om hans lojalitet inte skulle låta sig korrumperas; han skulle inte skyla över om någon av kollegorna begick en oegentlighet. Då skulle Rydberg vara den förste att reagera.

Wallander blev avbruten i tankarna av att Martinsson kom i dörren.

– Har du tid?

Wallander nickade mot stolen på andra sidan skrivbordet.

De började med att tala om branden och mordet på systrarna Eberhardsson. Men Wallander märkte att Martinsson kommit för något helt annat.

– Det gäller flygplanet, sa han. Kollegorna i Sjöbo har arbetat fort. Dom har lokaliserat ett område strax sydväst om samhället där det ska ha lyst den där natten. Vad jag förstår är det ett område där det inte finns några hus. Det kan alltså tyda på ett nersläpp.

– Du menar att ljusen skulle varit ledljus?

– Det kan vara en möjlighet. Dessutom går det ett myller av småvägar genom det här området. Lätt att ta sig dit, lätt att försvinna.

– Det förstärker vår teori, sa Wallander.

– Jag har mer, fortsatte Martinsson. Kollegorna i Sjöbo har varit väldigt nitiska. Dom har kontrollerat vilka människor som egentligen bor där i närheten. För det mesta är det naturligtvis lantbrukare. Men dom hittade ett undantag.

Wallander skärpte uppmärksamheten.

– Det finns en gård som heter Långelunda, fortsatte Martinsson. Under några år har den varit tillhåll för diverse människor som då och då har vållat Sjöbopolisen problem. Folk har flyttat ut och in, ägarförhållandena har varit oklara, och det har gjorts narkotikabeslag. Inga stora mängder. Men i alla fall.

Martinsson kliade sig i pannan.

– Kollegan jag talade med, Göran Brunberg, nämnde några namn. Jag lyssnade inte särskilt noga. Men sen när jag hade lagt på började jag fundera. Det var nåt med ett av namnen som jag tyckte mig känna igen. Från nåt ärende vi haft nyligen.

Wallander satte sig upp i stolen.

– Du menar inte att Yngve Leonard Holm bor däruppe? Att han har ett tillhåll där?

Martinsson nickade.

– Just han. Det tog en stund innan jag kom på det.

Jävlar, tänkte Wallander. Jag visste att det var någonting med honom. Jag tänkte till och med på flygplanet. Men vi var ju tvungna att låta honom gå.

– Vi hämtar in honom, sa Wallander och dunkade ena näven eftertryckligt i skrivbordet.

– Det var precis vad jag sa till kollegorna i Sjöbo när jag väl kommit på sambandet, sa Martinsson. Men när dom kom ut till Långelunda var Holm försvunnen.

– Vad menar du med det?

– Försvunnen, borta, puts väck. Han hade bott där. Även om han varit mantalsskriven här i Ystad dom senaste åren. Och hade byggt sin stora villa här i Ystad. Kollegorna pratade med några andra som bodde där. Rätt ruggiga typer, om jag förstod dom rätt. Holm hade varit där i går. Men sen hade han försvunnit. Och ingen hade sett honom efter det. Jag har undersökt villan här i Ystad. Men den är tillbommad.

Wallander tänkte efter.

– Det var alltså inte vanligt att Holm försvann?

– Dom som bodde i huset verkade faktiskt lite oroliga.

– Det skulle med andra ord kunna finnas ett samband, sa Wallander.

– Jag tänkte att Holm kanske var en av dom som fanns i planet när det störtade.

– Knappast, svarade Wallander. Det förutsätter att planet hade nånstans att landa och plocka upp honom. Och nån sån plats har väl Sjöbopolisen inte hittat? En improviserad landningsbana? Dessutom spricker tidtabellen.

– Ett sportflygplan med en skicklig pilot kanske bara behöver en liten jämn plätt att landa på och lyfta ifrån.

Wallander tvekade. Martinsson kunde ha rätt. Även om han tvivlade på att det var så. Å andra sidan hade han inga problem med att tänka sig att Holm kunde ha varit inblandad i betydligt större narkotikaoperationer än vad de hittills anat.

– Vi får arbeta vidare med det här, sa Wallander. Tyvärr blir du ganska ensam om det. Vi andra måste ägna oss åt dom mördade systrarna.

– Har ni hittat nåt tänkbart motiv?

– Vi har ingenting annat än en obegriplig avrättning och en explosionsartad brand, svarade Wallander. Men om det finns nåt i brandresterna så kommer Nyberg att hitta det.

Martinsson gick. Wallander märkte att hans tankar vandrade mellan det störtade flygplanet och branden. Klockan blev två. Hans far borde nu ha anlänt till Kairo, om avgången från Kastrup varit punktlig. Sedan tänkte han på Björks underliga beteende. Han märkte att han blev upprörd på nytt och samtidigt nöjd över att ha gett sin chef svar på tal.

Eftersom han hade svårt att koncentrera sig på sina papper tog han bilen ner till brandplatsen igen. Nyberg stod på knä tillsammans med de andra teknikerna i bråten. Fortfarande var brandlukten stark. Nyberg upptäckte Wallander och tog sig ut på gatan.

– Det har brunnit med våldsam värme säger Edlers folk, sa han. Allting verkar nersmält. Och det förstärker naturligtvis teorin om att det varit en anlagd brand, som börjat på många ställen samtidigt. Kanske med hjälp av bensin.

– Vi måste ta dom som har gjort det här, sa Wallander.

– Det vore nog bäst, svarade Nyberg. Man får känslan av att det är en galning som varit i farten.

– Eller motsatsen, sa Wallander. Nån som verkligen visste vad han var ute efter.

– I en sybehörsaffär? Hos två gamla ogifta systrar?

Nyberg skakade misstroget på huvudet och återvände till brandtomten. Wallander tog en promenad ner till hamnen. Han behövde luft. Det var några få minusgrader och nästan helt vindstilla. Utanför teatern stannade han och såg att där skulle komma ett gästspel från Riksteatern. »Ett drömspel« av Strindberg. Hade det ändå varit en opera, tänkte han. Då hade jag gått. Men inför talteater tvekade han.

Han gick ut på piren i småbåtshamnen. En färja till Polen höll just på att lägga ut från den stora terminalen intill. Frånvarande undrade han hur många bilar som smugglades ut ur Sverige med just den här avgången.

När klockan blivit halv fyra återvände han till polishuset. Han undrade om hans far hade funnit sig till rätta på sitt hotell. Och om han själv skulle få en ny reprimand av Björk för olovlig frånvaro. Klockan fyra hade han samlat sina kollegor i mötesrummet. De gick igenom vad som hade hänt under dagen. Fortfarande var materialet magert.

– Uppseendeväckande magert, menade Rydberg. Här brinner ett hus mitt i Ystad. Och ingen har lagt märke till nånting ovanligt.

Svedberg och Hansson rapporterade om vad de hunnit få fram. Ingen av systrarna hade någonsin varit gifta. Det fanns ett antal avlägsna släktingar, kusiner och sysslingar. Men ingen som bodde i Ystad. Sybehörsaffären hade deklarerat inkomster som på inget sätt var uppseendeväckande. Inte heller hade de funnit några bankkonton med stora behållningar. Hansson hade spårat ett bankfack till Handelsbanken. Men eftersom det saknades nycklar var Per Åkeson tvungen att framställa en begäran om att facket skulle brytas upp. Hansson räknade med att det skulle kunna ske under morgondagen.

Efteråt lade sig en tung tystnad över rummet.

– Det måste finnas ett motiv, sa Wallander. Förr eller senare hittar vi det. Bara vi har tålamod.

– Vilka kände dom där systrarna? frågade Rydberg. Dom måste haft vänner och en stunds fritid då och då när dom inte stod i affären. Var dom med i nån form av föreningsliv? Hade dom sommarstuga? Reste dom på semester? Jag tycker fortfarande vi bara snuddar vid en yta.

Wallander märkte att Rydberg lät retlig på rösten. Han har säkert mycket ont, tänkte Wallander hastigt. Jag undrar vad det egentligen är för fel med honom. Om det nu inte bara är reumatismen.

Ingen hade något att invända mot det Rydberg sagt. Arbetet skulle fortsätta och fördjupas.

Wallander stannade kvar på sitt rum tills klockan blivit närmare åtta. Han gjorde en egen uppställning av alla de fakta de hade kring de två systrarna Eberhardsson. När han läste igenom det han skrivit insåg han på allvar hur tunt det var. De hade inga som helst spår att gå efter.

Innan han lämnade kontoret ringde han hem till Martinsson som kunde meddela att Holm fortfarande inte hade dykt upp.

Wallander for hem. Det tog lång tid innan motorn hackade igång. Han bestämde sig ilsket för att ta ett banklån och byta bil så fort han fick tid.

När han kommit hem antecknade han sig för en tid i tvättstugan och öppnade sedan en burk med pölsa. Just när han hade satt sig framför teven med tallriken balanserande på knät ringde telefonen. Det var Emma. Hon frågade om hon fick komma förbi.

– Inte i kväll, svarade Wallander. Du har säkert läst om branden och dom två systrarna. Vi arbetar dygnet runt just nu.

Hon förstod. När Wallander lagt på undrade han varför han inte sagt som det var. Att han inte orkade med henne längre. Fast det hade varit oförlåtligt fegt att göra det på telefon. Han fick allt bekväma sig till att åka hem till henne någon kväll. Han lovade sig själv att göra det så fort han fick tid.

Han började äta maten som redan kallnat. Klockan hade blivit nio.

Telefonen ringde på nytt. Irriterat ställde Wallander tallriken ifrån sig och svarade.

Det var Nyberg. Han var fortfarande kvar på brandplatsen och ringde från en polisbil.

– Nu tror jag vi har hittat nånting, sa han. Ett kassaskåp. Av den exklusiva sort som står emot mycket stark värme.

– Varför har ni inte hittat det tidigare?

– Bra fråga, svarade Nyberg utan att bli stött. Men kassaskåpet fanns nersänkt i husgrunden. Under all bråte hittade vi en värmeisolerad lucka. När vi brutit upp den hittade vi ett hålrum. Och där står kassaskåpet.

– Har ni öppnat det?

– Med vad? Nycklar finns det ju inga. Det här är ett skåp som det kommer att bli mycket svårt att få hål på.

Wallander såg på klockan. Tio minuter över nio.

– Jag kommer, sa han. Frågan är om du nu inte har hittat den ledtråd vi letat efter.

När Wallander kom ner på gatan lyckades han inte få igång bilen. Han gav upp och gick in till Hamngatan.

Tjugo minuter i tio stod han vid Nybergs sida och betraktade kassaskåpet som lystes upp av en ensam strålkastare.

Ungefär samtidigt hade temperaturen börjat falla och en byig vind kommit drivande från öster.

6.

Strax efter midnatt den 15 december hade Nyberg och hans män lyckats lyfta kassaskåpet med hjälp av en kran. Det ställdes på ett lastbilsflak och kördes genast upp till polishuset. Men innan Nyberg och Wallander lämnade platsen gjorde Nyberg en undersökning av det hålrum som fanns i husgrunden.

– Det är byggt senare än huset, sa han. Jag kan inte förstå annat än att det är tillkommet just för det här kassaskåpet.

Wallander nickade utan att svara. Han tänkte på systrarna Eberhardsson. Polisen hade sökt efter ett motiv. Nu kanske de hade hittat det, även om de ännu inte visste vad som fanns i kassaskåpet.

Men någon annan kan ha vetat, tänkte Wallander. Både att kassaskåpet existerade. Och vad som fanns inuti.

Nyberg och Wallander lämnade brandplatsen och gick ut på gatan.

– Går det att skära upp skåpet? frågade Wallander.

– Ja, naturligtvis, svarade Nyberg. Men det krävs specialsvetsar. Det här är inget skåp som en vanlig dynamitard ens skulle drömma om att försöka bryta.

– Vi måste öppna det så fort som möjligt.

Nyberg stod och drog av sig sin overall. Han betraktade Wallander vantroget.

– Menar du med det att skåpet ska öppnas i natt?

– Helst, sa Wallander. Det handlar om ett dubbelmord.

– Det går inte, sa Nyberg. Det är först i morgon jag kan få tag på folk med specialsvetsar.

– Finns dom här i Ystad?

Nyberg tänkte efter.

– Det finns ett företag som är underleverantör till försvaret, sa han. Där finns nog svetsar som duger. Jag tror det heter Fabricius. Det ligger på Industrigatan.

Wallander såg hur trött Nyberg var. Det vore vansinne att driva honom vidare just nu. Inte heller han själv borde hålla på till gryningen.

– Klockan sju i morgon, sa Wallander.

Nyberg nickade.

Wallander såg sig om efter sin bil. Sedan kom han ihåg att den inte hade startat. Nyberg kunde köra honom hem. Men han föredrog att gå. Vinden var kall. Utanför ett skyltfönster på Stora Östergatan satt en termometer. Minus sex grader. Vintern kommer smygande, tänkte Wallander. Snart har vi den här.

En minut i sju på morgonen den 15 december steg Nyberg in i Wallanders rum. Wallander hade telefonkatalogen uppslagen på sitt bord. Han hade redan varit och sett på kassaskåpet som stod i ett rum intill receptionen som för tillfället var tomt. En av de polismän som just gått av nattskiftet berättade att de hade behövt en truck för att få in skåpet. Wallander nickade. Han hade lagt märke till spåren utanför glasdörrarna och sett att ett av dörrfästena blivit böjt. Det kommer Björk inte att bli glad över, tänkte han. Men det får han nog tyvärr stå ut med. Wallander försökte rubba kassaskåpet utan att lyckas. Han undrade igen vad som fanns inuti. Eller om det var tomt.

Nyberg ringde till firman på Industrigatan. Wallander hämtade kaffe. Samtidigt kom Rydberg. Wallander berättade om kassaskåpet.

– Det var som jag misstänkte, svarade Rydberg. Vi vet väldigt lite om dom där systrarna.

– Vi håller på att skaffa fram en svets som klarar skåpet, sa Wallander.

– Jag hoppas du säger till innan ni öppnar härligheten, sa Rydberg. Det ska bli intressant att vara med.

Wallander återvände till sitt rum. Han tyckte att Rydberg verkade ha mindre ont i dag.

Nyberg höll just på att avsluta samtalet när Wallander kom med kaffekopparna.

– Jag har just talat med Ruben Fabricius, sa han. Han trodde nog dom skulle klara skåpet. Dom är här om en halvtimme.

– Säg till mig när dom kommer, sa Wallander.

Nyberg lämnade rummet. Wallander tänkte på sin far i Kairo. Hoppades att hans upplevelser motsvarade förväntningarna. Han betraktade lappen med telefonnumret till hotellet, Mena House. Funderade på om han skulle ringa. Men plötsligt blev han osäker på vilken tidsskillnad som egentligen rådde eller om det nu var någon överhuvudtaget. Han lät tanken falla och ringde i stället ut till Ebba och frågade vilka som kommit.

– Martinsson hörde av sig och sa att han var på väg till Sjöbo, svarade hon. Svedberg har inte kommit. Hansson duschar. Han har tydligen fått en vattenläcka hemma.

– Vi ska öppna ett kassaskåp om en stund, sa Wallander. Det kan nog bli lite bullrigt.

– Jag var och tittade på det, sa Ebba. Jag trodde kassaskåp var större.

– Det ryms nog mycket i ett av den här storleken också.

– Usch ja, svarade hon.

Wallander undrade efteråt vad hon egentligen hade menat med sin sista kommentar. Förväntade hon sig att det skulle ligga ett barnlik i kassaskåpet? Eller ett avhugget huvud?

Hansson kom i dörren. Hans hår var fortfarande vått.

– Jag pratade just med Björk, sa han glatt. Han påpekade att ytterdörrarna till polishuset skadats under natten.

Hansson hade ännu ingenting hört om kassaskåpet. Wallander förklarade.

– Det ger oss kanske ett motiv, sa Hansson.

– I bästa fall, svarade Wallander. I sämsta fall är skåpet tomt. Och då förstår vi ännu mindre.

– Det kan ju ha blivit tömt av dom som sköt systrarna, invände Hansson. Kanske han sköt en av dom och tvingade den andra att öppna skåpet?

Wallander hade själv tänkt tanken. Med något sa honom att det inte hade gått till på det sättet. Utan att han för sig själv kunde reda ut varför han hade den känslan.

Klockan åtta började två svetsare under ledning av Ruben Fabricius att skära upp kassaskåpet. Det var som Nyberg befarat, ett svårt arbete.

– Specialstål, sa Fabricius. En vanlig dynamitard skulle behöva ägna hela sitt liv åt att öppna ett sånt här skåp.

– Kan man spränga upp det? frågade Wallander.

– Risken är nog att huset skulle rasa samtidigt, svarade Fabricius. I så fall skulle jag nog först flyttat ut skåpet på ett öppet fält. Men ibland behövs det så mycket sprängmedel att skåpet slits i stycken. Det som finns inuti bränns antingen upp eller pulvriseras.

Fabricius var en stor och kraftig man som avslutade varje mening med ett kort skratt.

– Ett sånt här skåp kostar säkert hundra tusen kronor, sa han och skrattade.

Wallander såg förvånat på honom.

– Så mycket?

– Säkert.

En sak är i alla fall klar, tänkte Wallander och erinrade sig redogörelsen från dagen innan om de döda kvinnornas ekonomiska situation. Systrarna Eberhardsson hade betydligt mer pengar än de uppgett till skattemyndigheterna. De har haft inkomster som de inte deklarerat för. Men vad kan man sälja i en sybehörsaffär som är så värdefullt? Guldtråd? Diamantinfattade kragknappar?

Kvart över nio stängdes svetsarna av. Fabricius nickade åt Wallander och skrattade.

– Klart, sa han.

Rydberg, Hansson och Svedberg hade kommit. Nyberg hade

hela tiden följt arbetet. Med en kofot bräckte han nu upp bakstycket som svetsats sönder. Alla som stod runt böjde sig framåt. Wallander såg ett antal plastförpackade paket. Nyberg tog ett av dem som låg överst. Plasten var vit och hoptejpad. Nyberg lade paketet på en stol och skar upp tejpen. Inuti fanns en tjock sedelbunt. Amerikanska hundradollarssedlar. Det var tio buntar, vardera med tiotusen dollar.

– Mycket pengar, sa Wallander.

Han tog försiktigt loss en sedel och höll upp den mot ljuset. Den verkade äkta.

Nyberg tog ut de andra paketen, ett efter ett, och öppnade dem. Fabricius stod i bakgrunden och skrattade varje gång en ny sedelbunt avtäcktes.

– Vi tar in resten till nåt mötesrum, sa Wallander.

Sedan tackade han Fabricius och de två män som skurit upp skåpet.

– Ni får skicka räkning, sa Wallander. Utan er hade vi inte fått upp det.

– Jag tror vi bjuder på det här, sa Fabricius. Det var en upplevelse för en yrkesman. Och utmärkt fortbildning dessutom.

– Det finns heller inget skäl att berätta i onödan om vad som fanns i skåpet, sa Wallander och försökte låta bestämd.

Fabricius skrattade och gjorde honnör. Wallander insåg att den inte var ironiskt menad.

När alla paketen var öppnade och sedelbuntarna sammanräknade gjorde Wallander ett hastigt överslag. Det mesta hade varit amerikanska dollar. Men där hade också funnits engelska pund och schweizerfranc.

– Jag får det till ungefär 5 miljoner svenska kronor, sa han. Ingen obetydlig summa.

– Det hade heller inte gått att pressa in mer pengar i skåpet, påpekade Rydberg. Det betyder med andra ord att om dom här pengarna var motivet så fick han eller dom som sköt systrarna inte med sig det dom ville ha.

– Ändå har vi en sorts motiv, sa Wallander. Det här kassaskåpet var gömt. Enligt Nyberg verkar det ha funnits där ett antal år. Nån gång har systrarna alltså ansett det vara nödvändigt att skaffa det eftersom dom behövde förvara och gömma stora penningsummor. Det är nästan enbart nya och oanvända dollarsedlar. Alltså måste det vara möjligt att spåra dom. Har dom kommit till Sverige på legal väg eller inte? Dessutom bör vi så fort som möjligt få svar på flera andra av dom frågor som vi arbetar med. Vad hade dom här systrarna för umgänge? Vad hade dom för vanor?

– Och ovanor, insköt Rydberg. Det är inte minst viktigt att få veta.

I slutet av mötet kom Björk in i rummet. Han hajade till när han såg alla pengar som låg på bordet.

– Det här måste registreras noga, sa han när Wallander något ansträngt förklarat vad som hänt. Ingenting får naturligtvis förkomma. Dessutom undrar jag vad som har hänt med polishusets dörr.

– En arbetsolycka, svarade Wallander. När trucken skulle lyfta in kassaskåpet.

Han sa det med sådant eftertryck att Björk inte kom sig för att göra någon invändning.

De bröt upp från mötet. Wallander skyndade sig ut ur rummet för att undvika att bli lämnad ensam med Björk. Det hade fallit på Wallanders lott att kontakta en lokal djurskyddsförening där åtminstone den ena av systrarna, Emilia, varit aktiv, enligt vad en av deras grannar kunnat berätta. Wallander hade fått ett namn av Svedberg, Tyra Olofsson. Wallander brast i skratt när han såg adressen: Käringgatan 11. Han undrade om det fanns någon stad i Sverige förutom Ystad som hade så många egendomliga gatunamn.

Innan Wallander lämnade polishuset ringde han till Arne Hurtig som var den bilhandlare han brukade göra affärer med. Han förklarade situationen med sin Peugeot. Hurtig gav honom någ-

ra olika förslag. Wallander tyckte att alla var för dyra. Men när
Hurtig lovade ett bra inbytespris för hans gamla bil bestämde sig
Wallander för att byta till en annan Peugeot. Han lade på och
ringde till sin bank. Det dröjde några minuter innan han fick tala
med den person som normalt hjälpte honom. Wallander bad om
ett lån på 20 000 kronor. Det skulle inte vara några problem.
Han kunde komma in dagen efter för att signera lånehandlingar-
na och hämta pengarna.

Tanken på en ny bil gjorde honom på gott humör. Varför han
alltid körde Peugeot visste han inte. Jag är nog en större vanemän-
niska än vad jag trott, tänkte han när han lämnade polishuset.
Han stannade till och betraktade det tillbucklade fästet vid polis-
husets entrédörrar. Eftersom ingen var i närheten passade han på
att sparka till dörramen ytterligare. Bucklan blev större. Han gick
fort och hukade i den byiga vinden. Naturligtvis borde han ha
ringt till Tyra Olofsson för att försäkra sig om att hon var hemma.
Men eftersom hon var pensionär tog han chansen.

När han ringde på dörren öppnades den nästan genast. Tyra
Olofsson var liten till växten och hade glasögon som berättade
att hon var mycket närsynt. Wallander förklarade vem han var
och visade sitt id-kort som hon höll några centimeter från glas-
ögonen och studerade noga.

– Polisen, sa hon. Då måste det ha med stackars Emilia att
göra.

– Det stämmer, svarade Wallander. Jag hoppas jag inte stör.

Hon bjöd honom in. Det luktade starkt av hund i tamburen.
Hon ledde honom ut i köket. På golvet kunde Wallander räkna
sig fram till 14 matskålar. Värre än Haverberg, tänkte han.

– Jag håller dom utomhus, sa Tyra Olofsson som hade följt
hans blick.

Wallander undrade om det verkligen var tillåtet att ha så
många hundar i innerstan. Hon frågade om han ville ha kaffe.
Wallander tackade nej. Han var hungrig och skulle äta så fort
samtalet med Tyra Olofsson var över. Han satte sig vid bordet

och letade förgäves efter något att skriva med. För en gångs skull hade han kommit ihåg att stoppa ett litet anteckningsblock i fickan. Men nu saknades alltså pennan. Det låg en blyertsstump i köksfönstret som han drog till sig.

– Fru Olofsson har rätt, började han. Det gäller Emilia Eberhardsson som så tragiskt omkommit. Vi hörde av en av hennes grannar att hon varit verksam i en lokal djurskyddsförening. Och att fru Olofsson kände henne väl.

– Kalla mig Tyra, svarade hon. Och inte kan jag säga att jag kände Emilia väl. Det tror jag ingen gjorde.

– Hennes syster Anna var aldrig inblandad i det här arbetet?

– Nej.

– Är inte det lite konstigt? Jag menar, två systrar, båda ogifta som lever tillsammans. Jag föreställer mig att man då också delar intressen.

– Det är en fördom, svarade Tyra Olofsson bestämt. Dessutom var Emilia och Anna förmodligen mycket olika som personer. Jag arbetade som lärare i hela mitt liv. Då lär man sig se skillnader på människor. Dom syns redan när barnen är små.

– Hur vill du beskriva Emilia?

Svaret överraskade Wallander.

– Snorkig. Betraktade sig som en person som alltid visste bäst. Hon kunde vara mycket obehaglig. Men eftersom det var hon som skänkte pengarna till vår verksamhet kunde vi ju inte göra oss av med henne. Även om vi hade velat.

Tyra Olofsson berättade om den lokala djurskyddsförening som startats av henne själv och några likasinnade under 1960-talet. De hade alltid arbetat lokalt och upprinnelsen till föreningen var det ökande problemet med övergivna sommarkatter. Föreningen hade alltid varit liten, medlemmarna få. En dag i början av 1970-talet hade Emilia Eberhardsson läst om verksamheten i Ystads Allehanda och tagit kontakt. Hon hade gett pengar varje månad och deltagit i möten och olika aktiviteter.

– Men jag tror egentligen inte hon tyckte om djur, sa Tyra

Olofsson oväntat. Jag tror hon gjorde det för att man skulle tycka att hon var en fin människa.

– Det låter inte som en särskilt vänlig beskrivning av henne.

Kvinnan på andra sidan bordet plirade mot honom.

– Jag trodde poliser ville veta sanningen, sa hon. Eller tar jag fel?

Wallander bytte ämne och frågade om pengarna.

– Hon skänkte en tusenlapp i månaden. För oss var det mycket.

– Gav hon intryck av att vara rik?

– Hon klädde sig inte särskilt dyrbart. Men nog hade hon pengar alltid.

– Du måste naturligtvis ha frågat dig varifrån dom kom. En sybehörsaffär är knappast nåt man förknippar med förmögenhet.

– Inte tusen kronor i månaden heller, svarade hon. Jag är inte särskilt nyfiken av mig. Kanske för att jag ser så dåligt? Men varifrån pengarna kom eller hur bra deras sybehörsaffär gick vet jag ingenting om.

Wallander tvekade ett kort ögonblick. Sedan sa han som det var.

– Det har framgått av tidningarna att systrarna brann inne, sa han. Men det har inte stått att dom blev skjutna. Dom var alltså redan döda när branden började.

Hon sträckte på sig.

– Vem kan ha velat skjuta två gamla damer? Det skulle vara lika troligt som att nån ville skjuta mig.

– Det är just det vi försöker förstå, sa Wallander. Det är därför jag är här. Emilia sa aldrig nåt om att hon hade fiender? Hon verkade aldrig rädd?

Tyra Olofsson behövde inte betänka sig.

– Hon var alltid mycket självsäker. Om sitt och systerns liv sa hon aldrig ett ord. Och när dom var bortresta skickade hon inte ens ett vykort. Inte en enda gång. Så många fina kort med djurmotiv som det finns överallt.

Wallander höjde på ögonbrynen.

– Dom var alltså ofta ute och reste?

– Två månader varje år. November och mars. Ibland på sommaren också.

– Vet du vart dom reste?

– Jag har hört ryktas att det var Spanien.

– Vem skötte affären då?

– Dom turades alltid om att vara borta. Kanske dom behövde slippa ifrån varandra ibland.

– Spanien? Vad säger ryktet mer? Och var kommer det ifrån?

– Det minns jag inte. Jag brukar inte lyssna på rykten. Kanske var det till Marbella. Men jag vet inte säkert.

Wallander undrade om Tyra Olofsson verkligen var så ointresserad av rykten och skvaller som hon lät påskina. Han hade bara en fråga kvar.

– Vem tror du kände Emilia bäst?

– Jag förmodar att det var hennes syster.

Wallander tackade för sig och gick tillbaka till polishuset. Vinden hade tilltagit. Han tänkte på det Tyra Olofsson hade sagt. Det hade inte funnits elakhet i hennes röst. Hon hade varit mycket saklig. Men hennes beskrivning av Emilia Eberhardsson hade inte varit nådig.

När Wallander kom tillbaka till polishuset berättade Ebba att Rydberg hade sökt honom. Wallander gick raka vägen till hans kontor.

– Bilden klarnar, sa Rydberg. Jag tycker vi hämtar dom andra och har ett litet möte. Jag vet att dom är i huset.

– Vad är det som har hänt?

Rydberg viftade med en bunt papper.

– VPC, sa han. Och här står mycket intressant att läsa.

Det tog ett ögonblick för Wallander att minnas att VPC betydde Värdepapperscentralen. Där bland annat aktieinnehav registrerades.

– Själv har jag lyckats reda ut att åtminstone den ena systern var en gediget obehaglig person, sa Wallander.

– Förvånar mig inte alls, skrockade Rydberg. Rika människor brukar bli såna.

– Rika? frågade Wallander.

Men Rydberg svarade inte förrän alla var samlade i mötesrummet. Då blev han desto tydligare.

– Enligt Värdepapperscentralen hade systrarna Eberhardsson värdepapper för närmare tio miljoner kronor. Hur dom har lyckats undanhålla det här från förmögenhetsbeskattning är en gåta. Inte tycks dom ha betalat skatt på utdelningarna heller. Men jag har satt fart på skattemyndigheterna. Det ser faktiskt ut som så att Anna Eberhardsson var skriven i Spanien. Men det där har jag inte fått riktig klarhet i än. Hur som helst hade dom stora aktieinnehav både i Sverige och utomlands. Värdepapperscentralens möjligheter att kontrollera innehav i utlandet är naturligtvis minimala. Det är inte heller deras uppgift. Men systrarna har med förkärlek satsat pengar i brittisk vapenindustri och flygindustri. Och dom tycks ha uppvisat betydande skicklighet och djärvhet.

Rydberg lade ifrån sig pappren.

– Vi kan alltså inte bortse från möjligheten av att det vi ser här bara är den berömda toppen av det lika berömda isberget. 5 miljoner i ett kassaskåp och 10 miljoner i aktier och fonder. Det har vi fått fram på några få timmar. Vad händer om vi håller på en vecka? Kanske beloppet stiger till 100 miljoner?

Wallander berättade om sitt möte med Tyra Olofsson.

– Beskrivningen av systern Anna är heller inte nådig, sa Svedberg när Wallander tystnat. Jag har talat med den man som sålde huset till systrarna för ungefär fem år sen. När fastighetsmarknaden började svaja. Innan hade dom bara varit hyresgäster. Tydligen var Anna den som förhandlade. Emilia hade aldrig visat sig. Och säljaren sa att det var den besvärligaste kund han nånsin haft. Dessutom hade hon tydligen lyckats snoka reda på att hans fastighetsbolag just då befann sig i kris, både när det gällde soliditet och likviditet. Han menade att hon varit alldeles iskall och mer eller mindre bedrivit utpressning mot honom.

Svedberg skakade på huvudet.

– Det är inte precis så här man föreställer sig två gamla tanter som säljer knappar, slutade han och det blev tyst i rummet.

Till sist bröt Wallander tystnaden.

– På sätt och vis är det här ändå ett genombrott, började han. Vi har fortfarande inga spår efter vem som dödade dom. Men vi har ett tänkbart motiv. Och det är det vanligaste av alla motiv: pengar. Dessutom vet vi att kvinnorna begick skattebrott och undanhöll skattemyndigheterna stora summor. Vi vet att dom var rika. Det skulle inte förvåna mig om det kommer att dyka upp ett hus i Spanien. Och kanske andra förmögenheter, på andra ställen i världen.

Wallander hällde upp ett glas Ramlösa innan han fortsatte.

– Allt vi vet hittills kan sammanfattas i två punkter. Två frågor. Var fick dom pengarna ifrån? Vilka visste om att dom var förmögna?

Wallander skulle just lyfta glaset för att dricka när han såg att Rydberg ryckte till, som om han drabbats av en stöt.

Sedan föll han framstupa med överkroppen över bordet.

Som om han var död.

7

Efteråt skulle Wallander minnas att han under några sekunder
varit övertygad om att Rydberg verkligen avlidit. Alla som var i
rummet när Rydberg ramlade ihop hade trott samma sak, att
Rydbergs hjärta plötsligt hade stannat. Det var Svedberg som
först reagerat. Han hade suttit på stolen intill Rydberg och märkt
att han fortfarande levde. Han hade gripit telefonen och ringt
efter en ambulans. Samtidigt hade Wallander och Hansson lyft
ner Rydberg på golvet och knäppt upp hans skjorta. Wallander
lyssnade på hans hjärta och hörde att det slog mycket fort. Sedan
hade ambulansen kommit och Wallander hade följt med den
korta vägen ner till sjukhuset. Rydberg hade kommit under be-
handling genast, och Wallander hade efter mindre än en halv-
timme fått veta att det knappast varit en hjärtattack. Snarare
hade Rydberg kollapsat av någon okänd orsak. Han hade då va-
rit vaken men skakat avvärjande på huvudet när Wallander ville
tala med honom. Han skulle stanna på sjukhuset för observa-
tion. Läget bedömdes som stabilt. Det fanns inte längre någon
orsak för Wallander att vara kvar. En av polisens bilar väntade
på honom för att köra honom tillbaka till polishuset. Kollegor-
na hade under tiden suttit kvar i mötesrummet. Även Björk var
nu där. Wallander kunde berätta att läget var under kontroll.

– Vi arbetar för hårt, sa han och såg på Björk. Vi får mer och
mer att göra. Men personalen utökas inte. Förr eller senare kan
det som hänt Rydberg hända oss alla.

– Situationen är besvärande, medgav Björk. Men vi har dom
resurser vi har.

Den närmaste halvtimmen låg brottsutredningen nere. Alla
var uppskakade och pratade om arbetssituationen. När Björk
lämnat rummet blev orden hårdare. Om omöjlig planering, om

egendomliga prioriteringar och ständigt bristande information.

Vid tvåtiden ansåg Wallander att de måste gå vidare. Inte minst behövde han det för sin egen skull. När han sett vad som hänt Rydberg tänkte han på vad som kunde hända honom själv. Hur länge skulle hans eget hjärta hålla för påfrestningarna? All den dåliga maten, de ofta återkommande perioderna av sömnsvårigheter? Och inte minst sorgen efter skilsmässan?

– Rydberg skulle inte tycka om det här, sa han. Att vi slösar tid på att prata om hur vi har det. Det får vi göra sen. Nu ska vi gripa en dubbelmördare. Och helst så fort som möjligt.

De bröt upp från mötet. Wallander gick till sitt rum och ringde sjukhuset. Han fick beskedet att Rydberg sov. Någon förklaring till det som inträffat var naturligtvis ännu inte möjlig att få.

Wallander lade på luren. Samtidigt kom Martinsson.

– Vad är det som har hänt? frågade han. Jag har varit i Sjöbo. Ebba satt i receptionen och var uppskakad.

Wallander berättade. Martinsson satte sig tungt i besöksstolen.

– Vi arbetar ihjäl oss, sa han. Och vem tackar oss för det?

Wallander märkte att han blev otålig. Han orkade inte tänka mer på det som hänt Rydberg. I alla fall inte just nu.

– Sjöbo, sa han. Vad har du att ge mig?

– Jag har varit ute på diverse leråkrar, svarade Martinsson. Vi har kunnat lokalisera dom där ljusen rätt väl. Men ingenstans finns några spår efter vare sig strålkastare eller ett flygplan som landat och lyft. Däremot har en del annat framkommit som nog förklarar varför det här flygplanet inte kunnat identifieras.

– Vad då?

– Det finns helt enkelt inte.

– Vad menar du med det?

Martinsson bläddrade en stund bland de papper han hade tagit upp ur sin portfölj.

– Enligt Piperfabrikens egna register havererade planet i Vientiane 1986. Ägare var då ett inhemskt laotiskt konsortium som

använde det till att transportera runt sina chefer till olika jord-
bruksanläggningar i landet. Enligt den officiella förklaringen
kraschade planet på grund av bensinbrist. Ingen vare sig skadades
eller omkom. Men planet blev skrot och avfördes ur alla levande
register och från försäkringsbolaget, som tydligen var nån form
av dotterbolag till Lloyds. Det här vet vi efter kontroll av numret
på motorn.

– Men det stämde alltså inte?

– Piperfabriken är naturligtvis mycket intresserad av det som
hänt. Det är inte bra för deras rykte om ett plan som inte längre
finns plötsligt har börjat flyga igen. Det kan alltså röra sig om
försäkringsbedrägeri och annat som vi inte har en aning om.

– Och männen i planet?

– Vi väntar fortfarande på att dom ska identifieras. Jag har ett
par bra kontakter inom Interpol. Dom har lovat att skynda på
det hela.

– Nånstans måste det där flygplanet ha kommit ifrån, sa Wal-
lander.

Martinsson nickade.

– Det ger oss ytterligare ett problem. Utrustar man ett plan
med extratankar kan det flyga mycket långt. Nyberg misstänker
att han kunnat identifiera rester av nåt som kan ha varit en ex-
tratank. Men vi vet inte än. I princip kan det här planet i så fall
ha kommit var som helst ifrån. Åtminstone från England och
Mellaneuropa.

– Men det måste ha blivit iakttaget, insisterade Wallander. Man
kan inte flyga över landgränser hur som helst.

– Så tänker jag också, svarade Martinsson. Därför är nog
Tyskland en kvalificerad gissning. Då flyger man över öppet hav
ända tills man når svenska gränsen.

– Vad säger dom tyska luftfartsmyndigheterna?

– Det tar tid, svarade Martinsson. Men jag håller på.

Wallander tänkte efter.

– Egentligen skulle du behövas när det gäller dubbelmordet,

sa han. Kan du delegera en del av ditt arbete till nån annan? Åtminstone medan vi väntar på att få svar på vilka piloterna var och om planet kommit från Tyskland?

– Jag hade just tänkt föreslå samma sak, sa Martinsson.

Wallander såg på klockan.

– Be Hansson eller Svedberg sätta dig in i materialet, sa han.

Martinsson reste sig.

– Har du hört nåt från din far i Egypten?

– Han ringer inte i onödan.

– Min farsa dog när han var 55, sa Martinsson plötsligt. Han hade ett eget företag. Plåtslageri. Han arbetade jämt för att få det att gå ihop. Just när det äntligen lossnat dog han. Hade han levt hade han inte varit mer än 67 år nu.

Martinsson gick. Wallander försökte undvika att tänka på det som hänt Rydberg. I stället gick han på nytt igenom allt det de nu visste om systrarna Eberhardsson. De hade ett tänkbart motiv, pengar, men inga spår efter vem som begått morden. Wallander skrev några ord i sitt kollegieblock.

Systrarna Eberhardssons dubbelliv?

Sedan sköt han undan blocket. Nu när Rydberg var borta saknades deras bästa instrument. Om en spaningsgrupp är som en orkester, tänkte Wallander, har vi mist förste violinisten. Och då låter orkestern inte bra.

Han bestämde sig i samma ögonblick för att själv prata med den person i grannhuset som gett uppgifterna om Anna Eberhardsson. Svedberg var ofta för otålig när han talade med människor om vad de kunde ha sett eller hört. Det gäller att också ta reda på vad folk tänker, sa Wallander till sig själv. Han letade reda på namnet till grannen, en person som hette Linnea Gunnér. Bara kvinnor i den här utredningen, tänkte han. Han slog hennes telefonnummer och fick svar. Linnea Gunnér var hemma och önskade honom välkommen. Hon gav honom portkoden som han noterade.

Han lämnade polishuset strax efter klockan tre och sparkade

ytterligare en gång till den skadade dörren. Bucklan fortsatte att växa. När han kom ner till brandtomten höll redan en schaktmaskin på att röja. Fortfarande stod många nyfikna och betraktade resterna av det nerbrunna huset.

Linnea Gunnér bodde på Möllegatan. Wallander knappade in koden och tog trappan upp till andra våningen. Huset var byggt någon gång vid sekelskiftet och hade vackra väggmönster i trapphallen. På dörren till Gunnérs lägenhet satt ett stort textat plakat om att hon undanbad sig all form av reklam. Wallander ringde på. Den kvinna som öppnade var i nästan allt Tyra Olofssons motsats. Hon var lång, hade skarp blick och bestämd röst. Hon bjöd in honom i en lägenhet som var fylld med olika föremål från främmande världsdelar. Inne i vardagsrummet fanns till och med en galjonsfigur. Wallander såg länge på den.

– Den tillhörde barken »Felicia« som kantrade och sjönk i Irländska sjön, sa Linnea Gunnér. Jag köpte den en gång för en billig penning i Middlesborough.

– Du har alltså varit på sjön? frågade han.

– I hela mitt liv. Först som kocka, sen som steward.

Hon pratade inte skånska. Wallander tyckte att det snarast lät som småländska, eller kanske östgötska.

– Varifrån kommer du? frågade han.

– Skänninge i Östergötland. Ungefär så långt från havet som man kan komma.

– Och nu bor du i Ystad?

– Jag fick överta den här lägenheten efter en moster. Och jag kan se havet.

Hon hade ställt fram kaffe. Wallander tänkte att det nog var det hans mage minst av allt behövde. Men han tackade ändå ja. Han hade genast fått förtroende för Linnea Gunnér. Han hade sett i Svedbergs papper att hon var 66 år gammal. Men hon verkade mycket yngre.

– Min kollega Svedberg var här, började Wallander.

Hon brast i skratt.

– Jag har aldrig sett en man klia sig i pannan så mycket som han.

Wallander nickade.

– Alla har vi våra egenheter. Jag har till exempel den att jag alltid anar att de finns fler frågor att ställa än vad man kanske först tror.

– Jag sa bara vad jag hade för intryck av Anna.

– Och Emilia?

– Dom var olika. Anna pratade fort och korthugget, Emilia var mer tystlåten. Men dom var lika otrevliga. Lika inåtvända.

– På vilket sätt kände du dom?

– Jag kände dom inte. Det hände att vi möttes på gatan. Då hälsade vi. Men aldrig ett onödigt ord. Eftersom jag tycker om att brodera så handlade jag ganska ofta hos dom. Jag fick alltid det jag ville ha. Behövde dom beställa nåt gick det fort. Men trevliga var dom inte.

– Ibland kan man behöva tid, sa Wallander. Tid för att låta minnet fånga upp saker man tror sig ha glömt.

– Vad skulle det vara?

– Jag vet inte. Du vet. Nån oväntad händelse. Nåt som bröt deras vanor.

Hon tänkte efter. Wallander betraktade en vacker mässingsinfattad kompass som stod på en byrå.

– Mitt minne har aldrig varit bra, sa hon till slut. Men nu när du säger det så minns jag faktiskt nåt som hände förra året. På våren tror jag det var. Men om det är viktigt kan jag inte svara på.

– Allt kan vara betydelsefullt, sa Wallander.

– Det var en eftermiddag. Jag behövde tråd. Blå tråd, minns jag. Jag gick ner till affären. Just då var både Emilia och Anna bakom disken. Precis när jag skulle betala trådrullen kom det in en man. Jag minns att han hajade till. Som om han inte väntat sig att nån skulle ha funnits i affären. Och Anna blev arg. Hon gav Emilia en blick som hade kunnat döda. Sen gick den där mannen. Han hade en väska i handen. Jag betalade tråden. Och sen gick jag.

– Kan du beskriva honom?

– Han var inte vad man brukar kalla svensk till utseendet. Mörkare, ganska kortvuxen. Svart mustasch.

– Hur var han klädd?

– Kostym. Jag tror nog det var bra kvalitet.

– Och väskan?

– En vanlig svart portfölj.

– Ingenting annat?

Hon tänkte efter igen.

– Inte som jag kan minnas.

– Du såg honom bara denna enda gång?

– Ja.

Wallander visste att det han nu hade hört var viktigt. Vad det betydde kunde han ännu inte avgöra. Men det stärkte honom i uppfattningen att de två systrarna levt ett dubbelliv. Långsamt höll han på att tränga under ytan.

Wallander tackade för kaffet.

– Vad är det egentligen som har hänt? frågade hon när de stod ute i tamburen. Jag vaknade av att det brann i mitt rum. Ljuset från flammorna var så starkt att jag trodde elden härjade inne hos mig.

– Anna och Emilia blev mördade, svarade Wallander. Dom var döda när branden började.

– Vem kan ha velat göra nåt sånt?

– Jag skulle knappast vara här om jag visste det, svarade Wallander och tog farväl.

När han kommit ner på gatan stannade han en stund vid brandtomten och såg frånvarande på hur schaktmaskinen fyllde flaket på en lastbil. Han försökte se det hela framför sig. Göra det Rydberg hade lärt honom. Att gå in i ett rum där döden härjat och försöka skriva dramat baklänges. Men här finns inte ens ett rum, tänkte Wallander. Här finns ingenting.

Han började gå tillbaka mot Hamngatan. I huset intill där Linnea Gunnér bodde låg en resebyrå. Han stannade när han upptäckte att det i skyltfönstret satt en affisch från Kairo som avbildade pyramiderna. Om fyra dagar skulle fadern komma hem igen. Wallander tänkte att han nog varit orättvis. Varför skulle han inte unna sin far att förverkliga en av sina gamla drömmar? Wallander såg på de andra affischerna i fönstret. Mallorca, Kreta, Spanien.

En tanke slog honom plötsligt. Han öppnade dörren och gick in i affären. Båda försäljarna var upptagna. Wallander satte sig att vänta. När den första av dem, en ung kvinna, knappast mer än tjugo år gammal, blev ledig reste han sig och satte sig vid hennes bord. Han fick vänta ytterligare några minuter medan hon besvarade ett telefonsamtal. På en namnskylt som stod på skrivbordet såg han att hon hette Anette Bengtsson. Hon lade på luren och log.

– Vill du resa bort? frågade hon. Kring jul och nyår finns bara restplatser kvar.

– Mitt ärende är lite annorlunda, sa Wallander och visade henne sitt id-kort. Du vet förstås att två gamla damer brann inne här tvärs över gatan?

– Det var hemskt.

– Kände du dom?

Han fick det svar han vagt hade hoppats på.

– Det var hos oss dom beställde sina resor. Det är så förfärligt att dom är borta. Emilia skulle ha rest i januari. Och Anna i april.

Wallander nickade långsamt.

– Vart var det dom skulle? frågade han.

– Samma ställe som vanligt. Spanien.

– Mera exakt?

– Till Marbella. Dom hade ett hus där.

Fortsättningen överraskade Wallander ännu mer.

– Jag har sett det, sa hon. Förra året var jag i Marbella. Vi hade vidareutbildning. Konkurrensen är hård i dag mellan alla resebyråer. En dag när vi var lediga åkte jag och tittade på deras hus. Jag visste ju adressen.

– Var det stort?

– Det var ett palats. Med stor tomt. Höga murar och vakter.

– Jag vore glad om du kunde skriva upp adressen, sa Wallander och lyckades inte dölja hur ivrig han blivit.

Hon letade bland sina pärmar och skrev sedan upp den.

– Du sa att Emilia hade bestämt att resa i januari?

Hon slog på sin dator.

– Den 7 januari, svarade hon. Från Kastrup 9.05, via Madrid.

Wallander tog en penna från hennes bord och noterade.

– Hon reste alltså inte med charterflyg?

– Det gjorde ingen av dom. Alltid första klass.

Alldeles riktigt, tänkte Wallander. De här damerna hade det gott ställt.

Hon gav honom uppgift om vilket flygbolag Emilia var inbokad på. Wallander noterade, Iberia.

– Jag vet inte hur det blir nu, frågade hon. Biljetten är betald.

– Det löser sig säkert, svarade Wallander. Hur betalade dom förresten sina biljetter?

– Alltid med kontanter. Tusenlappar.

Wallander stoppade ner sina anteckningar i fickan och reste sig.

– Du har varit till stor nytta, sa han. Nästa gång jag reser nånstans ska jag komma hit och beställa resan av dig. Men det blir nog charter för min del.

Klockan närmade sig fyra. Wallander gick förbi banken där han dagen efter skulle hämta sina lånehandlingar och pengarna till bilköpet. Han hukade i vinden när han gick över torget. Tjugo minuter över fyra var han tillbaka på polishuset. Återigen gav han bucklan vid ytterdörren en rituell spark. Ebba berättade att Hansson och Svedberg var ute. Men viktigare ändå var att hon ringt till sjukhuset och själv fått tala med Rydberg. Han hade sagt att han mådde bra. Men att han skulle stanna där över natten.

– Jag går och hälsar på honom.

– Det var det sista han sa, svarade Ebba. Att han under inga omständigheter ville ha vare sig besök eller telefonsamtal. Och minst av allt blommor.

– Det förvånar mig knappast, sa Wallander. Om man tänker på hur han är.

– Ni arbetar för mycket, äter för dåligt och motionerar för lite.

Wallander lutade sig fram mot henne.

– Det gör du också, sa han. Du är inte heller lika smal som för några år sen.

Ebba brast i skratt. Wallander gick till matrummet och hittade en halv limpa som någon lämnat kvar. Han bredde några smörgåsar som han tog med till sitt rum. Sedan skrev han en sammanfattning av vad Linnea Gunnér och Anette Bengtsson hade sagt. Kvart över fem var han klar och läste igenom det han skrivit. Funderade på hur de skulle gå vidare. Pengarna kommer någonstans ifrån, tänkte han. En man är på väg in i affären men vänder i dörren. De hade en sorts signalsystem.

Frågan är bara vad som ligger under allt det här? Och varför kvinnorna plötsligt blir mördade? Någonting har varit satt i system men plötsligt bryter det ihop.

När klockan blivit sex försökte han ännu en gång få tag på sina kollegor. Den enda som var tillgänglig var Martinsson. De beslöt att lägga ett möte klockan åtta nästa morgon. Wallander lade upp fötterna på bordet och funderade än en gång igenom dubbelmordet. Men eftersom han inte tyckte att han kom någon vart kunde han lika gärna fortsätta tankearbetet hemma. Dessutom borde han städa ur sin bil som han dagen efter skulle göra sig av med.

Han hade just satt på sig jackan när Martinsson kom in i rummet.

– Jag tror det är bäst du sätter dig ner, sa Martinsson.

– Jag står bra, svarade Wallander irriterat. Vad är det som har hänt?

Martinsson verkade brydd. Han hade ett telex i handen.

– Det här kom just från UD i Stockholm, sa han.

Han räckte papperet till Wallander som läste det utan att förstå någonting. Sedan satte han sig vid bordet och läste igenom det långsamt, ord för ord.

Nu förstod han vad som stod skrivet. Men vägrade tro att det var sant.

– Här står att min far har anhållits av polisen i Kairo. Och att han kommer att ställas inför domstol om han inte genast betalar en bötessumma motsvarande tio tusen kronor. Han är anklagad för »olaga intrång samt förbjuden uppstigning«. Vad i helvete betyder det?

– Jag ringde till UD, sa Martinsson. Jag tyckte också det verkade konstigt. Men tydligen har han försökt klättra uppför Cheopspyramiden. Trots att det är förbjudet.

Wallander stirrade vanmäktigt på Martinsson.

– Du måste nog åka dit och hämta hem honom, sa Martinsson. Det finns gränser för vad den svenska beskickningen kan göra.

Wallander skakade på huvudet.

Han vägrade tro att det var sant.

Klockan var sex. Den 15 december 1989.

8.

Klockan 13.10 nästa dag sjönk Wallander ner i ett SAS-säte på en DC-9 som hette »Agne«. Han hade plats 19 C, en ytterplats, och han hade en vag aning om att planet via mellanlandningar i Frankfurt och Rom skulle ta honom till Kairo. Ankomsten var beräknad till 20.15. Wallander visste fortfarande inte om det existerade någon tidsskillnad mellan Sverige och Egypten. Han visste överhuvudtaget väldigt lite om vad som hade ryckt honom från livet i Ystad, från utredningen av en flygolycka och ett brutalt dubbelmord till ett startklart flygplan på Kastrup på väg till Nordafrika.

Kvällen innan, när innehållet i telexet från UD verkligen gått upp för honom, hade han för en gångs skull alldeles tappat kontrollen. Han hade lämnat polishuset utan ett ord, och trots att Martinsson följt honom ända ut på parkeringsplatsen och förklarat sig villig att hjälpa honom, hade han inte ens svarat.

När han kommit hem till Mariagatan hade han druckit två stora glas whisky. Sedan hade han läst det tillknycklade telexet ytterligare några gånger, i hopp om att där skulle finnas ett dolt budskap som talade om för honom att allt bara var ett påhitt, ett skämt som någon, kanske till och med hans egen far, hade utsatt honom för. Men han hade insett att UD i Stockholm menade allvar. Det fanns inga andra utvägar för honom än att acceptera det som ett faktum: hans vansinnige far hade börjat klättra uppför en pyramid varpå han hade fängslats och nu satt hos polisen i Kairo.

Strax efter klockan åtta hade Wallander ringt till Malmö. Som tur var hade det varit Linda som svarat. Han hade sagt precis som det var och han hade frågat henne om råd. Vad skulle han göra? Hennes svar hade varit mycket bestämt. Det fanns ingen annan möjlighet än att han redan dagen efter reste till Egypten och såg till att hennes farfar släpptes ur häktet. Wallander hade haft många invändningar, men hon hade avfärdat dem en efter en. Till slut hade han insett att hon hade rätt. Hon hade också lovat honom att ta reda på vilka förbindelser som fanns till Kairo dagen efter.

Långsamt hade Wallander lugnat ner sig. Dagen efter skulle han gå till banken för att få ut 20 000 kronor till ett bilköp. Ingen skulle fråga honom om vad han egentligen använde pengarna till. Han skulle ha råd att köpa en biljett och han skulle växla resten av pengarna till engelska pund eller dollar för att kunna lösa ut fadern med bötesbeloppet. När klockan var tio ringde Linda och sa att det fanns ett flyg klockan 13.10. Han bestämde sig också för att be Anette Bengtsson att hjälpa honom. När han tidigare under dagen lovat att använda sig av resebyråns tjänster hade han aldrig kunnat föreställa sig att det skulle bli aktuellt så snart.

Fram emot midnatt hade han försökt packa. Men han visste ingenting om Kairo. Fadern hade rest dit med en urgammal tropikhjälm på huvudet. Men han var utan tvivel vansinnig och kunde inte tas riktigt på allvar. Till slut slängde Wallander några skjortor och underkläder i en bag och bestämde sig för att det fick vara nog. Han skulle ändå inte vara borta längre än absolut nödvändigt.

Sedan drack han ytterligare några glas whisky, satte klockan på ringning klockan sex, och försökte sova. En orolig slummer drev honom oändligt långsamt mot gryningen.

När banken öppnade dagen efter var han den första kunden som steg in genom dörrarna. Det tog honom tjugo minuter att underteckna lånehandlingarna, få sina pengar och växla hälften till engelska pund. Han hoppades ingen skulle fråga varför köpesumman för bilen skulle betalas med pund. Från banken gick han raka vägen till resebyrån. Anette Bengtsson blev förvånad när han kom in genom dörren. Men hon var genast beredd att hjälpa honom med biljettbokningen. Återresan fick tills vidare vara öppen. Han häpnade när han hörde priset. Men han radade bara upp tusenlapparna, fick sina biljetter och lämnade resebyrån.

Sedan tog han en taxi till Malmö.

Tidigare hade det hänt att han i onyktert tillstånd åkt taxi till Ystad från Malmö. Men aldrig åt andra hållet och aldrig i nyktert tillstånd. Någon ny bil skulle han inte få råd med. Kanske han i stället borde fundera på att köpa en moped. Eller en cykel.

Linda mötte honom vid flygbåtarna. De hade bara några få minuter tillsammans. Men hon övertygade honom om att han gjorde rätt. Och frågade om han kommit ihåg sitt pass.

– Du måste ha visum, sa hon. Men det kan du köpa på flygplatsen i Kairo.

Nu satt han på plats 19 C, och kände hur planet tog fart och bände sig upp mot molnen och de osynliga luftlederna söderut. Fortfarande var det som om han befann sig på sitt rum i polishuset och Martinsson stod där i dörren med telexet i handen och såg olycklig ut.

Frankfurts flygplats blev ett minne av ett oändligt antal korridorer och trappor. Återigen satt han sedan på sin ytterplats och när de kom till Rom för att byta en sista gång tog han av sig jackan eftersom det plötsligt hade blivit mycket varmt. Planet dunsade ner på flygplatsen utanför Kairo en halvtimme försenat. För att dämpa sin oro, sin flygrädsla och sin nervositet över det som väntade hade Wallander druckit alldeles för mycket under resan. Han var inte berusad när han klev ut i det kvava egyptiska mörkret men inte nykter heller. Pengarna hade han till största delen i en tygpåse som klämde innanför skjortan. En trött passkontrollant skickade honom tillbaka till en bank där han kunde köpa ett turistvisum. Han fick en stor bunt smutsiga sedlar i sin hand och var plötsligt igenom både pass- och tullkontrollerna. Ett stort antal taxichaufförer ville genast köra honom till vilken plats i världen som helst. Men Wallander hade sinnesnärvaro nog att se sig om efter någon minibuss som annonserade transport till Mena House som han förstått var ganska stort. Så långt sträckte sig hans plan, att utgå från samma hotell som det där fadern bodde. I en liten buss, inklämd bland ett antal högljudda amerikanska damer, for han sedan genom staden mot hotellet. Han kände den varma nattluften mot ansiktet, upptäckte plötsligt att de for över en flod som kanske var Nilen, och sedan var de framme.

När han steg ur bussen hade han blivit nykter igen. Från och med nu visste han inte alls vad han skulle göra. En svensk polisman i Egypten kan känna sig mycket liten, tänkte han dystert när han steg in i den magnifika entrén till hotellet. Han gick fram till receptionen där en vänlig ung man som talade oklanderlig engelska frågade om han kunde hjälpa till. Wallander förklarade som det var, att han inte hade beställt något rum. Den vänlige unge mannen såg ett ögonblick bekymrad ut och skakade på huvudet. Men sedan hittade han ändå ett ledigt rum.

– Jag tror ni redan har en gäst med namnet Wallander.

Mannen letade i sin datoriserade liggare och nickade sedan.

– Det är min far, sa Wallander och stönade inom sig över sitt dåliga engelska uttal.

– Jag kan tyvärr inte ge er ett rum intill hans, sa den unge mannen. Vi har bara enklare rum kvar. Utan utsikt mot pyramiderna.

– Det passar mig utmärkt, sa Wallander, som inte ville påminnas om pyramiderna mer än nödvändigt.

Han skrev in sig, fick en nyckel och en liten karta och letade sig sedan fram genom den labyrint som hotellet utgjorde. Han förstod att det hade blivit tillbyggt många gånger únder årens lopp. Han hittade sitt rum och satte sig på sängen. Luftkonditioneringen svalkade. Han tog av sig skjortan som var genomblöt av svett. I badrummet såg han på sitt ansikte i spegeln.

– Nu är jag här, sa han högt till sig själv. Det är sent på kvällen. Jag skulle behöva äta nånting. Och sova. Framförallt sova.

Men det kan jag inte eftersom min vansinnige far sitter på en polisstation nånstans i den här staden.

Han bytte skjorta, borstade tänderna och återvände till receptionen. Den unge man som tidigare gett honom rummet syntes inte till. Eller så kände Wallander inte igen honom. Han närmade sig en äldre receptionist som stod orörlig och tycktes övervaka allt som skedde i receptionen. Han log när Wallander dök upp framför honom.

– Jag har kommit hit eftersom min far råkat i svårigheter, sa han. Han heter Wallander och är en äldre man som kom hit för några dagar sen.

– Vilken typ av svårigheter? frågade receptionisten. Har han blivit sjuk?

– Han tycks ha försökt klättra uppför en av pyramiderna, svarade Wallander. Om jag känner honom rätt valde han säkert den högsta.

Receptionisten nickade långsamt.

– Jag har hört om det, sa han. Mycket olyckligt. Polisen och turistministeriet tyckte inte alls om det.

Han försvann genom en dörr och kom strax tillbaka med en annan man, även han äldre. De talade mycket fort med varandra en kort stund. Sedan vände de sig emot Wallander.

– Är ni den gamle mannens son? frågade den ene.

Wallander nickade.

– Inte bara det, sa Wallander. Jag är dessutom polis.

Han visade fram sin legitimation där det tydligt stod polis. Men de två männen tycktes inte förstå.

– Ni är alltså inte hans son utan en svensk polis?

– Jag är båda delarna, svarade Wallander. *Både* hans son *och* polis.

De begrundade ett ögonblick vad han hade sagt. Ytterligare några receptionister som för tillfället var sysslolösa hade anslutit sig. Det smattrande, obegripliga samtalet började om igen. Wallander märkte att han på nytt blivit genomsvettig.

Sedan bad de honom vänta. De pekade på en soffgrupp i foajén. Wallander satte sig ner. En kvinna i slöja gick förbi. Scheherazade, tänkte Wallander. Hon kunde ha hjälpt mig. Eller Aladdin. Någon i den divisionen skulle jag behöva. Han väntade. Det gick en timme. Han reste sig och började gå tillbaka till receptionen. Men genast var det någon som pekade på soffan igen. Han märkte att han var mycket törstig. Klockan hade för länge sedan passerat midnatt.

Fortfarande var det mycket folk i receptionen. De amerikanska damerna försvann med en reseledare som tydligen skulle ta dem med ut i den egyptiska natten. Wallander slöt ögonen. Han spratt till när någon rörde vid hans axel. När han slog upp ögonen stod receptionisten där, tillsammans med ett stort antal polismän i imponerande uniformer. Wallander reste sig upp. En klocka på väggen visade halv tre. En av polismännen som tycktes vara i hans egen ålder och dessutom var den som hade flest revärer på sin uniformsjacka gjorde honnör.

– Jag förstår att ni har blivit hitsänd av den svenska polisen, sa han.

– Nej, svarade Wallander. Jag *är* polis. Men jag är framförallt herr Wallanders son.

Polismannen som gjort honnör exploderade ögonblickligen i en obegriplig ordström mot receptionisterna. Wallander tänkte att det bästa han kunde göra var att sätta sig igen. Efter ungefär en kvart lyste polismannen plötsligt upp.

– Jag heter Hassaneyh Radwan, sa polismannen. Jag har nu bilden klar för mig. Det är trevligt att träffa en svensk kollega. Kom med mig.

De lämnade hotellet. Wallander kände sig som en brottsling där han omgavs av poliser som alla bar vapen. Natten var mycket varm. Han satte sig bredvid Radwan i baksätet av en polisbil som omedelbart rivstartade och slog på sirenerna. Just när de svängde ut från hotellet upptäckte Wallander plötsligt pyramiderna. De var upplysta av starka strålkastare. Det gick så fort att han först inte trodde sina ögon. Men det var verkligen pyramiderna, som han så många gånger sett avbildade. Och sedan tänkte han med förfäran på att hans far försökt klättra uppför en av dem.

De körde mot öster, samma väg han kommit från flygplatsen.

– Hur mår min far? frågade Wallander.

– Han har ett mycket bestämt humör, svarade Radwan. Men han talar tyvärr en svårbegriplig engelska.

Han talar ingen engelska alls, tänkte Wallander uppgivet.

De for i ursinnig fart genom staden. Wallander skymtade några kameler som långsamt och värdigt rörde sig med tunga packningar. Påsen innanför Wallanders skjorta skavde. Svetten rann över hans ansikte. De for över floden.

– Nilen? frågade Wallander.

Radwan nickade. Han tog fram ett paket cigaretter men Wallander skakade på huvudet.

– Er far röker, sa Radwan.

Min far röker inte alls, tänkte Wallander. Med tilltagande förfäran började han undra om det verkligen var hans far de nu var på väg att besöka. Hans far hade aldrig rökt i hela sitt liv. Kunde det finnas flera gamla män som försökt klättra uppför pyramiderna?

Polisbilen bromsade in. Wallander hade uppfattat att gatan hette Sadei Barrani. De befann sig utanför en stor polisstation där beväpnade vakter stod i små kurer utanför de höga portarna. Wallander följde Radwan. De kom in i ett rum där neonrör lyste grällt i taket. Radwan pekade på en stol. Wallander satte sig och undrade hur länge han nu skulle behöva vänta. Innan Radwan lämnade honom undrade Wallander om det var möjligt att få köpa någon läskedryck. Radwan ropade till sig en ung polisman.

– Han hjälper dig, sa Radwan och försvann.

Wallander som var ytterst osäker på sedlarnas värde gav polismannen en mindre packe.

– Coca-cola, sa han.

Polismannen såg undrande på honom. Men han sa ingenting utan tog bara pengarna och gick.

En stund senare var han tillbaka med en kartong full av coca-colaflaskor. Wallander räknade till fjorton stycken. Han öppnade två av dem med sin pennkniv och gav resten till polismannen som delade dem med sina kollegor.

Klockan blev halv fem. Wallander betraktade en fluga som satt orörlig på en av de tomma flaskorna. Någonstans ifrån kom ljudet från en radio. Sedan insåg han att det faktiskt fanns en likhet mellan den här polisstationen och polishuset i Ystad. Samma nattliga stillhet. Väntan på att något ska hända. Eller inte. Polismannen som var försjunken i en tidning kunde ha varit Hansson som satt lutad över sina travprogram.

Radwan återkom. Han gav tecken till Wallander att följa med. De gick genom ett oändligt antal vindlande korridorer, uppför och nerför trappor och stannade till sist utanför en dörr där en polisman stod på vakt. Radwan nickade och dörren öppnades. Sedan gav han tecken åt Wallander att stiga in.

– Jag kommer tillbaka om en halvtimme, sa han och försvann.

Wallander steg in. I rummet som var upplyst av de ständiga neonrören fanns ett bord och två stolar. På en av stolarna satt hans far, iklädd skjorta och byxor men barfota. Håret stod på ända. Wallander tyckte plötsligt synd om honom.

– Hej, farsan, sa han. Hur har du det?

Fadern såg på honom utan det minsta spår av förvåning.

– Jag tänker protestera, sa han.

– Protestera mot vad då?

– Att man hindrar människor från att klättra uppför pyramiderna.

– Jag tror vi ska vänta med den protesten, sa Wallander. Det viktigaste just nu är att jag får ut dig härifrån.

– Jag betalar inga böter, svarade fadern ilsket. Jag vill sitta av mitt straff här. Två år har dom sagt. Det går fort.

Wallander övervägde hastigt om han borde bli arg. Men det skulle kunna reta upp fadern ytterligare.

– Egyptiska fängelser är nog inte särskilt trevliga, sa han försiktigt. Inga fängelser är trevliga. Dessutom tror jag inte dom tillåter att du sitter i cellen och målar.

Fadern betraktade honom under tystnad. Tydligen hade han inte tänkt på den risken.

Han nickade och reste sig.

– Då går vi, sa han. Har du pengar så du kan betala böterna?

– Sätt dig, sa Wallander. Riktigt så enkelt tror jag inte det är. Att du bara kan resa på dig och gå härifrån.

– Varför inte det? Jag har väl inte gjort nåt galet?

– Enligt vad jag har förstått har du försökt klättra uppför Cheopspyramiden?

– Det var ju därför jag reste hit. Vanliga turister kan stå nere bland kamelerna och glo. Jag ville bestiga toppen.

– Det är inte tillåtet. Det är dessutom livsfarligt. Hur skulle det se ut om folk klängde och klättrade hur som helst på pyramiderna?

– Jag talar inte om folk. Jag talar om mig själv.

Wallander insåg det lönlösa i att försöka få sin far att ta reson. Samtidigt kunde han inte undgå att imponeras av hans envishet.

– Nu är jag här, sa Wallander. Jag ska försöka få ut dig i morgon. Eller senare i dag. Jag betalar böterna och sen är det över. Vi går ut härifrån, vi åker till hotellet och hämtar din väska. Sen reser vi hem.

– Jag har betalt mitt rum fram till den 21.

Wallander nickade tålmodigt.

– Jag reser hem. Du stannar. Men klättrar du uppför pyramiderna en gång till får du klara ut det själv.

– Jag hann inte så långt, sa fadern. Det var svårt. Och brant.

– Varför ville du egentligen klättra upp på toppen?

Fadern tvekade innan han svarade.

– En dröm jag haft i alla år. Inget annat. Jag tycker man ska vara trogen sina drömmar.

Samtalet dog ut. Några minuter senare återkom Radwan. Han bjöd Wallanders far på en cigarett och tände den åt honom.

– Har du börjat röka nu också?

– Bara när jag sitter fängslad. Aldrig annars.

Wallander vände sig till Radwan.

– Jag antar att det inte finns nån möjlighet att jag kan få med mig min far nu?

– Han ska ställas inför en domstol i dag klockan tio. Domaren kommer förmodligen att acceptera böterna.

– Förmodligen?

– Ingenting är säkert, svarade Radwan. Men vi får hoppas på det bästa.

Wallander tog adjö av sin far. Radwan följde honom ut till en polisbil som skulle ta honom tillbaka till hotellet. Klockan hade blivit sex.

– Jag sänder en bil och hämtar dig strax efter nio, sa Radwan till avsked. En utländsk kollega ska man alltid hjälpa.

Wallander tackade och satte sig i bilen. Återigen kastades han bakåt i sätet av en rivstart. Sirenerna slogs på.

Wallander beställde väckning till halv sju och lade sig naken utsträckt på sängen. Jag måste få ut honom, tänkte han. Hamnar han i fängelse dör han.

Wallander sjönk in i en orolig slummer men vaknade av att solen hade stigit över horisonten. Han tog en dusch och klädde sig. Redan var han tvungen att använda sin sista rena skjorta.

Han gick ut. Det var svalare nu på morgonen. Plötsligt stannade han. Nu såg han pyramiderna. Han stod alldeles stilla. Känslan av deras storhet var överväldigande. Han gick ut från hotellet och uppför den backe som ledde till Gizeplatåns ingång. På vägen blev han erbjuden att rida på både åsna och kamel. Men han gick till fots. Innerst inne förstod han sin far. *Man ska vara trogen sina drömmar.* Hur trogen hade han själv egentligen varit? Han stannade alldeles intill ingången och såg på pyramiderna. Föreställde sig sin far klättrande längs den brant sluttande väggen.

Länge blev han stående innan han återvände till hotellet och åt frukost. Klockan nio var han på plats utanför hotellentrén och väntade. Polisbilen kom efter några minuter. Trafiken var tät och sirenerna som vanligt påslagna. För fjärde gången passerade Wallander Nilen. Han insåg att han befann sig i en jättelik stad, oöverskådlig, larmande.

Domstolen låg vid en gata som hette Al Azhar. Radwan stod på trappan och rökte när bilen svängde upp.

– Jag hoppas du har sovit några timmar, sa han. Det är inte bra för en människa att vara utan sömn.

De gick in i byggnaden.

– Din far är redan här.

– Har han nån försvarsadvokat? frågade Wallander.

– Han har ett juridiskt biträde. Det här är en domstol för mindre mål.

– Ändå kan han dömas till två års fängelse?

– Det är stor skillnad på dödsstraff och två år, svarade Radwan tankfullt.

De gick in i rättssalen. Några vaktmästare gick och torkade damm.

– Din far är dagens första mål, sa Radwan.

Sedan fördes hans far in. Wallander stirrade förfärat. Fadern hade handbojor. Han märkte att han fick tårar i ögonen. Radwan kastade en blick på honom och klappade honom på axeln.

En ensam domare kom in och satte sig. Åklagaren som hade dykt upp från ingenstans smattrade en lång tirad som Wallander antog var anklagelsen. Radwan lutade sig emot honom.

– Det ser bra ut, viskade han. Han påstår att din far är gammal och sinnesförvirrad.

Bara ingen översätter det, tänkte Wallander. Då kommer han verkligen att bli vansinnig.

Åklagaren satte sig ner. Biträdet fattade sig mycket kort.

– Han pläderar för böter, viskade Radwan. Jag har informerat domstolen om att du är här, att du är hans son och att du är polis.

Biträdet satte sig ner. Wallander såg på sin far att han ville säga någonting. Men försvarsbiträdet skakade på huvudet.

Domaren slog klubban i bordet och yttrade några få ord. Sedan slog han klubban i bordet igen, reste sig och gick.

– Böter, sa Radwan och klappade Wallander på axeln. Dom kan betalas här i rättssalen. Sen är din far fri igen.

Wallander halade upp påsen som han hade innanför skjortan. Radwan ledde honom fram till ett bord där en man räknade om summan från amerikanska dollar till egyptiska pund. Nästan alla Wallanders pengar försvann. Han fick ett oläsligt kvitto på beloppet. Radwan såg till att handbojorna togs av.

– Jag hoppas att resten av resan blir angenäm, sa Radwan och tog dem båda i hand. Men det är nog inte lämpligt att din far försöker kravla sig uppför pyramiden nån mer gång.

Radwan såg till att en polisbil körde dem tillbaka till hotellet. Wallander hade fått hans adress. Han insåg att utan Radwan hade det inte gått så lätt. På något sätt skulle han tacka honom. Kanske det lämpligaste vore att sända honom en tavla med en tjädertupp?

Fadern var på strålande humör och kommenterade allt de for förbi. Wallander var bara trött.

– Nu ska jag visa dig pyramiderna, sa fadern glatt när de återvänt till hotellet.

– Inte just nu, sa Wallander. Jag måste sova några timmar. Du med. Sen kan vi se på pyramiderna. När jag har bokat min återresa.

Fadern såg uppmärksamt på honom.

– Jag måste säga att du förvånar mig. Att du kostade på dig att åka hit och lösa ut mig. Det hade jag inte trott om dig.

Wallander svarade inte.

– Lägg dig och sov, sa han. Jag möter dig här klockan två.

Wallander lyckades aldrig somna. Efter att ha legat och vridit sig i sängen en timme gick han till hotellreceptionen och bad om hjälp med att boka hemresan. Han hänvisades till en resebyrå som låg i en annan del av hotellet. Där fick han hjälp av en obegripligt vacker kvinna som dessutom talade perfekt engelska. Hon lyckades skaffa honom en plats på det plan som lämnade Kairo dagen efter, den 18 december, klockan 9.00. Han skulle vara på Kastrup redan klockan två på eftermiddagen eftersom planet endast mellanlandade i Frankfurt. När han fått sin plats bekräftad var klockan fortfarande bara ett. Han satte sig på ett café intill receptionen och drack vatten och en kopp med mycket starkt kaffe som var alldeles för sött. Precis klockan två kom hans far ut i receptionen. Han hade sin tropikhjälm på huvudet.

Tillsammans travade de sedan igenom Gizeplatån i den stekande värmen. Wallander trodde flera gånger han skulle svimma. Men hans far tycktes alldeles oanfäktad av värmen. Nere vid sfinxen hittade Wallander äntligen lite skugga. Fadern berättade och Wallander insåg att han hade betydande kunskaper om det gamla Egypten där pyramiderna och den egendomliga sfinxen en gång byggts.

Klockan var närmare sex när de äntligen återkom till hotellet. Eftersom han skulle resa mycket tidigt dagen efter bestämde de att äta middag tillsammans på hotellet där det fanns flera restauranger att välja mellan. På faderns förslag bokade de ett bord på en indisk restaurang och Wallander tänkte efteråt att han sällan eller aldrig ätit en så god måltid. Fadern hade hela tiden varit vänlig och Wallander förstod att han nu slagit alla tankar på pyramidklättringar ur hågen.

De skildes vid elvatiden. Wallander skulle lämna hotellet redan klockan sex.

– Naturligtvis ska jag vinka av dig, sa fadern.

– Helst inte, svarade Wallander. Varken du eller jag tycker om avsked.

– Tack för att du kom, sa fadern. Du har nog rätt i att det hade blivit svårt att sitta två år i fängelse utan att få lov att måla.

– Kom hem den 21 så är allting glömt, svarade Wallander.

– Nästa gång far vi till Italien, sa fadern och försvann mot sitt rum.

Den natten sov Wallander tungt. Klockan sex satt han i taxin mot flygplatsen och passerade Nilen för sjätte och förhoppningsvis sista gången. Planet lyfte på utsatt tid och han landade på Kastrup när han skulle. Han tog en taxi till flygbåtarna och var i Malmö kvart i fyra. Springande tog han sig till stationen och hann precis med ett tåg till Ystad. Han gick hem till Mariagatan, bytte kläder och steg in genom polishusets portar när klockan var halv sju. Bucklan hade blivit lagad. Björk vet vad som ska prioriteras, tänkte han bistert. Martinssons och Svedbergs rum var tomma, men Hansson var på plats. Wallander berättade kortfattat om sin resa. Men först frågade han hur det stod till med Rydberg.

– Han skulle visst komma i morgon, sa Hansson. Det var vad Martinsson sa.

Wallander kände en omedelbar lättnad. Tydligen hade det inte varit så allvarligt som de fruktat.

– Och här? frågade han sedan. Utredningen?

– En annan viktig sak har hänt, sa Hansson. Men det har egentligen med flygplanet som störtade att göra.

– Vad då?

– Yngve Leonard Holm har hittats mördad. I skogarna utanför Sjöbo.

Wallander satte sig ner.

– Men det är inte allt, fortsatte Hansson. Han har inte bara blivit mördad. Han har blivit skjuten i nacken. Precis som systrarna Eberhardsson.

Wallander höll andan.

Det hade han inte väntat sig. Att det plötsligt skulle uppstå ett samband mellan det störtade flygplanet och de två kvinnorna som hittats mördade i resterna av en förödande brand.

Han såg på Hansson.

Vad betyder det? tänkte han. Vad innebär det som Hansson berättar?

Resan till Kairo var plötsligt mycket avlägsen.

9.

Klockan tio på förmiddagen den 19 december ringde Wallander
till banken och frågade om han kunde öka på sitt lån med ytterli-
gare 20 000 kronor. Han ljög och sa att han hade missuppfattat
priset på den bil han avsåg att köpa. Banktjänstemannen svara-
de att det inte skulle möta några svårigheter. Wallander kunde
komma och skriva om lånehandlingarna och hämta pengarna
redan samma dag. När Wallander lagt på luren ringde han till
Arne som skulle sälja bilen till honom och gjorde upp om att
denne skulle komma med hans nya Peugeot till Mariagatan
klockan ett. Samtidigt skulle han försöka få liv i den gamla eller
släpa upp den till sin verkstad.

Wallander ringde de här två telefonsamtalen omedelbart efter
det att deras morgonmöte tagit slut. De hade hållit på i två tim-
mar, från klockan kvart i åtta. Men Wallander hade varit på po-
lishuset redan klockan sju. Kvällen innan, när han fått veta att
Yngve Leonard Holm hade hittats mördad och att det möjligen
kunde finnas ett samband mellan denne och systrarna Eber-
hardsson, eller åtminstone med deras mördare, hade han kvick-
nat till och suttit med Hansson i nästan en timme och tagit del av
de fakta som fanns tillgängliga. Men sedan hade han plötsligt
blivit mycket trött. Han hade gått hem och lagt sig ovanpå säng-
en för att vila en stund innan han klädde av sig men somnat och
sovit hela natten. När han vaknade klockan halv sex kände han
sig utsövd. Han låg kvar en stund i sängen och tänkte på resan
till Kairo. Den var redan som ett avlägset minne.

När han kom till polishuset var Rydberg redan där. De slog sig
ner i matrummet där några poliser som gått av efter natten satt
och gäspade. Rydberg drack te och åt skorpor. Wallander satte
sig mitt emot honom.

– Jag har hört att du har varit i Egypten, sa Rydberg. Hur var pyramiderna?

– Höga, svarade Wallander. Mycket märkliga.

– Och din far?

– Han kunde ha hamnat i fängelse. Men jag fick ut honom mot nästan tiotusen kronor i böter.

Rydberg skrattade.

– Min farsa var hästhandlare, sa han. Har jag berättat det?

– Du har aldrig sagt nåt alls om dina föräldrar.

– Han sålde hästar. For runt på marknader, tittade på tänder och var tydligen en riktig jävel på att trissa upp priserna. Det där med hästhandlarplånboken är faktiskt sant. Farsan hade en sån full med tusenlappar. Men jag undrar om han överhuvudtaget visste att pyramiderna låg i Egypten. Och ännu mindre att huvudstaden där hette Kairo. Han var totalt obildad. En enda sak kunde han. Hästar. Och möjligen fruntimmer. Morsan var vansinnig på alla hans kvinnoaffärer.

– Man har dom föräldrar man har, sa Wallander. Hur mår du?

– Nånting är galet, svarade Rydberg bestämt. Man ramlar inte ihop så där av reumatism. Nånting är galet. Men vad det är vet jag inte. Och just nu är jag mest intresserad av den här Holm som fått ett skott i nacken.

– Jag fick höra det av Hansson i går.

Rydberg sköt undan sin tekopp.

– Det vore naturligtvis en oerhört fascinerande tanke om det skulle visa sig att systrarna Eberhardsson varit inblandade i narkotikaaffärer. Då skulle nog dom svenska sybehörsaffärerna få sig ett riktigt grundskott. Ut med broderierna, in med heroinet.

– Tanken har slagit mig, svarade Wallander och reste sig. Vi ses om en stund.

När han gick till sitt rum tänkte han att Rydberg aldrig skulle ha varit så öppenhjärtig om sitt hälsotillstånd om han inte varit övertygad om att något verkligen var fel. Wallander märkte att han blev orolig.

Fram till kvart i åtta gick han igenom en del rapporter som lagts in på hans bord under de dagar han varit borta. Linda hade han talat med när han var hemma dagen innan och ställde ifrån sig väskan. Hon hade lovat att åka till Kastrup och möta sin farfar och se till att han kom till Löderup. Wallander hade inte vågat lova att han verkligen skulle kunna få ett nytt lån och därmed kunna byta sin bil och hämta honom inne i Malmö.

Han hittade ett besked om att Sten Widén hade ringt. Och hans syster. De lapparna sparade han. Sedan hade hans kollega Göran Boman i Kristianstad hört av sig, en polisman han då och då träffade efter det att de lärt känna varandra på något av Rikspolisstyrelsens ständigt återkommande seminarier. Även den lappen lade han åt sidan. Resten föste han ner i papperskorgen.

Mötet började med att Wallander kortfattat berättade om sina äventyr i Kairo och den hjälpsamme polisman som hetat Radwan. Sedan utbröt en diskussion om när dödsstraffet i Sverige egentligen hade avskaffats. Buden var många. Svedberg menade att man hade skjutit folk så sent som på 1930-talet, vilket bestämt avvisades av Martinsson som sa att inga avrättningar förekommit i Sverige sedan Anna Månsdotter blivit halshuggen på Kristianstadsfängelset någon gång på 1890-talet. Det slutade med att Hansson ringde en kriminalreporter i Stockholm som han delade sitt travintresse med.

– 1910, sa han efteråt. För första och sista gången använde man giljotin i Sverige. På en man som hette Ander.

– For inte han i ballong till Nordpolen? invände Martinsson.

– Han hette Andrée, sa Wallander. Och nu avslutar vi det här.

Rydberg hade hela tiden suttit tyst. Wallander fick en känsla av att han på något sätt var frånvarande.

Sedan talade de om Holm. Han var ett administrativt gränsfall. Kroppen hade hittats inom Sjöbopolisens område, men bara ett hundratal meter innanför den kärrväg där Ystads polisdistrikt började.

– Kollegorna i Sjöbo skänker gärna bort honom, sa Martinsson. Vi bär symboliskt liket över kärrvägen och det är vårt. Särskilt som vi redan haft med Holm att göra.

Wallander begärde en tidtabell. Martinsson kunde ge den. Holm hade alltså försvunnit samma dag som flygplanet störtade. Medan Wallander var i Kairo hade en man som var ute och gick i skogen hittat liket. Det hade legat vid änden av en skogsväg. Där fanns bilspår. Men Holm hade haft sin plånbok kvar så något rånmord hade det inte varit. Några iakttagelser som kunde vara av intresse hade inte registrerats hos polisen. Området var öde.

Martinsson hade just slutat när dörren till mötesrummet öppnades. En polisman stack in huvudet och sa att det hade kommit ett meddelande från Interpol. Martinsson gick för att hämta det. Under tiden berättade Svedberg om med vilken våldsam energi Björk hade sett till att få ytterdörren till polishuset lagad.

Martinsson återvände.

– En av piloterna är identifierad, sa han. Pedro Espinosa, 33 år gammal. Född i Madrid. Har suttit i fängelse i Spanien för bedrägerier och i Frankrike för smuggling.

– Smugglingen, sa Wallander. Det passar precis.

– Det är en sak till som är intressant, sa Martinsson. Hans senast kända adress är i Marbella. Där systrarna Eberhardsson hade sin stora villa.

Det blev tyst i rummet. Wallander var klar över att det fortfarande kunde röra sig om tillfälligheter. Ett hus i Marbella och en pilot som störtat, som hade råkat bo på samma plats. Men innerst inne visste han att de nu höll på att avtäcka ett förbluffande samband. Vad det betydde visste han inte. Men nu kunde de ändå börja spåra åt ett bestämt håll.

– Den andre piloten är fortfarande okänd, fortsatte Martinsson. Men dom håller på.

Wallander såg sig runt i rummet.

– Vi behöver mer hjälp av den spanska polisen, sa han. Om

dom är lika hjälpsamma som Radwan i Kairo bör dom mycket snabbt kunna gå igenom systrarna Eberhardssons hus. Dom ska leta efter kassaskåp. Och dom ska leta efter narkotika. Vad hade systrarna för umgänge där nere? Det här behöver vi veta. Och vi behöver veta det mycket snart.

– Det är inte så att nån av oss borde åka dit? sa Hansson.

– Inte än, sa Wallander. Sola får du göra i sommar.

De gick igenom allt material på nytt och fördelade arbetsuppgifter som väntade. Framförallt skulle de nu koncentrera sig på Yngve Leonard Holm. Wallander märkte att tempot hade börjat stiga i spaningsgruppen.

Kvart i tio bröt de upp. Hansson påminde Wallander om polisens traditionella julbord som skulle hållas den 21 december på Hotell Continental. Wallander försökte komma på någon bra undanflykt utan att lyckas.

När Wallander ringt sina telefonsamtal lade han av telefonluren och stängde dörren. Långsamt började han göra ett återtåg genom det material de hittills hade tillgång till, kring flygplanet som störtat, Yngve Leonard Holm och de två systrarna Eberhardsson. Han märkte ut en triangel på sitt kollegieblock, där var och en av de tre komponenterna utgjorde en spets. Fem döda människor, tänkte han. Två piloter, varav den ene kommer från Spanien. I ett flygplan som bokstavligen är en flygande holländare eftersom det egentligen skrotats efter ett haveri i Laos. Ett flygplan som om natten i hemlighet flyger in över den svenska gränsen, vänder strax söder om Sjöbo och störtar intill Mossby Strand. Ljus har varit synliga på marken vilket kan tyda på att planet kastat ut någonting.

Det är den första spetsen.

Den andra spetsen är två systrar som driver en sybehörsaffär i Ystad. De mördas med nackskott och deras hus bränns ner. De visar sig vara förmögna, har ett kassaskåp ingjutet i husgrunden och en fastighet i Spanien. Den andra spetsen utgörs alltså av två systrar som levt dubbelliv.

Wallander drog ett tvärstreck mellan Pedro Espinosa och systrarna Eberhardsson. Där fanns ett samband. Marbella.

Den tredje spetsen utgjordes av Yngve Leonard Holm som blivit avrättad på en skogsväg utanför Sjöbo. Om honom visste de att han var en notorisk narkotikalangare som hade en ovanligt välutvecklad förmåga att sopa igen sina spår.

Men någon hann ikapp honom utanför Sjöbo, tänkte Wallander.

Han reste sig från bordet och betraktade sin triangel. Vad berättade den? Han satte en punkt mitt inne i triangeln. Ett centrum, tänkte han. Hembergs och Rydbergs ständiga fråga: var finns ett centrum, en mittpunkt? Han fortsatte att betrakta sin teckning. Sedan insåg han plötsligt att det han egentligen hade ritat kunde påminna om en pyramid. Basen var en kvadrat. Men på avstånd kunde pyramiden se ut som en triangel.

Han satte sig vid bordet igen. *Allt det som jag har framför mig berättar egentligen en enda sak. Att något har hänt som rubbat ett mönster. Det mest sannolika är att flygplanet som störtat är utgångspunkten. Det har startat en kedjereaktion som utlöst tre mord, tre avrättningar.*

Han började om från början igen. Tanken på pyramiden ville inte släppa. Kunde det vara en egendomlig maktkamp som utspelats? Där systrarna Eberhardsson, Yngve Leonard Holm och flygplanet varit triangelns spetsar. Men där det fanns en fortfarande okänd mittpunkt?

Långsamt och metodiskt arbetade han sig igenom alla de fakta han hade. Då och då skrev han ner en fråga. Utan att han märkte det hade klockan plötsligt blivit tolv. Han släppte pennan, tog jackan och gick ner till banken. Det var några få plusgrader och duggregn. Han skrev om sina lånehandlingar och kvitterade ut ytterligare 20 000 kronor. Just nu ville han inte tänka på alla pengar som försvunnit i Egypten. Bötesbeloppet var en sak. Det som grämde honom och sårade honom i hans snåla innersta gömmen var priset på flygbiljetten. Han hade heller inga förhoppningar om att hans syster skulle vilja vara med och dela på utgiften.

Prick klockan ett kom bilhandlaren med hans nya Peugeot. Den gamla vägrade att starta. Wallander väntade inte på att en bärgare skulle komma. I stället körde han en runda i den nya mörkblå bilen. Den var sliten och inrökt. Men Wallander märkte att motorn var bra. Det var det viktigaste. Han körde ut mot Hedeskoga och skulle just vända när han plötsligt beslöt sig för att fortsätta. Han befann sig på vägen mot Sjöbo. Martinsson hade noga förklarat var Holms kropp hade blivit funnen. Han ville se stället med egna ögon. Och kanske även besöka det hus där Holm hade bott.

Platsen där Holm blivit funnen var fortfarande avspärrad. Men där fanns inga poliser. Wallander steg ur bilen. Runt honom rådde tystnad. Han klev över avspärrningsbanden. Han såg sig runt. Om man ville döda en människa var vägen ett utmärkt val. Han försökte föreställa sig vad som hade hänt. Holm hade kommit i sällskap med någon. Enligt Martinsson fanns det bara spår av en bil.

En uppgörelse, tänkte Wallander. Något ska överlämnas, något ska betalas. Sedan händer någonting. Holm blir skjuten i nacken. Han är död innan han faller omkull. Den som förövat mordet försvinner spårlöst.

En man, tänkte Wallander. Eller mer än en. Samma person eller personer som några dagar innan dödat systrarna Eberhardsson.

Plötsligt fick han en känsla av att han befann sig i närheten av någonting. Ytterligare ett samband som fanns där, som han borde upptäcka, om han bara ansträngde sig. Att det rörde sig om narkotikaaffärer föreföll honom uppenbart. Även om det tills vidare var en svårsmält tanke att två systrar som drev sybehörsaffär skulle ha varit inblandade i något sådant. Men Rydberg hade haft rätt. Hans första kommentar – vad visste de egentligen om de två systrarna – hade haft fog för sig.

Wallander lämnade skogsvägen och for vidare. Han såg Martinssons karta tydligt för sig i huvudet. I den stora rondellen söder om Sjöbo skulle han svänga mot höger. Sedan andra vägen, en grusväg, till vänster, sista huset på höger sida, en röd lada intill vägen. Blå, halvt nerfallen postlåda. Två skrotbilar och en rostig traktor på ett gärde intill ladan. Skällande hund av obestämd ras i en stor rastgård. Han hade inga svårigheter att hitta rätt. Innan han ens hade öppnat bildörren hörde han hunden. Han steg ur och gick in på gården. Färgen hade flagnat från bostadshuset. Stuprännor hängde i bitar vid gavlarna. Hunden skällde desperat och krafsade mot stängslet. Wallander undrade vad som skulle hända om det rasade och hunden slapp lös. Han gick fram till dörren och tryckte på en ringklocka. Sedan såg han att ledningen var avsliten. Han knackade och väntade. Till slut bultade han på dörren, så hårt att den gick upp. Han ropade en fråga om det var någon hemma. Fortfarande inget svar. Jag bör inte gå in, tänkte han. Då bryter jag mot en hel rad med regler som inte bara gäller för poliser utan för alla medborgare. Därefter sköt han upp dörren och steg in. Flagnade tapeter, ovädrat, ostädat. Trasiga soffor, madrasser på golvet. Däremot en storbildsteve och en video av senaste modell. CD-spelare med stora högtalare. Han ropade igen och lyssnade. Inget svar. I köket rådde ett obeskrivligt kaos. Disk travad i diskhon. Papperspåsar, plastpåsar, tomma pizzaförpackningar på golvet dit det ledde olika myrstigar.

En mus kilade förbi i ett hörn. Det luktade unket. Wallander gick vidare. Stannade utanför en dörr där det stod sprejat »Yngves Kyrka«. Han sköt upp dörren. Därinne fanns en ordentlig säng. Men bara ett underlakan och ett täcke. En byrå, två stolar. I fönstret en radio. En klocka som stannat på tio minuter i sju. Här hade alltså Yngve Leonard Holm bott. Samtidigt som han byggt ett stort hus inne i Ystad. På golvet låg överdelen till en träningsoverall. Den hade han haft på sig när Wallander förhört honom. Wallander satte sig försiktigt på sängkanten, rädd för att sängen skulle ge efter, och såg sig omkring. Här bodde en människa, tänkte han. En människa som levde av att driva andra människor in i olika former av narkotikahelveten. Han skakade olustigt på huvudet. Sedan böjde han sig framåt och tittade under sängen. Stora bollar av damm. En toffel och några pornografiska tidningar. Han reste sig och drog ut lådorna i byrån. Ytterligare tidningar med skrevande oklädda damer. Några av dem skrämmande unga. Underkläder, huvudvärkstabletter, plåster.

Nästa låda. En gammal blåslampa. En sådan som man tidigare använde för att få igång motorer i fiskebåtar. I den sista lådan låg pappershögar nerkastade. Gamla skolbetyg. Wallander såg att Holm varit duktig enbart i hans eget favoritämne, geografi. Annars var det mycket slätstruket. Några fotografier. Holm på en bar någonstans med ett ölglas i vardera handen. Berusad. Röda ögon. Ett annat fotografi: Holm naken på en strand. Stirrar med ett brett flin rakt in i kameran. Sedan ett gammalt svartvitt fotografi av en man och en kvinna på en väg. Wallander vände på bilden. »Båstad 1937.« Det skulle kunna vara Holms föräldrar.

Han letade vidare bland papperen. Stannade vid en gammal flygbiljett. Tog med den till fönstret. Köpenhamn–Marbella, tur och retur. Den 12 augusti 1989. Hemresa den 17. Fem dagar i Spanien. Ingen charterbiljett. Om koden var ekonomiklass eller business class kunde han inte avgöra. Han stoppade biljetten i fickan. Sköt igen lådan efter ytterligare några minuters letande. I garderoben fanns ingenting som han fäste sig vid. Annat än en obeskrivlig oordning. Wallander satte sig på sängen igen. Undrade var de andra personer som bodde i huset höll till. Han gick tillbaka till vardagsrummet. Det stod en telefon på ett bord. Han ringde till polishuset och talade med Ebba.

– Var är du? frågade hon. Folk frågar efter dig.

– Vem frågar efter mig?

– Du vet hur det är. Så snart du inte är här frågar alla efter dig.

– Jag kommer, sa Wallander.

Sedan bad han henne slå upp telefonnumret till den resebyrå där Anette Bengtsson arbetade. Han noterade numret i minnet, avslutade samtalet med Ebba och ringde resebyrån. Det var den andra flickan som svarade. Han bad att få tala med Anette. Det gick några minuter. Sedan svarade hon. Han sa vem han var.

– Hur gick resan till Kairo? frågade hon.

– Bra. Pyramiderna var mycket höga. Mycket märkliga. Dessutom var det varmt.

– Du skulle ha stannat längre.

– Det får bli en annan gång.

Sedan frågade han henne om hon kunde säga om Anna eller Emilia Eberhardsson varit i Spanien mellan den 12 och 17 augusti.

– Det tar en stund, sa hon.

– Jag väntar, svarade Wallander.

Hon lade ifrån sig luren. Wallander skymtade på nytt en mus i ett hörn. Om det var samma som tidigare kunde han naturligtvis inte avgöra. Vintern kommer, tänkte han. Mössen är på väg in i husen. Anette Bengtsson återkom.

– Anna Eberhardsson reste den 10 augusti, sa hon. Hon återvände först i början av september.

– Tack för hjälpen, svarade Wallander. Jag skulle gärna vilja ha en förteckning över systrarnas samtliga resor för det sista året.

– Varför det?

– Polisutredningen, svarade han. Jag kommer förbi i morgon.

Hon lovade att hjälpa honom. Han lade på. Tänkte att han nog skulle ha blivit förälskad i henne om han varit tio år yngre. Nu skulle det vara meningslöst. Hon skulle betrakta en framstöt från hans sida enbart med avsmak. Han lämnade huset och tänkte omväxlande på Holm och Emma Lundin. Sedan återvände han i tankarna till Anette Bengtsson. Han kunde faktiskt inte vara alldeles säker på att hon skulle ta illa upp. Men hon hade säkert redan en pojkvän. Fast någon ring på hennes vänsterhand kunde han inte minnas.

Hunden skällde som besatt. Wallander gick fram till buren och röt och då tystnade den. Så fort han vände och gick därifrån började den skälla igen. Jag ska vara mycket glad, tänkte han. Att Linda inte lever i ett sådant här hus. Hur många i Sverige, av de vanliga, aningslösa medborgarna, känner till de här miljöerna? Där människor lever i konstanta dimmor, elände, misär. Han satte sig i bilen och for därifrån. Men först hade han öppnat postlådan. Det låg ett brev där, till Holm. Han öppnade det. Det var ett kravbrev från ett företag som hyrde ut bilar. Wallander stoppade brevet i fickan.

Klockan hade blivit fyra när han återkom till polishuset. På hans bord låg en lapp från Martinsson. Wallander gick till hans rum. Martinsson satt i telefon. När Wallander stod i dörren bad han att få ringa upp igen. Wallander antog att han hade talat med sin fru. Martinsson lade på luren.

– Den spanska polisen håller just nu på att gå igenom huset i Marbella, sa han. Jag har haft kontakt med en polis som heter Fernando Lopez. Han talade utmärkt engelska och verkade vara ett mycket högt uppsatt befäl.

Wallander berättade om sin utflykt och om sitt samtal med Anette Bengtsson. Han visade Martinsson biljetten.

– Den jäveln flög i business class, sa Martinsson.

– Säkert, svarade Wallander. Men nu har vi ytterligare ett samband. Ingen ska säga att det här är en tillfällighet.

Det sa han också på det möte spaningsgruppen hade klockan fem. Det var mycket kort. Per Åkeson satt med utan att säga någonting. Han har redan slutat, tänkte Wallander. Han är här, men mentalt har han redan påbörjat sin tjänstledighet.

När det inte fanns mer att säga bröt de mötet. Var och en fortsatte med sina olika arbetsuppgifter. Wallander ringde Linda och meddelade att han nu hade en bil som fungerade, så att han kunde hämta hennes farfar i Malmö. Han gick hem strax före sju. Emma Lundin ringde. Den här gången sa Wallander ja. Hon stannade som vanligt till strax efter midnatt. Wallander tänkte på Anette Bengtsson.

Dagen efter besökte han resebyrån och fick de uppgifter han begärt. Det var många kunder som sökte restplatser till julen. Wallander hade lust att stanna en stund och prata med Anette Bengtsson. Men hon hade inte tid. Han stannade till utanför den gamla sybehörsaffären. Brandtomten var nu rensad. Han gick in mot stan. Plötsligt insåg han att det var mindre än en vecka till jul. Den första julen som frånskild.

Den dagen hände ingenting som drev utredningen vidare. Wallander grubblade över sin pyramid. Det enda tillägg han gjorde var att han drog ett tjockt streck mellan Anna Eberhardsson och Yngve Leonard Holm.

Dagen efter, den 21 december, reste Wallander in till Malmö och hämtade sin far. Han kände en stor lättnad när han såg honom komma ut från flygbåtsterminalen. Han körde honom hem till Löderup. Fadern pratade oavbrutet om sin lyckade resa. Att han suttit fängslad och att Wallander faktiskt också varit i Kairo tycktes han ha glömt.

På kvällen gick Wallander på polisens julmiddag. Han undvek att sätta sig vid samma bord som Björk. Men det tal som denne höll var ovanligt lyckat. Han hade gjort sig mödan att undersöka Ystadspolisens historia. Hans utläggning var både rolig och väl framförd. Wallander skrattade vid flera tillfällen. Utan tvivel var Björk en god föreläsare.

När han kom hem var han berusad. Innan han somnade tänkte han på Anette Bengtsson. Och bestämde sig i nästa ögonblick för att sluta tänka på henne.

Den 22 december gick de åter igenom spaningsläget. Inget nytt hade hänt. Den spanska polisen hade inte hittat något anmärkningsvärt i systrarnas hus. Inga hemliga kassaskåp, ingenting. Fortfarande väntade de på att den andre piloten skulle identifieras.

På eftermiddagen gick Wallander och köpte en julklapp till sig själv. En radio till bilen. Han lyckades också montera den själv.

Den 23 december gjorde de en längre sammanfattning av utredningen. Nyberg kunde berätta att Holm blivit skjuten med samma vapen som använts för att döda systrarna Eberhardsson. Men ännu hade de inga spår efter vapnet. Wallander drog nya streck på sin teckning. Sambanden växte, men toppen saknades fortfarande.

Under juldagarna skulle arbetet inte ligga nere. Men Wallander visste ändå att det skulle gå på halvfart. Inte minst eftersom det var svårt att få tag på människor, svårt att få fram olika uppgifter.

På julaftonens eftermiddag regnade det. Wallander hämtade Linda vid stationen. Tillsammans for de ut till Löderup. Hon hade köpt en ny halsduk till sin farfar. Själv hade Wallander köpt en flaska konjak. Linda och Wallander lagade julmiddag medan fadern satt vid köksbordet och berättade om pyramiderna. Kvällen blev ovanligt lyckad, framför allt eftersom Linda hade så bra kontakt med sin farfar. Wallander kände sig ibland utanför. Men det gjorde honom ingenting. Då och då tänkte han frånvarande på de döda systrarna, på Holm och på flygplanet som störtat på åkern.

Sedan Wallander och Linda återvänt till Ystad satt de länge uppe och pratade. Wallander sov ut morgonen därpå. Han sov alltid bra när Linda fanns i lägenheten. Juldagen var kall och klar. De tog en lång promenad genom Sandskogen. Hon berättade om sina planer. Wallander hade gett henne ett löfte i julklapp. Ett löfte om att stå för en del av kostnaderna, så mycket han klarade, om hon bestämde sig för att praktisera i Frankrike. Sent på eftermiddagen följde han henne till tåget. Han hade velat köra henne in till Malmö. Men hon tog hellre tåget. På kvällen kände sig Wallander ensam. Han såg en gammal film på teve och lyssnade sedan på »Rigoletto«. Tänkte att han borde ha ringt Rydberg och önskat God jul. Men nu var det för sent.

När Wallander på annandagen såg ut genom köksfönstret strax efter sju på morgonen, föll ett dystert snöblandat regn över Ystad. Han mindes plötsligt den varma nattluften i Kairo. Tänkte också att han inte fick glömma att på något sätt tacka Radwan för hans hjälp. Han skrev upp det på anteckningsblocket som låg på köksbordet. Sedan lagade han för ovanlighetens skull till en ordentlig frukost.

Först när klockan var närmare nio kom han upp till polishuset. Han pratade med några av de poliser som arbetat under natten. Julen hade varit ovanlig lugn i Ystad detta år. Julaftonskvällen hade visserligen som vanligt mynnat ut i ett antal familjebråk, men ingenting hade varit riktigt allvarligt. Wallander gick genom den öde korridoren till sitt rum.

Nu skulle han på allvar gripa tag i mordutredningarna igen. Fortfarande var det två olika fall, även om han var övertygad om att det varit samma person eller personer som dödat systrarna Eberhardsson och Yngve Leonard Holm. Det var inte bara samma vapen och samma hand. Det existerade också ett gemensamt motiv. Han hämtade kaffe i matrummet och lutade sig över sina anteckningar. Pyramiden med sin bas. Han ritade ett stort frågetecken i mitten av triangeln. Toppen, dit hade hans far varit på väg, dit han nu själv måste söka sig.

Efter över två timmars grubblande var han säker på sin sak. Vad de nu med kraft måste leta efter var en felande länk. Ett mönster, kanske en organisation, hade brutit ihop när ett flygplan störtat. Då hade en eller flera okända personer hastigt klivit fram ur skuggorna och agerat. De hade dödat tre personer.

Tystnad, tänkte Wallander. Kanske det är just det allt det här handlar om? Kunskap som inte ska komma ut. Döda människor talar inte.

Det kunde vara så. Men det kunde också vara något helt annat.

Han ställde sig vid fönstret. Snöfallet var tätare nu.

Det kommer att ta tid, tänkte han.

Det är det första jag ska säga när vi har vårt nästa möte.

Vi måste räkna med att det kommer att ta tid att lösa det här.

Natten mot den 27 december hade Wallander en mardröm. Han var tillbaka i Kairo igen, inne i rättssalen. Radwan fanns inte längre vid hans sida. Men nu kunde han plötsligt förstå allt vad åklagaren och domaren sa. Hans far hade suttit där med sina handbojor och till sin förfäran hade Wallander hört hur fadern hade blivit dömd till döden. Han hade rest sig upp för att protestera. Men ingen hade hört honom. Då hade han sparkat sig upp ur drömmen, upp till ytan och när han vaknade var han genomsvettig. Han låg alldeles stilla och stirrade ut i mörkret.

Drömmen hade gjort honom så orolig att han steg upp och gick ut i köket. Det fortsatte att snöa. Gatlyktan gungade långsamt i vinden. Klockan var halv fem. Han drack ett glas vatten och stod en stund och fingrade på en halvtömd whiskyflaska. Men han lät den vara. Han tänkte på det Linda hade sagt, att drömmar var budbärare. Även om drömmarna handlade om andra människor var det i första hand budskap som riktades mot en själv. Wallander hade alltid betvivlat att det fanns något av värde i att försöka tyda drömmar. Vad kunde det egentligen innebära för honom att han föreställt sig att hans far blivit dömd till döden? Hade drömmarna utfärdat en dödsdom över honom själv? Sedan tänkte han att det kanske handlade om den oro han kände inför Rydbergs hälsotillstånd. Han drack ytterligare ett glas vatten och återvände till sängen.

Men sömnen ville inte infinna sig. Tankarna vandrade. Mona, fadern, Linda, Rydberg. Och sedan var han tillbaka vid sin ständiga utgångspunkt. Arbetet. Mordet på systrarna Eberhardsson och Yngve Leonard Holm. De två döda piloterna, den ene från Spanien, den andre ännu inte identifierad. Han tänkte på sin teckning. Triangeln där han hade satt ett frågetecken i mitten.

Men nu låg han i mörkret och tänkte att en triangel också har olika hörnstenar.

Han låg och vred sig tills klockan blivit sex. Då steg han upp, tappade i ett bad och kokade kaffe. Morgontidningen hade redan kommit. Han bläddrade sig fram till husannonserna. Där fanns ingenting som intresserade honom. Han tog med sig kaffekoppen in i badrummet. Sedan låg han och dåsade i det varma vattnet till framemot halv sju. Tanken på vädret gjorde honom olustig. Detta ständiga slaskande. Men nu hade han ändå en bil som förhoppningsvis startade.

Kvart över sju vred han om nyckeln. Motorn svarade genast. Han körde upp till polishuset och parkerade så nära ingången han kunde. Sedan sprang han genom snöslasket och höll på att halka omkull på yttertrappan. Martinsson stod i receptionen och bläddrade i Polistidningen. Han nickade när han fick syn på Wallander.

– Det står här att vi ska bli bättre på allting, sa han dystert. Framför allt ska vi fördjupa våra relationer med allmänheten.

– Det är väl utmärkt, svarade Wallander.

Han hade en ständigt återkommande minnesbild. Något som hade utspelat sig i Malmö för tjugo år sedan. Då hade han på ett café blivit utskälld av en ung flicka och beskylld för att ha slagit henne med batong under en Vietnamdemonstration. Av någon anledning hade han aldrig glömt det ögonblicket. Att hon senare varit delvis skyldig till att han nästan blivit ihjälstucken med en kniv brydde han sig mindre om. Det var hennes ansiktsuttryck, hennes totala förakt, som han aldrig hade glömt.

Martinsson slängde tidningen på bordet.

– Funderar du aldrig på att sluta? frågade han. Göra nåt annat?

– Varje dag, svarade Wallander. Men jag vet inte vad det skulle vara.

– Man kanske skulle söka sig till nåt privat vaktbolag, sa Martinsson.

Wallander blev förvånad. Han hade alltid föreställt sig att Martinsson hyste en hängiven dröm om att en gång bli polischef.

Sedan berättade han om sitt besök i det hus som Holm hade bott i. Martinsson blev bekymrad när han fick höra att bara hunden varit hemma.

– Där bor minst två personer till, sa han. En flicka i 25-årsåldern. Henne såg jag aldrig. Men en man var där. Rolf hette han. Rolf Nyman, tror jag. Hennes namn kommer jag inte ihåg.

– Där fanns bara en hund, upprepade Wallander. Den var så feg att den började krypa när jag röt åt den.

De kom överens om att vänta till niotiden innan de samlades i mötesrummet. Martinsson var osäker på om Svedberg skulle komma. Han hade ringt kvällen innan och sagt att han hade feber och var svårt förkyld.

Wallander gick till sitt rum. Som vanligt var det 23 steg från början av korridoren. Ibland önskade han att det plötsligt skulle ha hänt någonting. Att korridoren blivit längre eller kortare. Men allt var som vanligt. Han hängde av sig jackan och borstade bort några hårstrån som fastnat på stolsryggen. Han kände efter med handen i nacken och på hjässan. För varje år som gick oroade han sig alltmer för att han en dag skulle börja tappa håret. Sedan hörde han hastiga steg i korridoren. Det var Martinsson som kom viftande med ett papper.

– Den andre piloten är identifierad, sa han. Det här kom precis från Interpol.

Wallander slutade genast tänka på sin hårbotten.

– Ayrton McKenna, läste Martinsson. Född i Sydrhodesia 1945. Helikopterpilot sen 1964 i det dåvarande sydrhodesiska försvaret. Dekorerad ett flertal gånger under 1960-talet. För vad kan man undra. För att ha bombat en massa svarta?

Wallander hade mycket vaga aningar om vad som utspelat sig i de forna brittiska kolonierna i Afrika.

– Vad är det Sydrhodesia heter i dag? frågade han. Zambia?

– Det var Nordrhodesia. Sydrhodesia heter Zimbabwe.

– Mina kunskaper om Afrika är inte vad dom borde vara. Vad står det mer?

Martinsson läste vidare.

– Nån gång efter 1980 flyttade Ayrton McKenna till England. Mellan 1983 och 1985 sitter han fängelse i Birmingham för narkotikasmuggling. Från 1985 finns inga uppgifter förrän han plötsligt dyker upp i Hongkong 1987. Där misstänks han för smuggling av människor från Folkrepubliken. Han rymmer från ett häkte i Hongkong efter att ha skjutit ihjäl två vakter och har varit efterspanad sen dess. Men identifieringen är positiv. Det var han som störtade med Espinosa utanför Mossby.

Wallander tänkte efter.

– Vad har vi? sa han. Två kriminellt belastade piloter. Båda med smuggling på sitt samvete. I ett flygplan som inte finns. De flyger olagligt in över den svenska gränsen under några korta minuter. De är troligen på väg ut igen när planet störtar. Det ger oss egentligen bara två möjligheter. Antingen skulle dom lämna nånting. Eller så skulle dom hämta nånting. Eftersom det inte finns några tecken på att planet landat talar det för att nåt kastats ut. Vad är det man kastar ut från flygplan? Förutom bomber?

– Narkotika.

Wallander nickade. Sedan lutade han sig fram över bordet.

– Har haverikommissionen börjat sitt arbete än?

– Det har gått väldigt långsamt. Men ingenting talar för att planet skulle ha blivit nerskjutet, om det är det du är ute efter.

– Nej, sa Wallander. Det enda jag är intresserad av är två saker. Hade planet extratankar, det vill säga, hur långt bort ifrån kunde det ha kommit? Och var det en olycka?

– Om det inte blev nerskjutet kan det knappast ha varit nåt annat än ett haveri.

– Möjligheten finns att det var sabotage. Men det kanske är långsökt.

– Planet var gammalt, sa Martinsson. Det vet vi. Det har förmodligen gått i backen utanför Vientiane. Och sen reparerats upp igen. Det kan med andra ord ha varit i dåligt skick.

– När ska den här haverikommissionen egentligen börja arbeta på allvar?

– Den 28. I morgon. Flygplanet har bärgats till en hangar på Sturup.

– Du bör nog vara med där, sa Wallander. Det där med extratankarna är viktigt.

– Det ska nog mycket till för att planet ska ha kunnat flyga ända från Spanien utan mellanlandning, sa Martinsson tveksamt.

– Det tror jag inte heller. Men jag vill veta om det åtminstone kan ha lyft från andra sidan havet. Tyskland. Eller nån av dom baltiska staterna.

Martinsson gick. Wallander gjorde några anteckningar. Bredvid namnet Espinosa skrev han nu McKenna, osäker över hur det egentligen stavades.

Klockan halv nio träffades spaningsgruppen. Den var denna dag decimerad. Svedberg var mycket riktigt förkyld. Nyberg hade åkt till Eksjö för att hälsa på sin 96-åriga mamma. Han skulle ha kommit tillbaka på förmiddagen, men bilen hade gått sönder någonstans söder om Växjö. Rydberg såg trött och härjad ut. Wallander tyckte sig märka en svag doft av sprit. Förmodligen hade Rydberg suttit ensam under juldagarna och druckit. Inte så att han blivit berusad, det blev han sällan. Men ett jämnt, stilla drickande. Hansson klagade över att han ätit för mycket. Varken Björk eller Per Åkeson visade sig. Wallander betraktade de tre män som satt utspridda runt bordet. Det är mycket sällan det ser ut så här på teve, tänkte han. Där är det unga och fräscha, ständigt upplagda polismän som är i farten. Möjligen kunde Martinsson ha platsat i ett sådant sammanhang. Annars är den här spaningsgruppen just nu ingen särskilt uppbygglig syn.

– Det har varit knivbråk i natt, sa Hansson. Två bröder som

rök ihop med sin far. Fulla förstås. En av bröderna och pappan ligger på sjukhus. Dom har tydligen gett sig på varandra med olika verktyg.

– Vad då för verktyg? undrade Wallander.

– Hammare. En kofot. Skruvmejslar kanske. Åtminstone pappan har sticksår.

– Vi får ta itu med det där när vi hinner, sa Wallander. Just nu har vi tre mord på halsen. Eller två, om vi slår ihop systrarna.

– Jag förstår nog inte riktigt varför Sjöbo inte kan ta hand om den där Holm själva, sa Hansson irriterat.

– Därför att Holm har med oss att göra, svarade Wallander lika irriterat. Om vi ska hålla på att utreda var och en på sitt håll får vi aldrig nån rätsida på det här.

Hansson gav sig inte. Han var verkligen på mycket dåligt humör denna morgon.

– Vet vi att Holm hade nånting med Eberhardsson att göra?

– Nej, svarade Wallander. Men vi vet att allt talar för att det var samma person som dödade dom. Det tycker nog jag är ett tillräckligt samband för att man ska koppla ihop utredningarna och styra dom härifrån Ystad.

– Har Åkeson yttrat sig om det här?

– Ja, sa Wallander.

Det var inte sant. Per Åkeson hade inte sagt någonting. Men Wallander visste att denne ändå skulle ge honom rätt.

Wallander avslutade demonstrativt samtalet med Hansson genom att vända sig till Rydberg.

– Vet vi nånting om narkotikamarknaden? frågade han. Har det hänt nåt i Malmö? Har priserna förändrats, eller tillgången?

– Jag ringde, sa Rydberg. Men det tycks inte finnas en polis som arbetar där under julhelgen.

– Då får vi gå vidare med Holm, avgjorde Wallander. Jag har tyvärr börjat misstänka att den här utredningen kommer att bli både lång och besvärlig. Vi behöver alltså gräva. Vem var Holm? Vilka umgicks han med? Vilken position hade han i knarkhandlarhierarkin? Hade han nån position överhuvudtaget? Och systrarna? Vi vet för lite.

– Alldeles riktigt, sa Rydberg. När man gräver neråt brukar man komma framåt.

Wallander lade Rydbergs ord på minnet.

När man gräver neråt brukar man komma framåt.

Med Rydbergs visdomsord ringande i öronen bröt de upp. Wallander körde ner till resebyrån för att tala med Anette Bengtsson. Men till hans besvikelse hade hon ledigt över julen. Hennes kollega hade dock ett kuvert som hon lämnade till Wallander.

– Har ni hittat dom än? frågade hon. Dom som dödade systrarna?

– Nej, svarade Wallander. Men vi håller på.

På vägen tillbaka till polishuset kom Wallander ihåg att han hade bokat en tvättid just denna morgon. Han stannade till vid Mariagatan och gick upp till lägenheten och bar ner all smutstvätt som samlats i garderoben. När han kom ner i tvättstugan satt ett papper fasttejpat på tvättmaskinen som meddelade att den var trasig. Wallander blev så arg att han bar ut tvätten och slängde in den i bilens baklucka. Det fanns en tvättmaskin på polishuset. När han svängde ut på Regementsgatan höll han på att bli påkörd av en motorcykel som kom i hög fart. Han svängde in till trottoaren, stängde av motorn och blundade. Jag stressar, tänkte han. Om en trasig tvättmaskin gör att jag nästan mister självkontrollen är det något fel på mitt liv.

Han visste vad det var. Ensamheten. De alltmer orkeslösa nattliga timmarna tillsammans med Emma Lundin.

I stället för att köra upp till polishuset beslöt han att göra ett besök hos sin far ute i Löderup. Det var alltid ett riskabelt företag att komma utan att först ha anmält sin ankomst. Men just nu kände Wallander att han behövde uppleva doften av oljefärger i ateljén. Drömmen från natten spökade också i hans huvud. Han körde genom det grå landskapet och undrade var han skulle börja för att få till stånd en ändring av sin tillvaro. Kanske Martinsson hade rätt? Att han på allvar borde ställa sig frågan om han verkligen skulle vara polis i hela sitt liv? Ibland brukade Per Åkeson tala drömmande om ett liv bortom alla åtal, alla tunga och enformiga timmar i rättssalar och förhörsrum. Till och med min far har något som jag saknar, tänkte han när han svängde in på gårdsplanen. Drömmar som han bestämt sig för att vara trogen. Även om de råkar kosta hans ende son en mindre förmögenhet.

Han steg ur bilen och gick bort mot ateljén. En katt spatserade ut genom den halvöppna dörren och betraktade honom med misstänksamma blickar. När Wallander böjde sig ner för att klappa den vek den åt sidan. Wallander knackade och steg in. Fadern satt framåtlutad vid sitt staffli.

– Kommer du? sa han. Det var oväntat.

– Jag hade vägarna förbi, svarade Wallander. Stör jag?

Hans far låtsades inte höra frågan. I stället började han tala om resan till Egypten. Som om den var ett levande men redan mycket avlägset minne. Wallander hade satt sig på en gammal spark och lyssnade.

– Nu återstår bara Italien, slutade hans far. Sen kan jag lägga mig ner och dö.

– Jag tror vi väntar med den resan, sa Wallander. I alla fall några månader.

Fadern målade. Wallander satt tyst. Då och då växlade de några ord. Sedan åter tystnad. Wallander märkte att han vilade. Huvudet kändes lättare. Efter en dryg halvtimme reste han sig för att gå.

– Jag kommer förbi till nyår, sa han.

– Köp med dig en flaska konjak, svarade fadern.

Wallander återvände till polishuset som fortfarande gav intryck av att vara nästan helt övergivet. Han visste att alla nu låg lågt inför nyårsaftonen då det som vanligt skulle bli mycket arbete.

Wallander satte sig i sitt rum och gick igenom systrarna Eberhardssons resor under det sista året. Han försökte urskilja ett mönster utan att vara riktigt säker på vad han egentligen letade efter. Jag vet ingenting om Holm, tänkte han. Eller de här piloterna. Jag har inget som jag kan lägga som ett raster över resorna till Spanien. Det finns inga hållpunkter, annat än denna enda resa som Holm gjorde samtidigt som Anna Eberhardsson.

Han stoppade tillbaka pappren i kuvertet och lade in det i den pärm där han förvarade allt som hade med mordutredningarna att göra. Sedan noterade han på en lapp att han skulle komma ihåg att köpa en flaska konjak.

Klockan var redan över tolv. Han kände sig hungrig. För att bryta sin vana att kasta i sig ett par korvar vid någon kiosk gick han ner till sjukhuset och åt en smörgås på caféet. Sedan bläddrade han igenom en gammal trasig veckotidning som låg på ett bord intill. En popstjärna hade nästan dött av cancer. En skådespelare hade svimmat under en föreställning. Fotografier från de rikas fester. Han slängde tidningen ifrån sig och återvände till polishuset. Han kände sig som en elefant som lunkade omkring i en manege som utgjordes av staden Ystad. Nu måste snart någonting hända, tänkte han. Av vem och varför har de här tre personerna blivit avrättade?

Rydberg satt i receptionen och väntade på honom. Wallander satte sig i soffan intill. Som vanligt gick Rydberg rakt på sak.

– Det flödar av heroin i Malmö, sa han. Och i Lund, Eslöv, Landskrona, Helsingborg. Jag pratade med en kollega inne i Malmö. Han sa att det fanns tydliga tecken på att marknaden hade fått ett stort tillskott. Det skulle med andra ord kunna stämma med att det kastades ut knark från flygplanet. I så fall är det egentligen bara en enda fråga som är viktig.

Wallander förstod.

– Vem stod där och tog emot det?

– Där kan man leka med lite olika tankar, fortsatte Rydberg. Att planet skulle störta hade ingen räknat med. Ett skitplan från Asien som borde ha skrotats för länge sen. Då måste alltså nåt ha hänt där på marken. Antingen att fel person hämtar partiet som kommit flygande i natten. Eller att mer än ett rovdjur lurar på bytet.

Wallander nickade. Så långt hade han också tänkt.

– Nånting går snett, sa Rydberg. Och det leder till att först systrarna Eberhardsson och sen Holm blir avrättade. Med samma vapen. Av samma hand. Eller händer.

– Ändå tar det emot, sa Wallander. Att Anna och Emilia inte var några snälla gamla fröknar vet vi vid det här laget. Men därifrån till att dom skulle varit inblandade i transaktioner med tung narkotika är steget ändå långt.

– Det tycker egentligen jag också, sa Rydberg. Men ingenting förvånar mig längre. Girigheten har inga gränser när den slår klorna i folk. Kanske sybehörsaffären gick sämre och sämre? Om vi analyserar deras deklarationer kan vi få veta hur det var. Det borde dessutom vara möjligt att utläsa ur siffrorna när nånting händer. När dom plötsligt inte behöver bry sig om sybehörsaffärens ekonomi längre. Dom kanske drömde om ett liv i ett soligt paradis. Det kunde dom aldrig få genom att sälja tryckknappar och sysilke. Plötsligt händer nånting. Och dom är intrasslade i nätet.

– Man kan vända på det, sa Wallander. Bättre täckmantel än två äldre damer i en sybehörsaffär kan man knappast föreställa sig. Dom personifierade oskulderna.

Rydberg nickade.

– Vem stod och tog emot partiet? upprepade han. Och en fråga till: Vem låg bakom alltihop? Rättare sagt: vem ligger bakom?

– Vi söker fortfarande efter mittpunkten, sa Wallander, toppen på pyramiden.

Rydberg gäspade och reste sig mödosamt.

– Förr eller senare listar vi ut det, sa han.

– Har Nyberg kommit tillbaka än? frågade Wallander.

– Enligt Martinsson sitter han fortfarande kvar i Tingsryd.

Wallander återvände till sitt rum. Alla tycktes vänta på att något skulle hända. Nyberg ringde klockan fyra och berättade att hans bil nu äntligen var lagad. Klockan fem hade de ett möte. Ingen hade egentligen något nytt att komma med.

På natten sov Wallander länge och drömlöst. Dagen efter var det sol och fem plusgrader. Han lät bilen stå och började gå upp till polishuset. Men när han hade kommit halvvägs ångrade han sig. Han hade kommit att tänka på det Martinsson berättat. Om de två personer som bodde i det hus där Holm hade haft sitt rum. Klockan var bara en kvart över sju. Han skulle hinna åka upp och se efter om de var hemma innan mötet på polishuset.

Kvart i åtta svängde han in på gårdsplanen. Hunden stod i sin rastgård och skällde. Wallander såg sig omkring. Huset verkade lika övergivet som dagen innan. Han gick fram till dörren och knackade. Ingen svarade. Han kände på handtaget. Dörren var låst. Någon hade alltså varit där. Han började gå runt huset. Samtidigt hörde han hur dörren öppnades bakom honom. Ofrivilligt ryckte han till. En man i undertröja och nerhasade jeans stod och såg på honom. Wallander gick fram och sa vem han var.

– Är det du som är Rolf Nyman? frågade han.

– Ja, det är jag.

– Jag skulle behöva prata med dig.

Mannen tvekade.

– Här är ostädat, svarade han. Och tjejen som bor här ligger och sover.

– Det är ostädat hemma hos mig också, sa Wallander. Och vi behöver ju inte sätta oss på hennes sängkant.

Nyman gick åt sidan och tog med Wallander ut i det belamrade köket. De satte sig. Mannen gjorde ingen ansats att vilja bjuda Wallander på något. Men han verkade vänlig. Wallander antog att han skämdes över röran.

– Tjejen har stora problem med narkotika, sa han. Just nu försöker hon ta sig ur det. Jag hjälper henne så mycket jag kan. Men det är svårt.

– Och du själv?

– Jag rör aldrig nånting.

– Men är det inte egendomligt att välja att bo på samma ställe som Holm. Om ni nu vill att hon ska komma ifrån drogerna.

Nymans svar kom fort och verkade övertygande.

– Jag hade ingen aning om att han höll på med knark. Vi bodde här billigt. Han var trevlig. Jag hade ingen aning om vad han höll på med. Till mig sa han att han studerade astronomi. Vi brukade stå här ute på gården på kvällarna. Han visste vad varenda stjärna hette.

– Vad gör du själv?

– Jag kan inte ha nåt fast jobb så länge som hon är dålig. Jag brukar arbeta på diskotek då och då.

– Diskotek?

– Jag spelar skivor.

– Du är alltså discjockey?

– Ja.

Wallander tänkte att mannen gav ett sympatiskt intryck. Han verkade inte orolig för något annat än att flickan som låg och sov någonstans skulle vakna.

– Holm, sa Wallander. Hur träffade du honom? Och när var det?

– På ett diskotek i Landskrona. Vi började prata med varandra. Han berättade om det här huset. Ett par veckor senare hade vi flyttat hit. Det värsta är bara att jag inte orkar städa. Jag gjorde det tidigare. Holm också. Men nu går all tid åt till att ta hand om tjejen.

– Du misstänkte alltså aldrig vad Holm höll på med?

– Nej.

– Hade han aldrig besök här?

– Aldrig. Han brukade vara borta på dagarna. Men han sa alltid när han skulle komma tillbaka. Det var bara sista gången som han inte kom som han sagt.

– Verkade han orolig under den dagen? Hade nånting förändrats?

Rolf Nyman tänkte efter.

– Nej, han var som vanligt.

– Hur var han då?

– Glad. Fast han var tystlåten ibland.

Wallander funderade på hur han skulle fortsätta.

– Hade han gott om pengar?

– Han levde i alla fall inte flott. Jag kan visa dig hans rum.

– Det behövs inte. Han hade alltså aldrig nånsin besök?

– Aldrig.

– Men det måste ha ringt i telefonen?

Nyman nickade.

– Det var som om han alltid visste när nån skulle ringa. Satte han sig på stolen intill telefonen så ringde det. Var han inte hemma eller i närheten så ringde det aldrig. Det var det mest egendomliga med honom.

Wallander hade plötsligt inga fler frågor och reste sig.

– Vad händer nu? frågade han.

– Jag vet inte. Huset hade Holm hyrt av nån som bor i Örebro. Jag antar att vi blir tvungna att flytta.

Rolf Nyman följde honom ut på trappan.

– Hörde du nånsin Holm säga nåt om två systrar som hette Eberhardsson?

– Dom som blev dödade? Nej, aldrig.

Wallander insåg att han hade en sista fråga.

– Holm måste haft en bil, sa han. Var är den?

Rolf Nyman skakade på huvudet.

– Jag vet inte.

– Vad var det för märke?

– En svart Golf.

Wallander räckte fram handen och sa adjö. Hunden var tyst när han gick till bilen.

Holm måste ha dolt sin verksamhet väl, tänkte han på vägen tillbaka mot Ystad. På samma sätt som han dolde sitt rätta jag väl när jag förhörde honom.

Kvart i nio ställde han bilen utanför polishuset. Ebba var på plats och sa att Martinsson och de andra väntade på honom i mötesrummet. Han skyndade sig dit. Nyberg hade också kommit.

– Vad är det som har hänt? frågade Wallander innan han ens hade satt sig ner.

– Stora nyheter, svarade Martinsson. Malmökollegorna har gjort ett rutintillslag mot en ökänd knarkhandlare. I hans hus hittade dom en pistol med kaliber 0.38.

Martinsson vände sig mot Nyberg.

– Teknikerna har varit snabba, sa han. Både systarna Eberhardsson och Holm dödades av ett vapen med den kalibern.

Wallander höll andan.

– Vad heter langaren?

– Nilsmark. Men han kallas för »Hilton«.

– Är det samma vapen?

– Det kan vi inte svara på än. Men möjligheten finns ju.

Wallander nickade.

– Bra, sa han. Då kanske vi är igenom. Då kanske vi kan få slut på det här innan nyår.

De arbetade intensivt i tre dagar, fram till nyårsaftonen. Wallander och Nyberg åkte in till Malmö redan på förmiddagen den 28. Nyberg för att tala med Malmöpolisens tekniker, Wallander för att sitta med vid, och delvis ta över, ett förhör med den narkotikalangare som kallades »Hilton«. Det var en man i femtioårsåldern, överviktig, men ändå egendomligt smidig. Han satt där i kostym och slips och verkade uttråkad. Wallander hade innan förhöret blivit insatt i hans historia av en kriminalinspektör Hyttner som han träffat tidigare.

»Hilton« hade suttit inne några år i början av 1980-talet för narkotikahandel. Men Hyttner var övertygad om att polisen och åklagarna den gången bara lyckats skumma på ytan och sätta dit honom för en liten del av hans verksamhet. Från fängelset i Norrköping där han avtjänat delar av straffet hade han uppenbarligen kunnat behålla kontrollen över sin verksamhet. Under hans frånvaro hade Malmöpolisen inte märkt av någon maktkamp bland dem som höll i narkotikatillförseln till de södra delarna av Sverige.

När Hilton kommit ut från fängelset hade han firat tilldragelsen med att skilja sig och sedan omedelbart gifta om sig med en ung skönhet från Bolivia. Därpå hade han flyttat in på en stor gård som låg strax norr om Trelleborg. Vad de också visste var att han börjat utsträcka sina jaktmarker även till Ystad och Simrishamn och att han just var på väg att etablera sig i Kristianstad. Den 28 december ansåg polisen att de hade tillräckligt mycket emot honom för att en åklagare skulle gå med på att de gjorde ett tillslag mot gården. Det var då de hittade pistolen. Hilton hade omedelbart erkänt att han inte hade någon licens för vapnet. Att han skaffat det förklarade han med att han behövde något att försvara sig med eftersom han bodde ensligt. Men till morden på systrarna Eberhardsson och Yngve Leonard Holm nekade han bestämt.

Wallander satt med vid ett utdraget förhör med Hilton. Mot slutet ställde han några egna frågor, bland annat om vad Hilton haft för sig vid de två olika datum som var aktuella. I systrarna Eberhardssons fall gick det att vara mycket exakt i tidtabellen, i Holms fall var det mer oklart när han egentligen hade blivit skjuten. När systrarna Eberhardsson dött påstod sig Hilton ha varit i Köpenhamn. Eftersom han rest dit ensam skulle det behövas tid för att få hans påstående bekräftat. Under den tid då Holm var försvunnen fram till dess att han hittades mördad hade Hilton hållit på med många olika saker.

Wallander önskade att han haft Rydberg med sig. I vanliga fall brukade han rätt snart kunna märka om en person han hade framför sig talade sanning eller inte. Men med Hilton var det svårare. Hade Rydberg varit med kunde de ha jämfört sina intryck. Efter förhöret drack Wallander kaffe med Hyttner.

– Vi har aldrig kunnat binda honom vid några våldsamheter tidigare, sa Hyttner. Han har alltid använt andra pojkar när det behövts. Dessutom har det inte varit samma torpeder varje gång. Vad vi vet har han hämtat in folk från kontinenten när han behövt knäcka benen på nån som inte gjort rätt för sig.

– Alla dom måste spåras, sa Wallander. Om det nu visar sig att vapnet är det rätta.

– Jag har svårt att tro att det är han, sa Hyttner. Han är inte den typen. Han tvekar inte att sälja heroin till skolungar. Men han är samtidigt en sån som svimmar när han måste lämna blodprov.

Wallander återvände till Ystad i början på eftermiddagen. Nyberg var då fortfarande kvar i Malmö. Wallander märkte att han mer hoppades än trodde att de närmade sig en lösning på morden.

Samtidigt var det en annan tanke som börjat gnaga inom honom. Något som han förbisett. En slutsats han borde ha dragit eller ett antagande han borde ha gjort. Han letade i huvudet utan att hitta något svar.

På vägen tillbaka mot Ystad svängde han av vid Stjärnsund och stannade till en stund på Sten Widéns hästgård. Han hittade Widén ute i stallet tillsammans med en äldre dam som tydligen ägde en av de hästar som tränades på gården. Hon var just på väg att gå när Wallander kom. Tillsammans såg de BMW-n försvinna.

– Hon är snäll, sa Sten Widén. Men dom hästar som hon luras att köpa gör ingen människa glad. Jag säger alltid till henne att hon ska fråga mig om råd innan hon köper nån. Men hon anser att hon vet bäst själv. Nu har hon en som heter »Jupiter« och som garanterat aldrig kommer att vinna några lopp.

Widén slog uppgivet ut med armarna.

– Men hon håller liv i mig, sa han.

– »Traviata«, sa Wallander. Henne vill jag se.

De gick tillbaka in i stallet där hästar stampade i olika boxar. Sten Widén stannade vid en av dem och strök en häst över mulen.

– »Traviata«, sa han. Inte särskilt lösaktig, om jag säger så. Hon är mest bara rädd för hingstarna.

– Är hon bra?

– Kan bli. Men hon har sköra bakben. Vi får se.

De gick ut på gården igen. Wallander hade märkt en svag doft av alkohol från Sten Widéns mun när de varit inne i stallet. Han ville bjuda på kaffe men Wallander tackade nej.

– Jag har ett trippelmord att reda ut, sa han. Jag antar att du har läst om det i tidningarna?

– Jag läser bara sporten, svarade Sten Widén.

Wallander lämnade Stjärnsund. Han undrade om han och Sten någonsin skulle kunna återfinna den förtrolighet som en gång existerat mellan dem.

När Wallander kom till polishuset mötte han Björk i receptionen.

– Jag hör att ni har löst dom här morden, sa han.

– Nej, svarade Wallander bestämt. Ingenting är löst.

– Då får vi fortsätta hoppas, svarade Björk.

Björk försvann ut genom dörrarna. Det är som om vår sammanstötning aldrig har existerat, tänkte Wallander. Eller så är han mer konflikträdd än vad jag är. Eller mindre långsint.

Wallander samlade ihop spaningsgruppen och gick igenom det som hänt i Malmö.

– Tror du det är han? frågade Rydberg när Wallander hade tystnat.

– Jag vet inte, svarade Wallander.

– Det betyder med andra ord att du inte tror att det är han?

Wallander svarade inte. Han ryckte bara uppgivet på axlarna.

När de bröt upp från mötet frågade Martinsson om Wallander kunde tänka sig att byta nyårsnatten med honom. Martinsson hade jour och ville helst slippa. Wallander tänkte efter. Kanske skulle det vara klokt att arbeta och ha händerna fulla i stället för att tänka på Mona hela kvällen, men han hade lovat sin far att besöka honom i Löderup. Det vägde tyngst.

– Jag har lovat bort mig till min far, svarade han. Du får försöka med nån annan.

Wallander stannade kvar i mötesrummet sedan Martinsson gått. Han letade efter den där tanken som börjat gnaga i honom på vägen från Malmö. Han ställde sig vid fönstret och såg frånvarande ut över parkeringsplatsen mot vattentornet. Långsamt gick han igenom alla händelser i huvudet igen. Försökte fånga upp något han förbisett. Men det var förgäves.

Resten av dagen hände egentligen ingenting. Alla väntade. Nyberg återkom från Malmö. Ballistikerna arbetade för fullt med vapnet. Martinsson lyckades byta sin nyårsafton med Näslund som var osams med sin fru och helst ville slippa vara hemma. Wallander vankade fram och tillbaka i korridoren. Han letade vidare efter sin försvunna tanke. Den fortsatte att gnaga i hans medvetande. Så mycket insåg han som att det bara var en detalj som skymtat förbi. Kanske ett enstaka ord som han borde fångat upp och studerat mera noggrant.

Klockan blev sex. Rydberg försvann utan att säga någonting. Wallander och Martinsson gick tillsammans igenom allt de visste om Yngve Leonard Holm. Han var född i Brösarp och hade, såvitt de kunde bedöma, aldrig haft ett ordentligt arbete i sitt liv. Småstölder i ungdomen hade lett till allt grövre brott. Men inget våld. Där påminde han om Nilsmark. Martinsson tackade för sig och gick hem. Hansson satt lutad över sina travkuponger som han hastigt sköt ner i en låda när någon kom in i rummet. I matrummet växlade Wallander några ord med ett par polismän som skulle ha en trafikrazzia på nyårsnatten. De skulle koncentrera sig på småvägar, »fyllevägarna«, som användes av bilister med god lokalkännedom som var onyktra och ändå hade tänkt att köra hem. När klockan var sju ringde Wallander till Malmö och pratade med Hyttner. Ingenting hade hänt där heller. Men heroinet flödade nu så långt upp som till Varberg. Där tog den narkotikahandel som kontrollerades av göteborgarna vid.

Wallander for hem. Tvättmaskinen var fortfarande inte lagad. Dessutom låg smutstvätten kvar i hans bil. Han återvände ilsket till polishuset och stoppade tvättmaskinen proppfull. Sedan satt han och ritade gubbar i sitt kollegieblock. Tänkte på Radwan och de mäktiga pyramiderna. När han hade tumlat tvätten hade klockan blivit över nio. Han for hem, öppnade en burk pyttipanna och åt framför teven medan han såg en gammal svensk film. Vagt påminde han sig den från sin ungdom. Han hade sett den tillsammans med en flicka som inte tillåtit honom att lägga sin hand på hennes lår.

Innan han gick och lade sig ringde han till Linda. Nu var det Mona som svarade. På hennes röst kunde han genast höra att han ringde olämpligt. Linda var ute. Wallander bad bara Mona hälsa henne. Samtalet var över innan det ens hade börjat.

Han hade just krupit i säng när Emma Lundin ringde. Wallander låtsades bli väckt. Hon bad om ursäkt för att hon störde.

Sedan frågade hon om nyårsaftonen. Wallander sa att han skulle fira den tillsammans med sin far. De bestämde att träffas på nyårsdagen. Wallander ångrade sig redan innan han lagt på luren.

Dagen efter, den 29 december, hände inget annat än att Björk råkade ut för en mindre trafikolycka. Det var en skadeglad Martinsson som framförde nyheten. Björk hade för sent upptäckt en bil när han skulle vänstersvänga. Det hade varit halt och bilarna hade törnat emot varandra och fått lättare plåtskador.

Nyberg väntade fortfarande på ballistikernas besked. Wallander använde dagen till att arbeta sig neråt i sina pappershögar. På eftermiddagen kom Per Åkeson in i hans rum och bad att få en rapport om händelseutvecklingen. Wallander sa som det var, att de just nu hoppades vara inne på rätt spår. Men fortfarande återstod mycket grundarbete.

Det var Åkesons sista arbetsdag innan han började sin tjänstledighet.

– Min efterträdare blir en kvinna, sa han. Men det har jag ju redan berättat? Hon heter Anette Brolin och kommer från Stockholm. Du kan glädja dig. Hon är betydligt snyggare än jag.

– Vi får se, svarade Wallander. Men vi kommer nog att sakna dig.

– Inte Hansson, sa Per Åkeson. Han har aldrig tyckt om mig. Varför vet jag inte. Detsamma gäller för Svedberg.

– Jag ska försöka ta reda på varför medan du är borta.

De önskade varandra Gott nytt år och lovade att hålla kontakten.

På kvällen talade Wallander länge med Linda i telefonen. Hon skulle fira nyår tillsammans med vänner i Lund. Wallander blev besviken. Han hade trott, eller åtminstone hoppats, att hon skulle vara med i Löderup.

– Två gamla gubbar, sa hon vänligt. Roligare kan man ha.

Efter samtalet påminde sig Wallander att han hade glömt att köpa den konjak hans far bett om. Han borde också köpa en

flaska champagne. Han skrev två lappar. En lade han på köks-
bordet, den andra i sin ena sko. På natten satt han länge uppe
och lyssnade på en gammal inspelning av »Turandot« med Ma-
ria Callas. Han tänkte av någon underlig anledning på hästarna
i Sten Widéns stall. Först när klockan blivit närmare tre somna-
de han.

På morgonen den 30 vräkte snön ner över Ystad. Wallander
tänkte att det här kunde bli en kaotisk nyårsafton om vädret inte
blev bättre. Men redan vid tiotiden klarnade himlen och snön
började smälta undan. Wallander undrade varför ballistikerna
tog så orimligt lång tid på sig att bestämma om vapnet var det
rätta. Nyberg ilsknade till och sa att kriminaltekniker inte hade
sina dåliga löner för att slarva. Wallander kröp genast till korset,
de blev vänner igen och talade en stund om polisernas orimligt
låga löner. Inte ens Björk hade särskilt bra betalt.

På eftermiddagen samlades spaningsgruppen. Det blev ett tungt
möte eftersom det fanns så få nyheter. Polisen i Marbella hade
skickat en utomordentligt noggrann rapport om besöket i syst-
rarna Eberhardssons hus. De hade även sänt med ett fotografi.
Bilden vandrade bordet runt. Huset var verkligen ett palats. Men
ändå hade rapporten inte tillfört utredningen någonting nytt.
Inga genombrott, bara denna väntan.

På morgonen den 31 december sprack hoppet. Ballistikerna
kunde meddela att det vapen som hittats hemma hos Nilsmark
inte hade använts när systrarna Eberhardsson och Holm mörda-
des. Luften gick för ett ögonblick ur hela spaningsgruppen. Det
var bara Rydberg och Wallander som hade insett att beskedet
med största sannolikhet skulle bli negativt. Malmöpolisen hade
dessutom lyckats få Nilsmarks resa till Köpenhamn bekräftad.
Han kunde omöjligt ha varit i Ystad när systrarna blev mörda-
de. Hyttner trodde också att Nilsmark skulle kunna skaffa fram
ett alibi för den tidsperiod som gällde Holm.

– Alltså är vi tillbaka på ruta ett igen, sa Wallander. Direkt på nyåret får vi dra igång för fullt. Gå igenom materialet på nytt, arbeta oss neråt.

Ingen gjorde någon kommentar. Under nyårshelgen skulle arbetet till största delen ligga nere. Eftersom de inte hade några omedelbara spår att gå efter ansåg Wallander att de mest av allt behövde vila. Sedan önskade de varandra Gott nytt år. Till sist var bara Rydberg och Wallander kvar.

– Vi visste det här, sa Rydberg. Både du och jag. Att det hade varit för enkelt med den där Nilsmark. Varför i helvete skulle han ha haft kvar vapnet? Det var fel redan från början.

– Ändå måste vi undersöka det.

– Polisarbete handlar ofta om att göra sånt man redan från början vet är meningslöst, sa Rydberg. Men det är som du säger. Ingen sten får ligga ovänd.

Sedan talade de om nyårsaftonen.

– Jag avundas inte kollegorna i storstäderna, sa Rydberg.

– Det kan vara ganska rörigt här också.

Rydberg frågade vad Wallander skulle göra.

– Jag sitter ute hos gubben i Löderup. Han ska ha konjak, vi äter nånting, spelar kort, gäspar och skålar när det blir midnatt. Sen far jag hem.

– Jag brukar försöka undvika att hålla mig vaken, sa Rydberg. Nyårsaftonen är ett spöke. Det är en av dom få gånger på året då jag tar en sömntablett.

Wallander tänkte att han borde fråga hur Rydberg mådde. Men han valde att låta bli.

De skakade hand, som för att markera att dagen var speciell. Sedan gick Wallander in på sitt rum, lade fram en almanacka för 1990 och rensade sina lådor. Det var en vana han hade lagt sig till med några år tidigare. Nyåraftonen var till för att rensa lådor, befria sig från gamla papper.

Wallander häpnade över allt skräp han hittade. I en av lådorna hade en klisterflaska runnit ut. Han hämtade en kniv i matrummet och började skrapa. Utifrån korridoren kunde han höra ett upprört fyllo som gav besked om att han inte alls hade tid att vara hos polisen eftersom han skulle på fest. Det har redan börjat, tänkte Wallander och gick tillbaka med kniven till matrummet. Klisterflaskan kastade han i soppåsen.

Klockan sju for han hem, tog en dusch och bytte kläder. Strax efter åtta var han ute i Löderup. På vägen hade han fortsatt att famla i sitt inre efter tanken som oroade honom, men utan att hitta den. Fadern hade lagat till en fiskgratäng som var förvånansvärt god. Wallander hade hunnit köpa konjak och fadern nickade gillande när han såg att det var »Hennessy«. En flaska champagne stoppades in i kylskåpet. Till maten drack de öl. Fadern hade kvällen till ära satt på sig sin gamla kostym och dessutom en slips som han knutit på ett sätt som Wallander aldrig tidigare hade sett.

Strax efter nio satte de sig och spelade poker. Wallander fick två gånger triss men slängde båda gångerna ett av korten så att fadern skulle kunna vinna. Vid elvatiden gick Wallander ut på gårdsplanen och pissade. Det var klart och hade blivit kallare. Stjärnhimlen gnistrade. Wallander tänkte på pyramiderna. Att de var upplysta av starka strålkastare hade gjort att den egyptiska stjärnhimlen nästan helt hade försvunnit. Han återvände in igen. Fadern hade druckit flera glas konjak och började nu bli berusad. Wallander smuttade bara eftersom han skulle köra hem på natten. Även om han visste var trafikkontrollerna skulle vara passade det sig inte att han körde med sprit i kroppen. Åtminstone inte på nyårsaftonen. Då och då hade det inträffat, och varje gång hade Wallander sagt till sig själv att det aldrig fick hända igen.

Vid halvtolvtiden ringde Linda. De pratade med henne i tur och ordning. I bakgrunden kunde Wallander höra ljudet från en starkt uppskruvad musikanläggning. De fick ropa till varandra.

– Du hade haft det bättre här, ropade Wallander.

– Det vet du ingenting om, hojtade hon tillbaka men det lät vänligt.

De önskade varandra Gott nytt år. Fadern tog sig ytterligare ett glas konjak. Han hade börjat spilla när han fyllde på glaset. Men han var på gott humör. Och det var det viktigaste för Wallander.

Klockan tolv satt de framför teven och såg Jarl Kulle läsa in det nya året. Wallander sneglade på sin far som faktiskt hade tårar i ögonen. Själv var han inte alls gripen, bara trött. Han tänkte också med olust på att han dagen efter skulle träffa Emma Lundin. Det var som om han spelade falskt med henne. Om han skulle avge ett nyårslöfte denna kväll borde det vara att han så fort som möjligt sa henne som det var, att han inte ville fortsätta förhållandet.

Men han avgav inget löfte.

Strax före ett for han hem. Men först hade han hjälpt sin far i säng. Han hade tagit av honom skorna och brett en filt över honom.

– Snart reser vi till Italien, sa fadern.

Wallander städade upp i köket. Faderns snarkningar rullade redan genom huset.

På nyårsdagens morgon vaknade Wallander med ont i halsen och huvudvärk. Det var också vad han sa till Emma Lundin när hon kom vid tolvtiden. Eftersom hon var sjuksköterska och Wallander var både varm och blek tvivlade hon inte på att det var sant. Hon tittade honom också i halsen.

– Tredagarsförkylning, sa hon. Håll dig inne.

Hon lagade te som de drack i vardagsrummet. Wallander försökte flera gånger förmå sig till att säga som det var. Men när hon gick strax före tre hade de inte avtalat annat än att Wallander skulle höra av sig när han mådde bättre.

Resten av dagen låg Wallander i sängen. Han började läsa flera olika böcker utan att kunna koncentrera sig. Inte ens *Den hemlighetsfulla ön* av Jules Verne som var hans absoluta favorit förmådde fånga hans intresse. Men han påminde sig att en av personerna i boken hade samma namn, Ayrton, som den av de döda piloterna som blivit sist identifierad.

Långa stunder låg han försjunken i halvdvala. Gång på gång återkom pyramiderna i hans drömmar. Hans far klättrade och föll, eller så befann han sig själv djupt inne i en trång gång där jättelika stenmassor tyngde ovanför hans huvud.

På kvällen lyckades han ur en kökslåda leta fram en pulver-soppa som han blandade till. Men han hällde bort nästan allt-ihop. Matlusten var obefintlig.

Dagen efter mådde han fortfarande dåligt. Han ringde till Martinsson och sa att han tänkte hålla sig kvar i sängen. Han fick veta att nyårshelgen varit lugn i Ystad men ovanligt stökig på många andra ställen i landet. Vid tiotiden gick han ut och handlade eftersom kylskåp och skafferi var nästan tomma. Han besökte också apoteket och köpte huvudvärkstabletter. Halsen var bättre. Men nu rann näsan. Han nös när han skulle betala för huvudvärkstabletterna. Expediten såg ogillande på honom.

Han återvände till sängen. Somnade igen.

Plötsligt vaknade han med ett ryck. Han hade drömt om pyra-miderna igen. Men det var något annat som väckt honom. Nå-got som hade att göra med den tanke som gäckade honom.

Vad är det jag inte ser? tänkte han. Han låg alldeles stilla och stirrade ut i det mörka rummet. Det hade någonting att göra med pyramiderna. Och med nyårsaftonen hos fadern i Löderup. När han stått där ute på gården och tittat upp mot himlen hade han urskilt stjärnorna. Eftersom det varit mörkt runt honom. Pyramiderna utanför Kairo hade varit upplysta av starka strål-kastare. De hade tagit bort ljuset från stjärnorna.

Äntligen fick han fatt på den tanke som oroat honom.

Flygplanet som kommit smygande in över den svenska kusten hade kastat ut någonting. Man hade sett ljus ute i skogarna. Ett område hade varit markerat för att flygplanet skulle hitta rätt. Strålkastare måste ha monterats på fältet och sedan försvunnit igen.

Det var strålkastarna som oroat honom. Vem kunde ha haft tillgång till starka lampor?

Idén var långsökt. Ändå litade han på sin intuition. Han funderade en stund, sittande i sängen. Sedan bestämde han sig, steg upp, satte på sig sin gamla badrock och ringde upp till polishuset. Det var Martinsson han ville tala med. Det tog några minuter innan denne kom till telefonen.

– Gör mig en tjänst, sa Wallander. Ring till Rolf Nyman. Han som delade hus med Holm utanför Sjöbo. Ring och låt det verka som ett rutinsamtal. Några personuppgifter som fattas. Enligt vad Nyman berättade för mig arbetade han som discjockey på olika diskotek. Ställ en fråga, som i förbifarten, efter namnen på dom ställen där han brukade arbeta.

– Varför är det viktigt?

– Jag vet inte, ljög Wallander. Men gör mig den tjänsten.

Martinsson lovade återkomma. Wallander hade genast börjat misströsta. Det var naturligtvis alltför långsökt. Men det var som Rydberg hade sagt: ingen sten fick ligga ovänd.

Timmarna gick. Redan eftermiddag. Martinsson hörde inte av sig. Febern hade gett med sig nu. Men Wallander drabbades fortfarande av nysattacker. Och näsan rann. Halv fem ringde Martinsson.

– Det var ingen som svarade förrän nu, sa han. Men jag tror inte han misstänkte nånting. Jag har en lista här på fyra diskotek. Två i Malmö, ett i Lund och ett på Råå, utanför Helsingborg.

Wallander skrev upp namnen.

– Bra, sa han.

– Jag hoppas du förstår att jag är nyfiken?

– Det är bara en tanke jag har. Vi kan tala om det i morgon.

Wallander avslutade samtalet. Utan att betänka sig klädde han sig, rörde ut ett par huvudvärkstabletter i ett glas vatten, drack en kopp kaffe och tog en toalettpappersrulle med sig. Kvart över fem hade han satt sig i bilen och var på väg.

Det första diskoteket låg i en gammal lagerbyggnad ute i Malmö Frihamn. Wallander hade tur. Just när han stannade bilen kom en man ut från diskoteket som var stängt. Wallander presenterade sig och fick veta att den person han hade framför sig hette Juhanen, var från Haparanda och ägare av diskoteket »Exodus«.

– Hur hamnar man i Malmö om man är från Haparanda? frågade Wallander.

Mannen log. Han var i fyrtioårsåldern och hade dåliga tänder.

– Man träffar en flicka, sa han. Dom flesta som flyttar gör det av ett av två skäl. För att söka arbete. Eller för att man träffar nån.

– Egentligen skulle jag fråga dig om Rolf Nyman, sa Wallander.

– Har det hänt nåt?

– Nej, svarade Wallander. Bara rutinfrågor. Han arbetar för dig ibland?

– Han är duktig. Kanske lite konservativ i sin musiksmak. Men duktig.

– Ett diskotek lever på hög ljudvolym och ljuseffekter, sa Wallander. Om jag inte tar alldeles fel?

– Riktigt, svarade Juhanen. Jag har alltid proppar i öronen. Annars skulle jag förlorat hörseln för länge sen.

– Det hände aldrig att Rolf Nyman lånade med sig nån ljusutrustning? frågade Wallander. Några av era starka lampor?

– Varför skulle han ha gjort det?

– Det var bara en fråga.

Juhanen skakade bestämt på huvudet.

– Jag har kontroll både på personal och utrustning, sa han. Här försvinner ingenting. Här lånas ingenting ut heller.

– Då var det inget mer, sa Wallander. Annat än att jag vore glad om du tills vidare inte berättade för nån om det här.

Juhanen log.

– Du menar att jag inte ska berätta för Rolf Nyman?

– Just det.

– Vad har han gjort?

– Ingenting. Men vi måste rota i hemlighet ibland.

Juhanen ryckte på axlarna.

– Jag säger ingenting, sa han.

Wallander for vidare. Det andra diskoteket låg i innerstaden. Det var öppet. Ljudvolymen träffade Wallanders huvud som ett klubbslag när han steg in genom dörren. Diskoteket ägdes av två män varav den ene var närvarande. Wallander fick ut honom på gatan. Även han hade ett negativt besked att ge. Rolf Nyman hade aldrig lånat några lampor. Inte heller hade någon utrustning försvunnit.

Wallander satte sig i bilen och snöt sig i toalettpappret. Det är meningslöst, tänkte han. Det jag håller på med nu är bortkastad möda. Det enda som händer är att jag blir liggande sjuk ännu längre.

Sedan for han till Lund. Nysattackerna kom och gick i vågor. Han märkte att han svettades. Förmodligen hade han fått feber igen. Diskoteket i Lund hette »Lagårn« och låg i stadens östra utkant. Wallander körde fel flera gånger innan han kom rätt. Skylten var släckt och dörrarna låsta. »Lagårn« var inrymd i något som tidigare hade varit ett mejeri, kunde Wallander läsa på fasaden. Han undrade varför diskoteket inte kunnat få det namnet i stället, »Mejeriet«. Wallander såg sig omkring. Runt lokalen låg några småindustrier. Där bortom en villa i en trädgård. Wallander gick dit, öppnade grinden och ringde på dörren. En man i hans egen ålder öppnade. I bakgrunden kunde Wallander höra operamusik.

Wallander visade sin legitimation. Mannen släppte in Wallander i tamburen.

– Om jag inte tar alldeles fel är det Puccini, sa Wallander.

Mannen betraktade honom granskande.

– Det stämmer, sa han. »Tosca.«

– Egentligen kommer jag för att tala om helt annan sorts musik, sa Wallander. Jag ska fatta mig mycket kort. Jag behöver veta vem som äger det diskotek som ligger här intill.

– Hur i herrans namn ska jag kunna veta det? Jag är genforskare. Inte discjockey.

– Trots allt är ni ju grannar, sa Wallander.

– Varför inte tala med dina kollegor? föreslog mannen. Det händer ganska ofta att det är bråk därutanför. Dom borde veta.

Alldeles rätt, tänkte Wallander.

Mannen pekade på en telefon som stod på ett bord i tamburen. Wallander hade numret till polisen i Lund i huvudet. Efter att ha skickats fram och tillbaka några gånger fick han besked om att diskoteket ägdes av en kvinna som hette Boman. Wallander noterade hennes bostadsadress och telefonnummer.

– Det är lätt att hitta, sa polismannen han talade med. Hon bor i huset mitt emot stationen inne i centrum.

Wallander lade på.

– Det är en mycket vacker opera, sa Wallander. Musiken alltså. Tyvärr har jag aldrig sett den på scen.

– Jag går aldrig på opera, svarade mannen. Musiken räcker för mig.

Wallander tackade och gick. Sedan irrade han länge runt innan han lyckats leta sig fram med bilen till stationen i Lund. Gågatorna och återvändsgränderna var otaliga. Han parkerade på en plats där det var stoppförbud. Sedan rev han av ett antal meter toalettpapper, stoppade det i fickan och gick tvärs över gatan. Han tryckte på den knapp där det stod Boman. Det surrade i dörrlåset och Wallander gick in. Namnet Boman stod på tredje våningen. Wallander letade efter en hiss som inte fanns. Trots att han gick långsamt blev han andfådd. En kvinna som var mycket ung, knappast ännu fyllda 25, stod i dörröppningen och väntade på honom. Hon hade kortsnaggat hår och ett stort antal ringar i öronen. Wallander presenterade sig och tog fram sitt id-kort. Hon kastade inte ens en blick på det utan bad honom bara komma in. Wallander såg sig förvånat omkring. I lägenheten fanns nästan inga möbler. Väggarna var kala. Ändå var det ombonat på något sätt. Ingenting var i vägen. Bara det nödvändigaste fanns.

– Varför vill polisen i Ystad tala med mig? frågade hon. Jag har nog problem med polisen här i Lund.

Det hördes att hon inte var överdrivet förtjust i poliser. Hon hade satt sig i en stol och hon hade mycket kort kjol. Wallander sökte efter en punkt strax intill hennes ansikte där han kunde fästa blicken.

– Jag ska fatta mig mycket kort, sa Wallander. Rolf Nyman.

– Vad är det med honom?

– Ingenting. Men han arbetar hos dig?

– Jag har honom som reserv. Om nån av mina ordinarie DJ:s skulle bli sjuka.

– Min fråga kanske kan verka egendomlig, sa Wallander. Men jag måste ändå ställa den.

– Varför ser du mig inte i ögonen? frågade hon plötsligt.

– Det beror nog mest på att din kjol är väldigt kort, svarade Wallander och förvånade sig över sin direkthet.

Hon brast i skratt, sträckte sig efter en pläd och lade den över benen. Wallander betraktade pläden, sedan hennes ansikte.

– Rolf Nyman, upprepade han. Hände det nånsin att han lånade med sig några strålkastare från diskoteket?

– Aldrig.

Wallander uppfattade en nästan osynligt skiftning av osäkerhet som drog över hennes ansikte. Genast skärptes hans uppmärksamhet.

– Aldrig?

Hon bet sig i läppen.

– Frågan är egendomlig, sa hon. Men faktum är att det försvann ett antal strålkastare från diskoteket för ungefär ett år sen. Vi anmälde det till polisen som inbrott. Men dom hittade aldrig några spår.

– När var det? Var det sen Nyman börjat hos dig?

Hon tänkte efter.

– För precis ett år sen. I januari. Efter det att Nyman börjat.

– Du misstänkte aldrig att det kunde varit nån anställd?

– Faktiskt inte.

Hon reste sig och lämnade hastigt rummet. Wallander betraktade hennes ben. Efter ett ögonblick kom hon tillbaka med en almanacka i handen.

– Lamporna försvann nån gång mellan den 9 och 12 januari. Och nu när jag ser efter så var det faktiskt Rolf som arbetade då.

– Vad var det för lampor? frågade Wallander.

– Sex strålkastare. Egentligen ingenting för diskotek. Det är mera för teaterbruk. Mycket starka, 2 000 watt. Dessutom försvann en hel del kablar.

Wallander nickade långsamt.

– Varför frågar du om det här?

– Tills vidare kan jag inte svara på det, sa Wallander. Men en sak måste jag be dig om. Du kan betrakta det som en order. Att inte säga nåt till Rolf Nyman.

– Under förutsättning att du pratar med kollegorna här i Lund och ber dom låta mig vara ifred.

– Jag ska se vad jag kan göra.

Hon följde honom ut i tamburen.

– Jag tror aldrig jag frågade om ditt förnamn, sa han.

– Linda.

– Det heter min dotter också. Alltså är det ett mycket vackert namn.

Wallander drabbades av en nysattack. Hon drog sig några steg bakåt.

– Jag tar dig inte i hand, sa han. Men du gav mig ett svar som jag hoppats på.

– Du inser naturligtvis att jag blir nyfiken?

– Du ska få svar, sa han. Tids nog.

Hon skulle just stänga dörren när Wallander kom på att han hade ytterligare en fråga.

– Vet du nånting om Rolf Nymans privatliv?

– Ingenting.

– Du vet alltså inte att han har en flickvän som har narkotika-problem?

Linda Boman betraktade honom länge innan hon svarade.

– Om han har en flickvän som använder droger vet jag inte, svarade hon till sist. Men däremot vet jag att Rolf själv har svåra problem med heroin. Hur länge till han klarar sig har jag ingen aning om.

Wallander kom ner på gatan. Klockan hade blivit tio. Natten var kall.

Vi är igenom, tänkte han.

Rolf Nyman. Visst är det han.

Wallander var nästan tillbaka i Ystad när han bestämde sig för att inte åka direkt hem. I den andra av rondellerna vid infarten till staden svängde han i stället norrut. Klockan var tio minuter i elva. Näsan fortsatte att rinna. Men nyfikenheten drev honom. Han tänkte att det han nu gjorde, för vilken gång i ordningen visste han inte, bröt mot alla de mest elementära regler som gällde för en polisman. Framförallt den att inte ge sig in i farliga situationer ensam.

Om det nu stämde, vilket han var övertygad om, att det var Rolf Nyman som skjutit både Holm och systrarna Eberhardsson, var han definitivt en person som måste anses vara farlig. Dessutom hade han lurat Wallander. Och han hade gjort det med besked och med stor skicklighet. Wallander hade under bilresan från Malmö grubblat över vad som kunde ha drivit honom. Vad var det i mönstret som hade spruckit? De svar han fann pekade i åtminstone två tänkbara riktningar. Det kunde röra sig om en maktkamp eller om inflytande över narkotikahandeln.

Det moment i hela situationen som oroade Wallander mest var det som Linda Boman sagt om Nymans egna drogvanor. Att han själv var heroinist. Sällan eller aldrig hade Wallander stött på narkotikahandlare ovanför den absoluta botten som själva varit drogberoende. Frågan malde i Wallanders huvud. Det var något som inte stämde, en bit som fattades.

Wallander svängde av vid den väg som ledde till huset där Nyman bodde. Han stängde av motorn och släckte ljuset. Ur handskfacket tog han fram en ficklampa. Sedan öppnade han försiktigt bildörren efter att ha släckt innerbelysningen. Lyssnade ut i mörkret, steg ur och stängde sedan bildörren så tyst som möjligt. Det

var ungefär hundra meter fram till gårdsplanen. Han skärmade av
ficklampan med ena handen och lyste framför sig. Vinden var
kall, kände han. Dags för en varmare tröja. Men plötsligt hade
näsan slutat rinna. När han kom fram till skogsbrynet släckte han
ficklampan. Det lyste i ett fönster i huset. Alltså var någon hem-
ma. Nu gäller det hunden, tänkte han. Han gick tillbaka samma
väg han kommit ungefär 50 meter. Sedan vek han av in i skogen
och tände ficklampan igen. Han skulle närma sig bakifrån. Som
han mindes hade det rum där det lyste varit ett genomgående rum
med fönster åt både fram- och baksida.

Han rörde sig sakta, försökte hela tiden att undvika att tram-
pa på kvistar. När han var framme på baksidan av huset hade
han blivit svettig. Samtidigt hade han mer och mer börjat undra
över vad han egentligen höll på med. I värsta fall skulle hunden
ge skall och utfärda den första varningen till Rolf Nyman om att
någon höll honom under uppsikt. Han stod orörlig och lyssna-
de. Allt som hördes var suset från skogen. På avstånd ett flyg-
plan på ingång mot Sturup. Wallander väntade tills hans and-
hämtning blivit normal innan han försiktigt gick fram mot hu-
set. Han hukade och höll ficklampan bara några centimeter från
marken. Just innan han kom in i ljuset som föll ut från fönstret
släckte han lampan och drog sig in i skuggan vid husväggen.
Fortfarande var hunden tyst. Han lyssnade med örat mot den
kalla väggen. Ingen musik, inga röster, inga ljud alls. Sedan
sträckte han sig försiktigt fram och tittade in genom fönstret.

Rolf Nyman satt vid ett bord mitt i rummet. Han satt lutad
över någonting som Wallander först inte kunde urskilja. Så insåg
han att Rolf Nyman lade patiens. Långsamt vände han kort efter
kort. Wallander undrade vad han egentligen hade väntat sig. En
man som satt och vägde upp vita pulverpåsar på en våg? Eller
någon som satt med en gummirem runt överarmen och gav sig
själv en spruta?

Jag har tagit fel, tänkte han. Det är en missbedömning från
början till slut.

Men samtidigt var han övertygad. Den man som satt vid bordet och lade patiens hade helt nyligen dödat tre människor. Brutalt avrättat dem.

Wallander skulle just dra sig bort från husväggen när hunden på framsidan började skälla. Rolf Nyman ryckte till. Han såg rakt mot Wallander. Ett ögonblick trodde Wallander att han blivit upptäckt. Sedan reste sig mannen hastigt och gick mot ytterdörren. Då var Wallander redan på väg tillbaka mot skogen. Om han släpper hunden ligger jag illa till, tänkte han. Han lyste på marken där han snubblade fram. Han halkade till och kände hur en gren rispade upp hans kind. I bakgrunden kunde han fortfarande höra hur hunden skällde.

När han kom fram till bilen hade han tappat ficklampan men inte stannat för att plocka upp den. Han vred om nyckeln och undrade vad som hade hänt om han hade haft sin gamla bil. Nu kunde han utan problem lägga i backen och köra därifrån. Just när Wallander satte sig i bilen hörde han en långtradare som närmade sig på huvudvägen. Om han kunde få ljudet från sin egen bilmotor att sammanfalla med långtradarens skulle han komma undan utan att Rolf Nyman hörde honom. Han stannade och vände tyst och smög i gång lågmält på treans växel. När han kom ut på huvudvägen såg han bakljusen på långtradaren. Eftersom det var nerförsbacke slog han av motorn och rullade. I backspegeln var det tomt. Ingen följde efter honom. Wallander strök sig över kinden och kände blod och letade sedan reda på sitt toalettpapper. En kort ouppmärksamhet höll på att styra honom ner i diket. I sista stund lyckades han räta upp bilen.

När han kom hem till Mariagatan hade klockan redan passerat midnatt. Grenen hade skurit en djup reva i kinden. Wallander övervägde ett ögonblick om han borde uppsöka sjukhuset. Men han nöjde sig med att göra rent såret och sätta på ett stort plåster. Sedan kokade han starkt kaffe och satte sig vid köksbordet med ett av sina många halvskrivna kollegieblock framför sig.

Han gick på nytt igenom sin triangelformade pyramid och bytte ut frågetecknet i mitten mot Rolf Nyman. Redan från början visste han att materialet var mycket tunt. Det enda han egentligen kunde anföra mot Nyman var en misstanke om att han stulit de strålkastare som sedan användes för att markera för flygplanet var dess last skulle kastas ut.

Men vad hade han mer? Ingenting. Vad hade Holm och Nyman haft för relation? Var kom flygplanet och systrarna Eberhardsson in i det hela? Wallander sköt kollegieblocket ifrån sig. Det skulle behövas grundliga efterforskningar för att komma vidare. Dessutom undrade han hur han skulle kunna övertyga sina kollegor om att han trots allt hade funnit det spår de borde koncentrera sig på. Hur långt skulle han egentligen nå med att hänvisa till sin intuition igen? Rydberg skulle ha förståelse för den, kanske också Martinsson. Men både Svedberg och Hansson skulle avfärda den.

Klockan blev två innan han släckte och gick till sängs. Kinden värkte.

Dagen efter, den 3 januari, var det kallt och klart i Skåne. Wallander steg upp tidigt, bytte plåster på kinden och var på polishuset redan strax före sju. Den här morgonen var han på plats till och med innan Martinsson kommit. I receptionen fick han höra om en svår trafikolycka som inträffat en timme tidigare, strax utanför Ystad, med flera döda, bland annat ett mindre barn, vilket alltid spred en speciell förstämning bland kollegorna. Wallander gick till sitt rum och var tacksam för att han inte längre behövde rycka ut vid några bilolyckor. Han hämtade kaffe och satte sig sedan och tänkte igenom det som hänt kvällen innan.

Men tveksamheten från gårdagen fanns kvar. Rolf Nyman kunde visa sig vara ett villospår. Men det fanns ändå tillräckliga skäl för att utreda honom grundligt. Wallander bestämde sig också för att de skulle ha en diskret bevakning kring huset, inte minst för att ta reda på när Nyman var ute. Egentligen var det Sjöbopolisens uppgift. Men Wallander hade redan bestämt sig för att enbart hålla dem underrättade. Arbetet skulle Ystadpolisen insistera på att få utföra själv.

De behövde komma in i huset. Men det fanns ytterligare ett problem. Rolf Nyman var inte ensam. Där fanns också en kvinna. Som ingen hade sett, och som låg och sov när Wallander var på besök.

Wallander slogs plötsligt av tanken att kvinnan kanske inte alls existerade. Mycket av det Nyman sagt hade ju inte varit sant. Han såg på klockan. Tjugo minuter över sju. Det var sannolikt mycket tidigt för en kvinna som drev ett diskotek. Men han letade ändå reda på Linda Bomans telefonnummer i Lund. Hon svarade nästan genast. Wallander kunde höra att hon var yrvaken.

– Jag är ledsen om jag väckte dig, sa han.

– Jag var vaken.

Hon är som jag, tänkte Wallander. Tycker inte om att tala om att hon blivit väckt. Även om det är en fullständigt anständig tid att sova på.

– Jag har ytterligare några frågor, sa Wallander. Och dom kan tyvärr inte vänta.

– Ring igen om fem minuter, sa hon och lade på.

Wallander väntade i sju minuter. Sedan slog han numret igen. Hennes röst var mindre grumlig nu.

– Det gäller naturligtvis Rolf Nyman, sa han.

– Du tänker fortfarande inte tala om varför ni är intresserade av honom?

– Just nu kan jag inte göra det. Men jag lovar att du ska bli den första som får veta det.

– Jag känner mig hedrad.

– Du sa att han hade svåra problem med heroin?

– Jag minns vad jag sa.

– Min fråga är mycket enkel. Hur vet du det?

– Han sa det. Det överraskade mig. Han försökte inte dölja det. Det gjorde intryck på mig.

– Han sa det?

– Ja.

– Betyder det att du aldrig märkte att han hade problem?

– Han skötte alltid sitt jobb.

– Han var alltså aldrig påverkad?

– Inte så att det syntes.

– Han var heller aldrig nervös eller orolig?

– Inte mer än dom flesta andra. Jag kan också vara orolig och nervös. Särskilt när poliserna här i Lund bråkar med mig och diskoteket.

Wallander satt tyst ett ögonblick och funderade på om han skulle fråga kollegorna i Lund om Linda Boman. Hon väntade.

– Låt mig ta det här en gång till, sa han. Du såg honom aldrig påverkad. Han bara sa att han var heroinist?

– Jag har svårt att tro att folk skulle ljuga om nåt sånt.

– Jag med, svarade Wallander. Men jag ville bara försäkra mig om att jag hade förstått saken rätt.

– Är det därför du ringer klockan sex på morgonen?

– Klockan är halv åtta.

– För mig är det nästan samma sak.

– Jag har en fråga till, fortsatte Wallander. Du sa att du aldrig hade hört om nån flickvän?

– Nej.

– Han hade aldrig nån med sig?

– Aldrig.

– Om vi antar att han hade sagt att han hade en flickvän så hade du inte kunnat veta om det var sant eller inte?

– Dina frågor blir konstigare och konstigare. Varför skulle han inte haft en flickvän? Han såg väl inte värre ut än många andra män?

– Då har jag inga fler frågor, avslutade Wallander. Och det jag sa i går gäller i allra högsta grad fortfarande.

– Jag ska ingenting säga. Jag ska sova.

– Det är möjligt att jag hör av mig igen, sa Wallander. Vet du förresten om Rolf hade nån nära vän?

– Nej.

Samtalet tog slut.

Wallander gick över till Martinssons rum. Denne höll just på att kamma sig med en liten fickspegel i handen.

– Halv nio, sa Wallander. Kan du samla ihop folk till dess?

– Det låter som om nånting har hänt?

– Kanske, svarade Wallander.

Sedan växlade de några ord om bilolyckan. Tydligen hade en personbil kommit över på fel sida av den frostiga vägbanan och frontalkrockat med en polsk lastbil.

Halv nio berättade Wallander för sina kollegor om det som hade hänt. Om sitt samtal med Linda Boman och de försvunna strålkastarna. Däremot nämnde han ingenting om sitt nattliga besök vid den enslig belägna gården utanför Sjöbo. Som väntat ansåg Rydberg att upptäckten var viktig medan Hansson och Svedberg hade många invändningar. Martinsson sa ingenting.

– Visst är det magert, sa Wallander efter att ha lyssnat på diskussionen. Men jag gör ändå bedömningen att vi just nu bör koncentrera oss på Nyman. Även om vi naturligtvis inte ska lägga ner det arbete vi bedriver på bred front.

– Vad säger åklagaren om det här? frågade Martinsson. Vem är förresten åklagare just nu?

– Hon heter Anette Brolin och finns i Stockholm, sa Wallander. Hon kommer ner i nästa vecka. Men jag hade nog tänkt att tala med Åkeson. Även om han inte längre har det formella ansvaret som förundersökningsledare.

De gick vidare. Wallander menade att de behövde komma in i huset utanför Sjöbo men utan att Nyman fick reda på det. Vilket genast möttes av nya protester.

– Det kan vi inte, sa Svedberg. Det är inbrott.

– Vi har att göra med ett trippelmord, sa Wallander. Om jag

har rätt så är Rolf Nyman mycket förslagen. Ska vi kunna hitta nånting så måste vi bevaka honom utan att han märker det. När lämnar han huset? Vad gör han? Hur länge är han borta? Men framförallt måste vi ta reda på om där verkligen finns en flick-vän eller inte.

– Jag kanske kan klä ut mig till sotare, föreslog Martinsson.

– Det genomskådar han, sa Wallander utan att bry sig om den ironiska tonen. Jag hade nog tänkt att vi skulle göra det mer indi-rekt. Genom lantbrevbäraren. Ta reda på vem som har hand om utdelningen av Nymans post. Det finns inte en lantbrevbärare som inte vet vad som händer i hus ute på landet. Även om dom aldrig satt sin fot inne i ett hus vet dom till exempel vilka som bor där.

Svedberg var envis.

– Den där flickan kanske aldrig får nån post?

– Det handlar inte om det, svarade Wallander. Lantbrevbära-re vet. Det är bara så.

Rydberg nickade instämmande. Wallander kände hans stöd. Han drev på. Hansson lovade att kontakta posten. Martinsson gick motvilligt med på att ordna bevakning av gården. Wallan-der skulle tala med Åkeson.

– Ta reda på allt som går att få fram om Nyman, slutade Wal-lander mötet. Men gör det diskret. Om han är den björn jag tror han är ska han inte väckas.

Wallander gav tecken till Rydberg att han ville tala med ho-nom på sitt rum.

– Du är övertygad? sa Rydberg. Att det är Nyman?

– Ja, svarade Wallander. Men jag är samtidigt fullt på det kla-ra med att jag kan ha fel. Att jag håller på att styra utredningen åt alldeles fel håll.

– Strålkastarstölden är ett starkt indicium, sa Rydberg. Det är för mig den avgörande punkten. Hur kom du förresten på tan-ken?

– Pyramiderna, svarade Wallander. Dom är upplysta av strål-kastare. Utom en dag i månaden. När det är fullmåne.

– Hur vet du det?

– Det var farsan som berättade.

Rydberg nickade eftertänksamt.

– Narkotikasändningar följer knappast månkalendern, sa Rydberg. Dessutom kanske dom inte har så mycket moln i Egypten som vi har här i Skåne.

– Egentligen var sfinxen det intressantaste, sa Wallander. Hälften människa, hälften djur. Som håller vakt över att solen verkligen återvänder varje morgon. Från samma håll.

– Jag tror jag har hört om ett amerikanskt vaktbolag som har sfinxen som symbol, sa Rydberg.

– Det passar väl bra, svarade Wallander. Sfinxen vakar. Och vi vakar. Vare sig vi är poliser eller nattvakter.

Rydberg brast i skratt.

– Om man berättade sånt här för blivande poliser skulle man bli utskrattad.

– Jag vet, svarade Wallander. Men man kanske borde göra det i alla fall.

Rydberg lämnade rummet. Wallander ringde hem till Per Åkeson som lovade att informera Anette Brolin.

– Hur känns det? frågade Wallander. Att slippa alla brottmål?

– Bra, svarade Åkesson. Bättre än jag kunnat föreställa mig.

Denna dag träffades de ytterligare två gånger i spaningsgruppen. Martinsson ordnade med bevakningen av huset, Hansson försvann för att träffa lantbrevbäraren. Under tiden fortsatte de med att försöka kartlägga Rolf Nymans liv. Han hade aldrig tidigare haft med polisen att göra, vilket försvårade arbetet. Han var född 1957 i Tranås och hade flyttat till Skåne med sina föräldrar i mitten av 1960-talet. De hade först bott i Höör och senare i Trelleborg. Fadern hade varit anställd vid ett kraftbolag och sysslat med linjearbete, modern var hemmafru och Rolf var enda barnet. Fadern avled 1986 och modern hade då flyttat tillbaka till Tranås där hon dött året efter. Wallander fick en växande känsla av att Rolf Nyman hade levt ett osynligt liv. Som om han avsiktligt sopat igen alla spår efter sig. Med hjälp av kollegorna i Malmö fick de veta att han aldrig varit omnämnd i de kretsar som sysslade med narkotika. Han är för osynlig, tänkte Wallander flera gånger den eftermiddagen. Människor avsätter spår. Alla utom Rolf Nyman.

Hansson återkom efter att ha talat med lantbrevbäraren som hette Elfrida Wirmark. Hon hade varit mycket bestämd i sin uppfattning. Det bodde två personer i huset, Holm och Nyman. Vilket innebar att det numera bara bodde en enda människa där eftersom Holm låg på bårhuset och väntade på att begravas.

Klockan sju på kvällen satt de samlade i mötesrummet. Enligt de rapporter Martinsson fått hade Nyman inte lämnat huset under dagen annat än för att ge hunden mat. Ingen hade heller kommit till gården. Wallander frågade om de som bevakade mannen hade kunnat märka om han verkade vara på sin vakt. Men inga sådana rapporter hade inkommit. Sedan diskuterade de länge lantbrevbärarens uppgifter. Till sist lyckades de uppnå en sorts enighet om att Rolf Nyman hade hittat på en flickvän som inte existerade.

Wallander gjorde dagens sista sammanfattning.

– Ingenting tyder på att han är heroinist, började han. Det är hans första lögn. Den andra är att han har en flickvän – han är ensam i huset. Om vi vill komma in där har vi två möjligheter. Antingen väntar vi tills han ger sig iväg. Förr eller senare gör han det, om inte annat så för att handla mat. Om han nu inte har stora förråd upplagda. Men varför skulle han ha det? Eller så hittar vi på ett sätt att locka ut honom ur huset.

De bestämde sig för att vänta. Åtminstone några dagar. Om ingenting då hade hänt skulle de ompröva situationen på nytt.

De väntade den 4 och de väntade den 5 januari. Nyman lämnade huset två gånger för att ge hunden mat. Ingenting tydde på att han blivit vaksammare än tidigare. Under tiden arbetade de med att försöka kartlägga hans liv. Det var som om han hade levt i ett egendomligt tomrum. Via skattemyndigheterna kunde de se att han hade haft en låg årlig inkomst från sitt arbete som disc-jockey. Han hade aldrig yrkat några avdrag som verkade anmärkningsvärda. Han hade ansökt om pass 1986. Körkort hade han sedan 1976. Några egentliga vänner tycktes aldrig ha existerat.

På förmiddagen den 5 januari satte sig Wallander ner med Rydberg och stängde dörren. Rydberg menade att de nog borde fortsätta att vänta ytterligare några dagar. Men Wallander presenterade en idé som han tyckte kunde göra det möjligt att locka ut Nyman ur huset. Gemensamt beslöt de att lägga fram den redan samma eftermiddag. Wallander ringde Linda Boman i Lund. Kvällen efter skulle diskoteket vara öppet. Just den kvällen skulle en dansk discjockey arbeta. Wallander förklarade sin tanke. Linda Boman undrade vem som skulle stå för den extra kostnaden eftersom discjockeyn från Köpenhamn hade kontrakt med Lindas diskotek. Wallander sa att hon kunde skicka räkningen till polisen i Ystad om det blev aktuellt. Han lovade att ge henne besked inom några timmar.

Klockan fyra på eftermiddagen den 5 januari hade det börjat blåsa en bitande kall vind över Skåne. En front med snö skulle passera österifrån och kunde möjligen snudda vid Skånes södra kust. Vid samma tidpunkt samlade Wallander spaningsgruppen i mötesrummet. Så kortfattat som möjligt förklarade han den tanke han tidigare under dagen diskuterat med Rydberg.

– Vi måste röka ut Rolf Nyman, sa han. Tydligen rör han sig inte utomhus i onödan. Samtidigt verkar det inte som om han misstänker nåt.

– Kanske för att det hela är orimligt, avbröt Hansson. Kanske för att han inte har nåt med morden att göra?

– Den möjligheten finns, erkände Wallander. Men just nu utgår vi från motsatsen. Och det betyder att vi behöver komma in i huset utan att han får reda på det. Det första som måste till är att vi kan locka ut honom. Med en orsak som inte gör honom misstänksam.

Sedan redovisade han idén. Linda Boman skulle ringa honom och säga att den ordinarie discjockeyn fått förhinder. Kunde Rolf rycka in? Svarade han ja skulle huset stå tomt hela kvällen. De skulle postera en vakt vid diskoteket som hela tiden kunde hålla kontakt med dem som var inne i huset. När Rolf Nyman återkom till Sjöbo på morgonsidan skulle huset vara tomt. Ingen utom hunden skulle ha lagt märke till att nån varit där.

– Vad händer om han ringer och pratar med sin kollega i Danmark? frågade Svedberg.

– Vi har tänkt på det. Linda Boman ska ge dansken besked om att inte ta emot några telefonsamtal. Polisen kommer att få betala hans uteblivna lön. Men den kostnaden tar vi gärna.

Wallander hade väntat sig många invändningar. Men det kom inga. Han insåg att det berodde på att det fanns en otålighet i spaningsgruppen. De kom inte vidare. Något måste ske.

Wallander såg sig omkring i rummet. Ingen hade något mer att säga.

– Då är vi alltså överens? Tanken är att vi ska slå till redan i morgon.

Wallander sträckte sig efter telefonen som stod på bordet och ringde Linda Boman.

– Vi kör, sa han när hon hade svarat. Ring honom om en timme.

Wallander lade på, såg på sitt armbandsur och vände sig mot Martinsson.

– Vem är det som vaktar där uppe just nu?

– Näslund och Peters.

– Tala med dom på radion och säg att dom ska vara extra observanta efter klockan tjugo över fem. Då ringer Linda Boman till Nyman.

– Vad är det egentligen du tror ska hända?

– Jag vet inte. Jag bara talar om större vaksamhet.

Sedan gick de igenom programmet. Linda Boman skulle be

Nyman komma till Lund redan klockan åtta på kvällen för att gå igenom ett antal nya skivor. Det innebar att han borde ge sig av från Sjöbo vid sjutiden. Diskoteket skulle sedan ha öppet till klockan tre på morgonen. Så fort de som vakade vid diskoteket gett klartecken om att Nyman kommit skulle de andra gå in i huset. Wallander hade bett Rydberg följa med. Men denne hade i sin tur föreslagit Martinsson. Så skulle det bli.

– Martinsson och jag går in i huset. Svedberg åker med och håller vakt. Hansson tar diskoteket i Lund. Övriga finns här på polishuset. Om nånting händer.

– Vad är det vi letar efter? frågade Martinsson.

Wallander skulle just svara när Rydberg höjde handen.

– Det vet vi inte, sa han. Vi ska hitta det vi inte vet att vi letar efter. Men i förlängningen ska det finnas ett ja eller ett nej. Var det Nyman som dödade Holm och dom två systrarna?

– Knark, sa Martinsson. Är det det?

– Vapen, pengar, vad som helst. Trådrullar som inköpts i systrarna Eberhardssons sybehörsaffär. Kopior av flygbiljetter. Vi vet inte.

De satt kvar ytterligare en stund. Martinsson försvann för att ta kontakt med Näslund och Peters. Han kom tillbaka, nickade och satte sig.

Klockan tjugo minuter över fem satt Wallander med klockan i hand.

Sedan slog han numret till Linda Boman. Det tutade upptaget.

De väntade. Nio minuter senare ringde telefonen. Wallander grep luren. Han lyssnade och lade sedan på.

– Nyman har tackat ja, sa han. Nu är vi igång. Så får vi se om det leder oss rätt eller fel.

De bröt upp från mötet. Wallander höll tillbaka Martinsson.

– Det är bäst vi tar med vapen, sa han.

Martinsson såg undrande på honom.

– Jag trodde Nyman skulle vara i Lund?

– För säkerhets skull, svarade Wallander. Ingenting annat.

Snöovädret kom aldrig in över Skåne. Dagen efter, den 6 januari, var himlen täckt av moln. Det blåste en svag vind, låg regn i luften och var fyra plusgrader. Wallander valde länge bland sina tröjor innan han kunde bestämma sig. Klockan sex på kvällen träffades de i mötesrummet. Hansson hade då redan åkt till Lund. Svedberg befann sig i en skogsdunge från vilken han hade utsikt över framsidan på gården utanför Sjöbo. Rydberg satt och löste korsord i matrummet. Wallander hade med olust plockat fram sitt vapen och satt på sig hölstret som han aldrig fick att sitta ordentligt. Martinsson hade sitt vapen i jackfickan.

Nio minuter över sju kom beskedet från Svedberg över radion. *Fågeln har flugit.* Wallander hade inte velat ta några onödiga risker. Polisradion var alltid avlyssnad. Alltså kallades Rolf Nyman för *fågeln.* Ingenting annat.

De fortsatte att vänta. Sex minuter i åtta kom Hansson in med sitt besked. *Fågeln har landat.* Rolf Nyman hade kört långsamt.

Martinsson och Wallander reste sig. Rydberg såg upp från sitt korsord och nickade.

De kom fram till huset halv nio. Svedberg tog emot dem. Hunden skällde. Men huset var nersläckt.

– Jag har tittat på låset, sa Svedberg. Det räcker med en vanlig dyrk.

Wallander och Svedberg lyste med sina ficklampor medan Martinsson dyrkade upp låset. Svedberg försvann för att ställa sig på vakt igen.

De gick in. Wallander tände alla lampor. Martinsson såg undrande på honom.

– Nyman spelar skivor på ett diskotek i Lund, sa Wallander. Nu börjar vi.

De gick igenom huset långsamt och metodiskt. Wallander kunde snart konstatera att de inte hittade några spår av att någon kvinna hade funnits i huset. Frånsett den säng som använts av Holm hade bara Nyman en sängplats.

– Vi skulle haft en narkotikahund med oss, sa Martinsson.

– Det är knappast troligt att han har några varor hemma, svarade Wallander.

De letade igenom huset i tre timmar. Strax före midnatt anropade Martinsson Hansson på radion.

– Här är mycket folk, svarade Hansson. Och det dånar som fan av musiken. Jag håller mig utomhus. Men det är kallt.

De fortsatte att leta. Wallander hade börjat bli orolig. Ingen narkotika, inget vapen. Ingenting som tydde på att Nyman var inblandad. Martinsson hade gått igenom källare och uthus grundligt. Inga strålkastare. Ingenting. Bara hunden som skällde som en galning. Wallander hade flera gånger haft lust att skjuta den. Men han älskade hundar. Innerst inne. Även hundar som skällde.

Klockan halv två hade Martinsson kontakt med Hansson igen. Fortfarande ingenting.

– Vad sa han? frågade Wallander.

– Att det var mycket folk som trängdes utanför.

Klockan två kom de inte längre. Wallander hade börjat inse att han tagit fel. Ingenting tydde på något annat än att Rolf Nyman var discjockey. Lögnen med kvinnan kunde knappast anses vara kriminell. Dessutom hade de inte funnit något som tydde på att Nyman skulle ha varit narkoman.

– Jag tror vi kan sluta nu, sa Martinsson. Vi hittar ingenting.

Wallander nickade.

– Jag stannar en stund, svarade Wallander. Men du kan åka hem med Svedberg. Lämna en radio till mig.

Martinsson lade radion påslagen på bordet.

– Blås av det hela, sa Wallander. Hansson måste vänta tills jag ger besked. Men dom på polishuset kan gå hem.

– Vad är det du tror du ska hitta när du blivit ensam?

Wallander uppfattade ironin i Martinssons röst.

– Ingenting, svarade han. Jag kanske bara behöver inse att jag har lett oss på alldeles fel spår.

– Vi börjar om i morgon, sa Martinsson. Det är som det är.

Martinsson försvann. Wallander satte sig i en stol och såg sig omkring i rummet. Hunden skällde. Wallander svor tyst för sig själv. Han var övertygad om att han hade rätt. Det var Rolf Nyman som hade dödat de två systrarna och Holm. Men han hittade inga bevis. Han hittade ingenting. Ännu en stund blev han sittande. Han började gå runt och släcka lamporna.

Då slutade hunden att skälla.

Wallander stannade. Lyssnade. Hunden var tyst. Omedelbart anade han faran. Varifrån den kom visste han inte. Diskoteket skulle vara öppet till tre på morgonen. Hansson hade inte hört av sig.

Vad som fick Wallander att reagera visste han inte själv. Men plötsligt insåg han att han stod framför ett fönster som var tydligt upplyst. Han kastade sig åt sidan. Samtidigt splittrades fönsterrutan. Wallander låg orörlig på golvet. Någon hade skjutit. Förvirrade tankar rusade genom hans huvud. Det kunde inte vara Nyman. Då hade Hansson hört av sig. Wallander tryckte sig mot golvet samtidigt som han försökte få fram sitt eget vapen. Han försökte hasa sig djupare in i skuggorna men märkte att han höll på att hamna i ljuset igen. Den som skjutit kanske hade hunnit fram till fönstret nu. Framförallt var det en taklampa som lyste upp rummet. Han hade fått fram sitt vapen och siktade mot den starka glödlampan. När han tryckte av skakade han så på handen att han inte lyckades träffa. Han siktade igen, höll vapnet med båda händerna nu. Skottet splittrade glödlampan. Det blev mörkare i rummet. Han satt stilla och lyssnade. Hjärtat bultade i bröstet på honom. Vad han framförallt behövde nu var radion. Men den låg på bordet flera meter ifrån honom. Och bordet var upplyst.

Hunden var fortfarande tyst. Han lyssnade. Plötsligt tyckte han att han hörde någon i tamburen. Knappt märkbara steg. Han riktade vapnet mot dörröppningen. Händerna skakade. Men ingen kom. Hur länge han väntade visste han inte. Samtidigt försökte han febrilt förstå vad som hade hänt. Sedan upptäckte han att bordet stod på en matta. Försiktigt, utan att släppa vapnet, började han dra i mattan. Bordet var tungt. Men han märkte att det rörde sig. Oändligt försiktigt såg han hur det närmade sig. Men just när han hade radion inom räckhåll small ytterligare ett skott. Det träffade radion som splittrades. Wallander kröp ihop i hörnet. Skottet hade kommit från framsidan. Wallander insåg att han inte skulle kunna dölja sig längre om den som sköt gick till baksidan av huset. Jag måste ut, tänkte Wallander. Stannar jag här är jag död. Han försökte förtvivlat utforma en plan. Ytterbelysningen skulle han omöjligt komma åt. Personen därute skulle troligen hinna skjuta ner honom först. Hittills hade den som skjutit visat sig vara säker på handen.

Wallander insåg vilket som var hans enda alternativ. En tanke som var honom mer motbjudande än någonting annat. Men han hade inget val. Han tog några djupa andetag. Sedan reste han sig, rusade ut i tamburen, sparkade upp dörren, kastade sig åt sidan och sköt tre skott mot hundburen. Ett ylande visade att han hade träffat. I varje sekund väntade Wallander att han skulle dö. Men hundens ylande gav honom tid att komma in i skuggorna. Samtidigt upptäckte han Rolf Nyman. Han stod mitt på gårdsplanen, ett ögonblick förvirrad av skotten mot hunden. Sedan upptäckte han Wallander.

Wallander blundade och tryckte av, två gånger. När han slog upp ögonen såg han att Rolf Nyman hade fallit omkull. Långsamt gick Wallander fram mot honom.

Han levde. Ett skott hade träffat honom i sidan. Wallander tog vapnet ur hans hand. Sedan gick han fram till hundgården. Hunden var död.

På avstånd hörde Wallander sirener som närmade sig.

Skakande i hela kroppen satte han sig på trappan och väntade.

I samma ögonblick märkte han att det hade börjat regna.

Epilog

Kvart över fyra på morgonen satt Wallander i matrummet på polishuset och drack kaffe. Hans händer skakade fortfarande. Efter den första kaotiska timmen när ingen egentligen lyckats förklara vad som hänt hade bilden till slut klarnat. Samtidigt som Martinsson och Svedberg hade lämnat huset utanför Sjöbo och tagit kontakt med Hansson över radion hade polisen i Lund slagit till mot Linda Bomans diskotek, eftersom man misstänkte att där befann sig alldeles för många människor. I det allmänna kaos som utbrutit hade Hansson missförstått det Martinsson sagt. Han hade trott att alla hade lämnat Nymans hus. Sedan hade han också alldeles för sent insett att Rolf Nyman försvunnit ut via en bakdörr som han slarvigt nog inte upptäckt när han kommit till diskoteket. Han hade frågat ett polisbefäl var de anställda befann sig och fått till svar att de tagits in till polishuset i Lund för förhör. Han hade antagit att det även gällde Rolf Nyman. Då hade han tänkt att det inte längre fanns något skäl för honom att vara kvar i Lund. Därför hade han åkt tillbaka till Ystad i den fasta förvissningen om att huset utanför Sjöbo sedan mer än en timme stod tomt.

Under tiden låg Wallander på golvet och sköt sönder taklampor, rusade ut på gården och dödade en hund, och sårade Rolf Nyman med ett skott i sidan.

Wallander hade flera gånger sedan han kommit tillbaka till Ystad tänkt att han borde bli ursinnig. Men han hade inte kunnat komma överens med sig själv om vem han egentligen kunde klandra. Det hade varit en olycklig serie av missförstånd som kunde ha slutat mycket illa, med att inte bara en hund blivit dödad. Nu blev det inte så. Men det hade varit nära.

Att leva har sin tid, att dö har sin, tänkte Wallander. Den be-

svärjelsen hade han burit med sig sedan den gång han blivit kniv-
stucken i Malmö många år tidigare. Nu hade det varit nära igen.

Rydberg kom in i matrummet.

– Rolf Nyman klarar sig, sa han. Du träffade honom mycket
lämpligt. Han får inga bestående men. Läkarna trodde att vi
skulle kunna börja prata med honom redan i morgon.

– Jag kunde lika gärna ha missat, svarade Wallander. Eller
träffat honom mitt emellan ögonen. Jag är en usel skytt.

– Det är dom flesta poliser, sa Rydberg.

Wallander sörplade i sig av det heta kaffet.

– Jag pratade med Nyberg, fortsatte Rydberg. Han menade
nog att vapnet kunde stämma med det som använts för att döda
systrarna Eberhardsson och Holm. Förresten har dom hittat
Holms bil. Den stod parkerad på en gata inne i Sjöbo. Förmodli-
gen har Nyman kört dit den.

– Nånting är alltså löst, sa Wallander. Men fortfarande har vi
ingen aning om vad som egentligen ligger bakom allt det här.

Rydberg hade naturligtvis inget svar.

Det skulle dröja flera veckor innan bilden helt hade klarnat. Men
när Nyman började prata kunde poliserna avtäcka en skickligt
uppbyggd organisation som sysslade med att föra in stora mäng-
der tung narkotika i Sverige. Systrarna Eberhardsson hade varit
Nymans skickliga kamouflage. De organiserade mottagarledet i
Spanien, där narkotikan som hade sitt ursprung hos avlägsna pro-
ducenter i både Mellanamerika och Asien kom in via fiskebåtar.
Holm hade varit Nymans hantlangare. Vid någon tidpunkt som
de aldrig helt kunde reda ut hade Holm och systrarna Eberhards-
son förenats av sin girighet och bestämt sig för att utmana Ny-
man. När han insett vad som höll på att ske hade han slagit tillba-
ka. Samtidigt hade flygolyckan inträffat. Narkotikan hade trans-
porterats via Marbella till norra Tyskland. Från en privat land-
ningsbana utanför Kiel hade sedan de nattliga flygningarna till
Sverige börjat. Dit hade också planet återvänt, utom denna sista

gång, när det havererat. Den kommission som utredde olyckan kunde aldrig slå fast den egentliga orsaken. Men mycket talade för att planet varit i så dåligt skick att flera faktorer samverkat.

Wallander ledde själv det första förhöret med Nyman. Men när två andra grova mord inträffade fick han lämna allting ifrån sig. Ändå hade han redan från början förstått att Rolf Nyman inte var den högsta toppen på den pyramid han hade ritat upp. Även ovanför Nyman fanns andra, finansiärer, osynliga män, som bakom fasaden av oförvitliga medborgare såg till att flödet av narkotika till Sverige inte stoppades.

Många kvällar tänkte Wallander på pyramiderna. På den topp som hans far hade försökt klättra upp till. Wallander tänkte att detta klättrande också kunde vara en symbol för hans eget arbete. Han nådde aldrig ända fram. Det fanns alltid några som satt så högt och oåtkomligt att de aldrig gick att komma åt.

Men denna morgon, den 7 januari 1990, var Wallander bara trött.

När klockan blivit halv sex orkade han inte längre. Utan att säga ett ord till någon annan än Rydberg åkte han hem till sin lägenhet på Mariagatan. Han duschade och kröp ner i sängen utan att kunna sova. Först när han letat reda på en sömntablett i en övergiven burk i badrumsskåpet föll han i sömn och vaknade inte förrän klockan två på eftermiddagen.

Resten av dagen tillbringade han på polishuset och sjukhuset. Björk infann sig och gratulerade Wallander till hans insats. Wallander svarade inte. Han tyckte att det mesta han gjort hade varit fel. Det var deras tur, inte deras skicklighet som till sist hade fällt Rolf Nyman.

Sedan hade han haft ett första samtal med Nyman på sjukhuset. Denne hade varit blek men samlad. Wallander hade förväntat sig att Nyman skulle vägra att säga någonting alls. Men han hade svarat på en del av Wallanders frågor.

– Systrarna Eberhardsson? frågade Wallander innan han avslutade förhöret.

Rolf Nyman log.

– Två giriga gamla damer, svarade han. Som lockades av att nån red in i deras tröstlösa liv och spred en doft av äventyr.

– Det låter knappast rimligt, sa Wallander. Steget är för långt.

– Anna Eberhardsson hade levt ett ganska vilt liv som ung. Emilia hade fått hålla ordning på henne. Kanske hon innerst inne hade velat leva samma liv? Vad vet man om människor? Annat än att dom har svaga punkter. Och att det är dom man ska leta reda på.

– Hur träffade du dom egentligen?

Svarade överraskade honom.

– Jag köpte ett blixtlås. Det var en period i mitt liv när jag lagade mina kläder själv. Jag såg dom där gamla fröknarna och fick min vansinniga idé. Att dom kunde vara användbara. Som en sköld.

– Och sen?

– Jag började gå dit. Handlade trådrullar. Pratade om mina resor runt om i världen. Hur lätt det egentligen var att tjäna pengar. Och att livet var kort. Men att ingenting nånsin var för sent. Jag märkte att dom lyssnade.

– Och sen?

Rolf Nyman ryckte på axlarna.

– En dag gav jag dom ett förslag. Vad är det man brukar säga? Ett förslag dom inte kunde motstå?

Wallander ville fråga mer. Men plötsligt ville inte Nyman svara längre.

Wallander bytte ämne.

– Och Holm?

– Girig han också. Och svag. Alldeles för dum för att inse att han inte skulle klara att lura mig.

– Hur fick du veta att dom hade såna planer?

Rolf Nyman skakade på huvudet.

– Det svaret får du inte, sa han.

Wallander tog en promenad från sjukhuset upp till polishuset. Där pågick en presskonferens som han till sin lättnad slapp delta i. När han kom in på sitt rum låg ett paket på bordet. Någon hade textat en lapp och sagt att paketet blivit liggande av misstag i receptionen. Wallander såg att det var från Sofia i Bulgarien. Genast visste han också vad paketet innehöll. Några månader tidigare hade han deltagit i en internationell poliskonferens i Köpenhamn. Där hade han blivit god vän med en bulgarisk polisman som delade hans intresse för opera. Wallander öppnade försändelsen. Där låg en skiva. »La Traviata« med Maria Callas.

Wallander skrev ut ett sammandrag av sitt första samtal med Rolf Nyman. Sedan åkte han hem. Lagade mat, sov några timmar. Tänkte att han borde ringa till Linda. Men lät det bero.

På kvällen lyssnade han sedan på den nya skivan från Bulgarien. Han tänkte att det han just nu behövde mest var några dagars vila.

Först när klockan blivit närmare två gick han till sängs och somnade.

Det inkommande telefonsamtalet registrerades hos polisen i Ystad klockan 5.13 den 8 januari. Det togs emot av en uttröttad polisman som hade varit i tjänst nästan oavbrutet sedan nyårsafton. Han hade lyssnat på den stammande rösten i telefonen och först tänkt att det var en sinnesförvirrad åldring. Men någonting hade ändå väckt hans uppmärksamhet. Han började ställa frågor. När samtalet var över tänkte han sig bara för ett kort ögonblick, innan han lyfte luren på nytt och slog ett nummer han kunde utantill.

När telefonsignalerna ryckte upp Wallander ur sömnen hade han varit djupt inne i en erotisk dröm.

Han såg på klockan samtidigt som han sträckte sig efter telefonluren. En bilolycka, tänkte han hastigt. Blixthalka och någon som kört för fort. Folk som har dött. Eller bråk med flyktingar som kommit med morgonfärjan från Polen.

Han makade sig upp i sängen och tryckte luren mot kinden där skäggstubben brände.

– Wallander!

– Jag hoppas jag inte väckte dig?

– Jag var vaken.

Varför ljuger man, tänkte han. Varför säger jag inte som det är? Att jag helst av allt skulle vilja återvända in i sömnen och fånga en bortsprungen dröm i form av en naken kvinna?

– Jag tänkte jag borde ringa dig. Det ringde en gammal lantbrukare som sa att han hette Nyström och bodde i Lenarp. Han påstod att en grannkvinna satt fastbunden på golvet och att nån var död.

Wallander tänkte hastigt efter var Lenarp låg. Inte så långt från Marsvinsholm, i ett ovanligt kuperat område för att vara Skåne.

– Det lät allvarligt. Jag tänkte det var bäst att ringa direkt till dig.

– Vilka har du tillgängliga just nu?

– Peters och Norén är ute och letar efter någon som krossat ett fönster på Continental. Ska jag ropa upp dom?

– Säg åt dom att köra till korsningen mellan Kadesjö och Katslösa och vänta där tills jag kommer. Ge dom adressen. När kom larmet?

– För några minuter sen.

– Säkert att det inte bara var nåt fyllo som ringde?

– Det lät inte så.

Wallander steg upp och klädde sig. Den vila han så väl behövde skulle tydligen inte förunnas honom.

Han körde ut ur staden, passerade det nybyggda möbelvaruhuset som låg vid infarten och anade det mörka havet där bortom. Himlen var täckt av moln.

Snöstormarna kommer, tänkte han.

Förr eller senare har vi dem över oss.

Sedan försökte han koncentrera sig på vad det var för syn som skulle möta honom.

Polisbilen väntade på honom vid avtagsvägen mot Kadesjö.

Det var ännu mörkt.

Henning Mankell

Andra böcker av Henning Mankell

Henning Mankell
Mördare utan ansikte

"N ågonting har han glömt, det vet han med säkerhet när han vaknar. Någonting han har drömt under natten. Någonting han bör komma ihåg.

Han försöker minnas. Men sömnen är som ett svart hål. En brunn som ingenting avslöjar av sitt innehåll.

Ändå har jag inte drömt om tjurarna, tänker han. Då skulle jag ha varit svettig, som om jag hade värkt ut en feber under natten. Den här natten har tjurarna lämnat mig ifred.

Han ligger stilla i mörkret och lyssnar. Hustruns andhämtning är så svag vid hans sida att han knappt kan uppfatta den.

En morgon kommer hon att ligga död bredvid mig utan att jag märker det, tänker han. Eller jag. En av oss dör före den andre. En gryning kommer att innebära att en av oss har blivit lämnad ensam.

Han ser på klockan som står på bordet intill sängen. Visarna skimrar och pekar på kvart i fem.

Varför vaknar jag, tänker han. I vanliga fall sover jag till halv sex. Det har jag gjort i över fyrtio år. Varför vaknar jag nu?

Han lyssnar ut i mörkret och plötsligt är han alldeles klarvaken.

Någonting är annorlunda. Någonting är inte längre som det brukar vara.

Försiktigt trevar han med ena handen tills han når sin hustrus ansikte. Med fingertopparna känner han att hon är varm. Det är alltså inte hon som har dött. Ännu har ingen av dem blivit lämnad ensam.

EN TIDIG MORGON på nyåret 1990 gör en lantbrukare
i södra Skåne en fruktansvärd upptäckt. Under natten
har hans grannar mördats. Den enda ledtråden Kurt Wallander
och hans kolleger har att gå efter är ett ord den gamla kvinnan
uttalade innan hon dog: »Utländsk.«

Han lyssnar ut i mörkret.

Hästen, tänker han. Hon gnäggar inte. Det är därför jag vaknar. Stoet brukar skria om natten. Det hör jag utan att vakna och i mitt undermedvetna vet jag att jag kan fortsätta att sova.

Försiktigt reser han sig ur den knarrande sängen. I fyrtio år har de haft den. Det var den enda möbel de köpte när de gifte sig. Det är också den enda säng de kommer att ha i sitt liv.

Han känner hur det värker i vänster knä när han går över trägolvet fram till fönstret.

Jag är gammal, tänker han. Gammal och förbrukad. Varje morgon när jag vaknar blir jag lika förvånad över att jag redan är sjuttio år.

Han ser ut i vinternatten. Det är den 8 januari 1990 och någon snö har inte fallit i Skåne denna vinter. Lampan utanför köksdörren kastar sitt sken över trädgården, den kala kastanjen och åkrarna där bortom. Han kisar med ögonen mot granngården där Lövgrens bor. Det vita, låga och långsträckta huset är mörkt. Stallet som ligger i vinkel mot bostadshuset har en blekgul lampa ovanför den svarta stalldörren. Det är där inne stoet står i sin box och det är där hon plötsligt gnäggar av oro om nätterna.

Han lyssnar ut i mörkret.**"**

Utkom 1991. 308 sidor. ISBN 91-7324-653-0

Henning Mankell
Hundarna i Riga

"**W**allander for upp till sjukhuset. Trots att han hade varit där många gånger hade han fortfarande svårt att hitta i det nybyggda komplexet. Han stannade i cafeterian på nedre botten och köpte en banan. Sen begav han sig till Patologen. Obducenten som hette Mörth hade ännu inte börjat den grundliga kroppsliga undersökningen. Men han kunde ändå ge Wallander svar på hans första fråga.

– Båda männen är skjutna, sa han. Från nära håll, rakt i hjärtat. Jag förmodar att det är dödsorsaken.

– Jag vill gärna ha resultatet så fort som möjligt, sa Wallander. Kan du redan nu säga nånting om hur länge dom varit döda?

Mörth skakade på huvudet.

– Nej, sa han. Och det är på sätt och vis ett svar.

– Hur menar du?

– Att dom sannolikt har varit döda ganska länge. Då blir det svårare att fastställa tidpunkten när dom har avlidit.

– Två dagar? Tre? En vecka?

– Jag kan inte svara, sa Mörth. Och jag vill inte gissa.

Mörth försvann in i obduktionssalen. Wallander tog av sig jackan, satte på sig gummihandskar, och började gå igenom de dödas kläder som låg framlagda på något som såg ut som en gammaldags diskbänk.

Den ena kostymen var tillverkad i England, den andra i Belgien. Skorna var italienska och Wallander tyckte sig förstå att de var dyrbara. Skjortor, slipsar och underkläder talade samma språk. De var av god kvalitet och

EN VINTERDAG 1991 flyter en räddningsflotte i land
vid den skånska sydkusten. I flotten ligger två män mördade.
Vilka är de döda männen? Varifrån kommer flotten?

säkert inte billiga. När Wallander hade gått igenom kläderna två gånger
insåg han att där knappast fanns några spår som förde honom vidare. Det
enda han visste var att de döda männen sannolikt hade gott om pengar.
Men var fanns plånböckerna? Vigselringar? Klockor? Ändå mer förbryllan-
de var det faktum att båda männen hade varit utan sina kavajer när de
blivit skjutna. Det fanns inga hål eller märken efter krut på kavajerna.

Wallander försökte se det hela framför sig. Någon skjuter två män rakt
genom hjärtat. När männen är döda sätter gärningsmannen på dom deras
kavajer innan de lämpas i en räddningsflotte. Varför?

Han gick igenom kläderna en gång till. Det är någonting jag inte ser,
tänkte han. **"**

Utkom 1992. 340 sidor. ISBN 91-7324-654-9

Henning Mankell
Den vita lejoninnan

" Hon knackade på dörren, men inget hände. Hon knackade igen, den här gången hårdare, men fortfarande fick hon inget svar. Hon försökte kika in genom ett fönster intill dörren, men gardinerna var fördragna. Hon knackade en tredje gång, innan hon gick runt för att se om det kanske också fanns en dörr på baksidan av huset.

Där låg en övervuxen fruktträdgård. Äppelträden hade säkert inte beskurits på tjugo, trettio år. Några halvruttna utemöbler stod under ett päronträd. En skata flaxade till och lyfte. Hon hittade ingen dörr och återvände till framsidan av huset.

Jag knackar en gång till, tänkte hon. Om ingen kommer och öppnar åker jag tillbaka till Ystad. Och jag hinner stanna en stund vid havet innan jag måste laga middag.

Hon bultade kraftigt på dörren.

Fortfarande inget svar.

Hon mer anade än hörde att någon dök upp bakom henne på gårdsplanen. Hastigt vände hon sig om.

Mannen befann sig ungefär fem meter ifrån henne. Han stod alldeles orörlig och betraktade henne. Hon såg att han hade ett ärr i pannan.

Hon kände sig plötsligt illa till mods.

Var hade han kommit ifrån? Varför hade hon inte hört honom? Det var grus på gårdsplanen. Hade han smugit sig mot henne?

Hon tog några steg emot honom och försökte låta som vanligt.

FREDAGEN DEN 24 APRIL 1992 på eftermiddagen försvinner
fastighetsmäklare Louise Åkerblom spårlöst
från sitt hem i Ystad. Samtidigt, på andra sidan jordklotet,
planerar en grupp fanatiska boer i Sydafrika ett attentat
mot en ledande politiker för att stoppa demokratiserings-
processen. När Kurt Wallander inser sambandet,
står det också klart att hundratusentals människors öden
ligger i hans händer ...

– Förlåt om jag tränger mig på, sa hon. Jag är fastighetsmäklare och jag
har kört fel. Jag ville bara fråga om vägen.

Mannen svarade inte.

Kanske var han inte svensk, kanske förstod han inte vad hon sa? Det
var något främmande över hans utseende som fick henne att tro att han
kanske var utlänning.

Plötsligt visste hon att hon måste bort därifrån. Den orörlige mannen
med sina kalla ögon gjorde henne rädd.

– Jag ska inte störa mer, sa hon. Förlåt att jag har trängt mig på.

Hon började gå men stannade i steget. Den orörlige mannen hade
plötsligt blivit levande. Han tog upp någonting ur jackfickan. Först kunde
hon inte se vad det var. Sedan insåg hon att det var en pistol.

Långsamt lyfte han vapnet och siktade mot hennes huvud.

Gode Gud, hann hon tänka.

Gode Gud, hjälp mig. Han tänker döda mig.

Gode Gud, hjälp mig.

Klockan var kvart i fyra på eftermiddagen den 24 april 1992.**”**

Utkom 1993. 480 sidor. ISBN 91-7324-655-7

Henning Mankell
Mannen som log

"Det är nånting som inte stämmer. Jag vill veta vad det var.

– Jag kan inte hjälpa dig, sa Wallander. Även om jag skulle vilja.

Det var som om Sten Torstensson inte hörde honom.

– Nycklarna, sa han. Bara som exempel. Dom satt inte i tändningslåset. Dom låg på golvet.

– Dom kan ha pressats ut, invände Wallander. När en bil knycklas samman kan vad som helst hända.

– Tändningslåset var oförstört, sa Sten Torstensson. Ingen av nycklarna var ens böjd.

– Ändå kan det finnas en förklaring, sa Wallander.

– Jag skulle kunna ge dig fler exempel, fortsatte Sten Torstensson. Jag vet att nånting hände. Min pappa dog i en bilolycka som var nånting annat.

Wallander tänkte efter innan han svarade.

– Skulle han ha begått självmord?

– Jag har tänkt på möjligheten, svarade Sten Torstensson. Men jag avskriver den som omöjlig. Jag kände min pappa.

– Dom flesta självmord kommer oväntat, sa Wallander. Men du vet naturligtvis bäst själv vad du vill tro.

– Det finns ännu ett skäl till att jag inte kan acceptera bilolyckan, sa Sten Torstensson.

Wallander betraktade honom uppmärksamt.

– Min pappa var en glad och utåtriktad man, sa Sten Torstensson. Hade

EN GRÅKALL OKTOBERDAG 1993 på Skagen. Kurt Wallander
har just fattat beslutet att lämna polisyrket.
Då blir han uppsökt av advokat Sten Torstensson,
vars far nyligen omkommit i en bilolycka.
Men sonen är misstänksam. Det är alltför mycket
som inte stämmer med faderns död, anser han,
och ber Wallander om hjälp.

jag inte känt honom så väl hade jag kanske inte märkt förändringen, den
lilla, knappt synliga, men ändå alldeles bestämda sinnesförändringen
hos honom under sista halvåret.

– Kan du beskriva det närmare? frågade Wallander.

Sten Torstensson skakade på huvudet.

– Egentligen inte, svarade han. Det var bara en känsla jag hade. Av att
nånting upprörde honom. Nåt som han absolut inte ville att jag skulle
märka.

– Talade du aldrig med honom om det?

– Aldrig.

Wallander sköt ifrån sig den tomma kaffekoppen.

– Hur gärna jag än vill så kan jag inte hjälpa dig, sa han. Som din vän
kan jag lyssna på dig. Men som polisman finns jag helt enkelt inte längre.
Jag känner mig inte ens smickrad av att du reser ända hit för att tala med
mig. Jag känner mig bara tung och trött och nerstämd. 99

Utkom 1994. 372 sidor. ISBN 91-7324-656-5

Henning Mankell
Villospår

"Kvinnan befann sig ungefär femtio meter ut i rapsfältet. Wallander såg att hennes hår var mycket mörkt. Det avtecknade sig skarpt mot den gula rapsen.

– Jag ska tala med henne, sa Wallander. Vänta här.

Han tog ett par stövlar ur bakluckan på bilen. Sedan gick han mot rapsfältet med en känsla av att situationen var overklig. Kvinnan stod alldeles orörlig och betraktade honom. När han kom närmare såg han att hon inte bara hade långt svart hår utan att hennes hy också var mörk. Han stannade när han hade kommit fram till åkerfästet. Han lyfte ena handen och försökte vinka henne till sig. Fortfarande stod hon alldeles orörlig. Trots att hon fortfarande var långt ifrån honom och den vajande rapsen då och då skymde hennes ansikte, anade han att hon var mycket vacker. Han ropade till henne att hon skulle komma fram till honom. När hon ändå inte rörde sig tog han det första steget ut i rapsen. Genast försvann hon. Det gick så hastigt att han tänkte på henne som ett skyggande djur. Samtidigt märkte han att han blev irriterad. Han fortsatte ut i rapsen och spanade åt olika håll. När han upptäckte henne igen hade hon rört sig mot fältets östra hörn. För att hon inte skulle slippa undan igen började han springa. Hon rörde sig mycket hastigt och han märkte att han blev andfådd. När han kommit henne så nära som drygt tjugo meter befann de sig mitt ute i rapsfältet. Han ropade till henne att hon skulle stanna.

– Polis! röt han. Stå stilla!

SOMMAREN 1994. Den varmaste i mannaminne.
Svenskarna sitter som fastklistrade framför teven för att följa
fotbolls-VM. Men för Kurt Wallander
blir det ingen fotbollsfest. Sommarstiltjen bryts
av att en lantbrukare ringer och säger att en ung kvinna
uppträder märkligt i hans rapsåker.

Han började gå mot henne. Sedan tvärstannade han. Allt gick nu mycket fort. Plötsligt lyfte hon en plastdunk över sitt huvud och började hälla ut en färglös vätska över sitt hår, sitt ansikte och sin kropp. Han tänkte hastigt att hon måste ha burit den med sig hela tiden. Han uppfattade nu också att hon var mycket rädd. Hennes ögon var uppspärrade och hon såg oavbrutet på honom.

– Polisen! ropade han igen. Jag vill bara tala med dig.

I samma ögonblick drev en lukt av bensin emot honom. Hon hade plötsligt en brinnande cigarettändare i ena handen som hon satte till sitt hår. Wallander skrek till samtidigt som hon flammade upp som en fackla. Lamslagen såg han hur hon vacklade runt i rapsfältet medan elden fräste och flammade mot hennes kropp. Wallander kunde själv höra hur han skrek. Men kvinnan som brann var tyst. Efteråt kunde han inte minnas att hon hade skrikit på hela tiden. **"**

Utkom 1995. 430 sidor. ISBN 91-7324-657-3

Henning Mankell
Den femte kvinnan

"Plötsligt tvärstannade han. Han hade då kommit fram till spången som ledde över diket.

Det var någonting med tornet på kullen. Någonting var annorlunda. Han kisade för att urskilja detaljer i mörkret. Han kunde inte avgöra vad det var. Men någonting hade förändrats.

Jag inbillar mig, tänkte han. Allt är som vanligt. Tornet jag byggde för tio år sedan har inte förändrats. Det är mina ögon som har blivit grumliga. Ingenting annat. Han tog ytterligare ett steg så att han kom ut på spången och kände träplankorna under fötterna. Han fortsatte att betrakta tornet.

Det stämmer inte, tänkte han. Hade jag inte vetat bättre kunde jag ha trott att det blivit en meter högre sedan igår kväll. Eller att det hela är en dröm. Att jag ser mig själv stå där uppe i tornet.

I samma ögonblick han tänkte tanken insåg han att det var sant. Det stod någon uppe i tornet. En orörlig skugga. Ett hastigt stråk av rädsla drog förbi inom honom, som en ensam vindpust. Sedan blev han arg. Någon gjorde intrång på hans marker, besteg hans torn utan att först ha frågat honom om lov. Antagligen var det en tjuvjägare, på spaning efter något av de rådjur som brukade röra sig kring skogsdungen på andra sidan kullen. Att det skulle vara någon annan fågelskådare hade han svårt att föreställa sig.

Han ropade till skuggan i tornet. Inget svar, ingen rörelse. Åter blev han osäker. Det måste vara hans ögon som var grumliga och som bedrog ho-

EN STJÄRNKLAR NATT i september 1994. Holger Eriksson,
en stillsam äldre herre, fågelskådare och fritidspoet, har just avslu-
tat en dikt och ger sig ut på en promenad på sina ägor för att följa
flyttfåglarnas avfärd från Skåne.

nom. Han ropade ännu en gång utan att få svar. Sedan började han gå
längs spången.

När plankorna knäcktes föll han handlöst. Diket var över två meter
djupt. Han föll framåt och hann aldrig sträcka ut armarna för att ta emot
sig.

Sedan kände han en stingande smärta. Den kom från ingenstans och
skar rätt igenom honom. Det var som om någon höll glödande järn mot
olika punkter på hans kropp. Smärtan var så stark att han inte ens för-
mådde skrika. Strax innan han dog insåg han att han aldrig hade kommit
till botten av diket. Han hade blivit hängande i sin egen smärta.

Det sista han tänkte på var nattfåglarna som sträckte någonstans långt
ovanför honom.

Himlen som rörde sig mot söder.

En sista gång försökte han ta sig loss ur smärtan.

Sedan var allting över.

Klockan var tjugo minuter över elva, kvällen den 21 september 1994.

Just den natten flög stora flockar av taltrastar och rödvingetrastar sö-
derut.**"**

Utkom 1996. 476 sidor. ISBN 91-7324-658-1

Henning Mankell
Steget efter

"Vid midnatt hade han fortfarande inte bestämt sig.

Han visste också att han inte hade bråttom. De skulle stanna ända till morgonen. Kanske skulle de stanna och sova ut under hela förmiddagen?

Han kände till deras planer in i minsta detalj. Det gav honom en känsla av oinskränkt övertag.

Bara den som hade övertaget kunde undkomma.

Strax efter elva, när han kunde höra att de var berusade, hade han försiktigt bytt position. Redan vid sitt första besök på platsen hade han utsett den punkt från vilken han skulle utgå. Det var ett tätt buskage en bit upp i slänten. Han hade full uppsikt över allt som skedde kring den ljusblå duken. Och han kunde komma alldeles inpå dem utan att själv bli sedd. Då och då lämnade de duken för att uträtta sina behov. Han kunde se allt vad de företog sig.

Klockan hade passerat midnatt. Fortfarande väntade han. Han väntade eftersom han tvekade.

Det var något som hade blivit annorlunda. Något hade skett.

De skulle ha varit fyra. Men en hade inte kommit. I huvudet gick han igenom tänkbara orsaker. *Det fanns ingen förklaring.* Något oväntat hade inträffat. Kanske flickan hade ändrat sig? Kanske hade hon blivit sjuk?

Han lyssnade på musiken. Skratten. Då och då föreställde han sig att

MIDSOMMARAFTON 1996. Tre ungdomar stämmer möte
i en undanskymd glänta på Österlen. Men bakom ett träd väntar
någon som ger deras fest ett makabert slut.

han själv satt där nere vid den ljusblå duken, med ett glas i handen. Efter-
åt skulle han prova en av perukerna. Kanske också några av kläderna? Det
fanns så mycket han kunde göra. Det fanns inga gränser. Hans övertag
skulle inte ha varit större om han kunnat göra sig osynlig.

Han fortsatte att vänta. Skratten steg och sjönk. Någonstans ovanför
hans huvud svävade en nattfågel hastigt förbi. **„**

Utkom 1997. 540 sidor. ISBN 91-7324-659-x

Henning Mankell
Brandvägg

"N är han hade passerat skattemyndighetens hus bestämde han sig för att gå bort till den bankomat som fanns intill varuhusen. Han kände med handen utanpå fickan där plånboken fanns. Han skulle inte ta ut några pengar. Men han ville se ett kontoutdrag och förvissa sig om att allt var som det skulle.

Han stannade i ljuset intill bankomaten och tog fram sitt blå uttagskort. Damen med schäfern var borta nu. På vägen från Malmö slamrade en tungt lastad långtradare förbi. Förmodligen skulle den med en av färjorna mot Polen. Av oljudet att döma var avgasröret trasigt.

Han slog in sin kod och tryckte sedan på knappen för kontoutdrag.

Kortet kom tillbaka och han stoppade ner det i plånboken. Det rasslade till inne i automaten. Han log vid tanken, fnittrade till.

Om människor bara visste, tänkte han. Om människor bara visste vad som väntar dem.

Den vita lappen med kontoutdraget kom fram genom springan. Han letade efter sina glasögon i fickan och insåg att de låg i den rock han använt när han gått ner till småbåtshamnen. Ett ögonblick blev han irriterad över att han glömt dem.

Han ställde sig där ljuset från gatlyktan var som starkast och kisade mot kontoutdraget.

Den automatiska utbetalning som gjorts på fredagen var bokförd. Liksom de kontanter han tagit ut dagen innan. Behållningen var 9765 kronor. Allt var som det skulle.

YSTAD, HÖSTEN 1997. Ett mord på en taxichaufför, en man som dör
utanför en bankomat och strax därefter ett strömavbrott som
mörklägger stora delar av Skåne. Hur hänger dessa händelser ihop?
Och vilken roll spelar IT-samhällets globala räckvidd
för vad som händer?

Det som hände kom helt utan förvarning.

Det var som om han hade träffats av en spark från en häst. Smärtan var
våldsam.

Han föll framåt, med handen krampaktigt knuten runt den vita lappen
med siffrorna.

När huvudet slog i den kalla asfalten upplevde han ett ögonblick av
klarhet.

Hans sista tanke var att han ingenting förstod.

Sedan inneslöts han av ett mörker som kom från alla håll samtidigt.

Klockan hade just passerat midnatt. Det hade blivit måndagen den 6
oktober 1997.

Ytterligare en långtradare på väg mot nattfärjan passerade.

Därefter var det åter stilla. **99**

Utkom 1998. 467 sidor. ISBN 91-7324-660-3

Henning Mankell
Comédia infantil

" **D**en milda vinden från havet som strök över mitt ansikte kändes plötsligt kall och hotfull. Jag såg ut över den mörka staden som klättrade längs sluttningarna ner mot havet, såg de flammande eldarna och de enstaka gatlyktorna där nattfjärilarna dansade, och tänkte: Här levde Nelio en kort tid, mitt ibland oss. Och jag är den ende som känner hela hans historia. Till mig anförtrodde han sig när han hade blivit skjuten och jag burit upp honom på taket och lagt ner honom på den smutsiga madrassen som han aldrig mer skulle resa sig ifrån.

– Det är inte för att jag är rädd för att bli bortglömd, hade han sagt. Det är för att ni inte ska glömma bort vilka ni själva är.

Nelio påminde oss om vilka vi egentligen var. Människor som var och en bar på hemliga krafter vi inte kände till. Nelio var en märkvärdig människa. Hans närvaro gjorde att vi alla kände oss märkvärdiga.

Det var hans hemlighet.

Det är natt vid Indiska oceanen.

Nelio är död.

Och hur osannolikt det än kan låta verkade det på mig som om han dog utan att ens vara rädd.

Hur kan det vara möjligt? Att en tioåring dör utan att avslöja ens en glimt av fasa över att inte få lov att vara med i livet längre?

Jag förstår det inte. Inte alls.

I EN AFRIKANSK HAMNSTAD står en man om natten på ett tak och ser ut över staden. Vid hans fötter, på en smutsig madrass, ligger, mager och medfaren, en döende pojke som under nio nätter berättar sitt livs historia för honom.

Jag, som är en vuxen människa, kan inte tänka på döden utan att känna en isande hand runt min strupe.

Men Nelio bara log. Tydligen hade han ändå en hemlighet han inte delade med sig av till oss andra. Det var märkligt, eftersom han varit mycket generös med de få ägodelar han hade, vare sig det gällde de smutsiga skjortor av indisk bomull han alltid bar eller någon av hans ständigt lika oväntade tankar.

Att han inte längre finns tar jag som ett tecken på att jorden snart kommer att gå under.

Eller tar jag miste?

Jag står på taket och tänker på första gången jag såg honom, när han låg på det smutsiga golvet och hade blivit träffad av den förvirrade mördarens kulor.

Jag tar den mjuka nattvinden som driver in från havet till min hjälp för att minnas.

Nelio brukade fråga:

– Känner du vad vinden smakar?

Jag visste aldrig vad jag skulle svara. Kan vinden verkligen ha någon smak?

Det menade Nelio. **"**

Utkom 1995. 257 sidor. ISBN 91-7324-610-7

Henning Mankell
Berättelse på tidens strand

" En natt utanför Umbeluzi lämnade en man sina ögon till de som gick
förbi. Han hette Felisberto och hans leende glimmade i de tropiska
mörkret.

Han sträckte fram sina händer, inte för att få
men för att ge.
En man som hela tiden tycktes oåtkomlig men ändå mycket nära.

Så tog han emot mig och lät mig se hans ansikte.

I en saga helt utan ord berättade denne man
som var så gammal att han kanske redan var död
den historia som jag först efteråt förstod var min egen,
sagan om mig själv.

Afrika är kanske allas jag,
ett ursprung och en dröm?

I Afrika såg jag aldrig någon gråta av sorg utan att där också glödde
en vrede.

Leenden fanns alltid att få, kostade inget, gavs bort med en
generositet jag inte trodde var möjlig.

I Afrika lärde jag mig att man kan uppleva en hemkomst på en
plats där man aldrig tidigare har varit.

Intill de stora floderna, Zambezi, Kongo och Rovuma, såg jag också
alltid Ljusnans mörka vatten.

VID GRÄNSEN MELLAN hav och land, mellan dröm och verklighet,
mellan saga och sanning berättar Henning Mankell om Afrika.
I hans bok är Afrika dramat om människan och människans
ursprung, om visheten och grymheten,
om glädjen och sorgen.

Floder är som syskon, åtskilda, men ändå födda ur samma källa.

I Afrika finner man till slut sin egen identitet, när man har letat sig
fram till den hemliga underström som förbinder alla källor.

I Afrika vände sig livet mot jorden, mot de redan döda för att
framtiden skulle bli synlig.

Människorna ristade kartor och minnen i sin hud och de log som om
de visste att blickar utgör det egentliga språket.

I Afrika såg man förundrat på dessa vita som tycktes rädda för
själva rädslan.

Dessa allvarliga män som drog ut i oändliga karavaner och var
beredda att offra sina liv för att underkuva människor som inte ens
visste att friheten hade en motsats.

De vita släpade ut sina téserviser i djungeln, och där i skymningen,
lät de sig badas, bytte om och satt vid dukade bord.

Bärarna hukade på avstånd
vid sina eldar.

Bortom dem
väntade tidsåldrarna."

Utkommer oktober 1998. 250 sidor. ISBN 91-7324-610-7

Henning Mankell
Daisy Sisters

"Örfilen bränner, spriten gör allt suddigt, både i underlivet och huvudet. Hon kämpar emot men hon kommer inte loss, han flåsar och pumpar och det känns som om han är långt uppe i hennes mage. Och så rycker han häftigt till några gånger, stönar och dreglar, och faller tungt över henne. När hon nu slår honom i ryggen bryr han sig inte om det, hon hasar sig loss, och han ligger utslagen i gräset och flåsar. Elna hittar sina underbyxor i gräset, drar på sig dem och hon märker att hon är kladdig i skrevet, men nu har hon bara en tanke i huvudet, att sova. Hon tar tag i sovsäcken, vacklar bort till ladans vägg och kryper ner med blixtlåset igendraget över huvudet. Sova, bara sova. Det som hänt har inte hänt, och i morgon är allting annorlunda och de har lång väg att cykla ...

På morgonen är de borta. När Elna vaknar sitter Vivi och kokar kaffe på det lilla spritköket, det är åter en vacker morgon och en humla surrar över hennes huvud. Hon är torr i munnen och det dunkar i huvudet.

– Godmorgon, säger Vivi. Vad du ser ut!

Ser ut? Hon kryper ut ur sovsäcken och snubblar in i ladan. I sin väska har hon en spegelflisa. När hon ser sitt ansikte minns hon örfilarna och hon har ett rivmärke på kinden och ett blåmärke på halsen. Men är det efter en sugande mun eller ett slag? Det kan hon inte avgöra.

Hon dricker kaffe och frågar hur Vivi mår. Jo tack, bara bra. Nypan och hon har haft roligt. (Fast visst var han envis och blev ilsken när han inte

På en cykeltur i Dalarna krigssommaren 1941
blir Elna våldtagen. Hon föder sedan en dotter, Eivor.
Detta är historien om Elna och Eivor, arbetarflickan
som aldrig ger upp sin strävan efter ett liv
som hon själv kan bestämma över.

fick som han ville, när hon inte ens ville runka av honom. Men det får man
ju ta med jämnmod, när han väl insett att det inte går att tvinga henne till
något hon inte vill, trots brännvin och löfte om att dra ut i tid, så är han
hygglig. De kurar i ett hörn, natten igenom.)

Till slut har Nils stått i ladans dörr och sagt att de nog bör ge sig iväg.
Då har hon och Nypan redan länge hört hur Elna har snarkat utanför väggen.

– Och du då? undrar Vivi.

Elna vill inte tänka på det, det är en obehaglig dröm som säkert försvinner så fort de har cyklat sin väg.

– Ungefär likadant, säger hon. Men jag fick inte vara ifred förrän jag
krupit ner i sovsäcken.

Vivi tycker återigen att de har varit söta. Elna svarar ingenting, mumlar
bara otydligt. **"**

Utkom 1982. Nu i pocket. 440 sidor. ISBN 91-7324-652-2